C0-AUG-656

WOLFGANG RÖD

DESCARTES' ERSTE PHILOSOPHIE

KANTSTUDIEN

ERGÄNZUNGSHEFTE

herausgegeben von Ingeborg Heidemann im Auftrage
der Kantgesellschaft Landesgruppe Rheinland-Westfalen

= 103 =

Descartes' Erste Philosophie

Versuch einer Analyse
mit besonderer Berücksichtigung
der Cartesianischen Methodologie

von

WOLFGANG RÖD

1971

BOUVIER VERLAG HERBERT GRUNDMANN · BONN

Als Habilitationsschrift auf Empfehlung der Philosophischen Fakultät I der Universität München gedruckt mit Unterstützung der Deutschen Forschungsgemeinschaft.
ISBN 3 416 00721 2

Jede wissenschaftliche Arbeit ist in so vielfältiger Weise durch Leistungen anderer bedingt, daß die meisten von ihnen unerwähnt bleiben müssen. Es gibt jedoch Fälle, in denen zum wissenschaftlichen der persönliche Einfluß hinzutritt. Dann besteht in besonderer Weise Grund zur Dankbarkeit. In diesem Sinne widme ich diese Untersuchung Herrn Prof. Dr. Wolfgang Stegmüller, dem ich für zahlreiche wissenschaftliche Anregungen wie für großzügige Förderung Dank schulde.

Daneben gilt mein Dank Frau Prof. Dr. Ingeborg Heidemann für ihr freundliches Entgegenkommen und ihre wertvollen Verbesserungsvorschläge, von der großen Mühe zu schweigen, die sie als Herausgeberin auf sich nahm.

Schließlich danke ich der Deutschen Forschungsgemeinschaft für den bereitwillig gewährten Druckkostenzuschuß, der die Veröffentlichung dieser Arbeit wesentlich erleichtert hat.

W. R.

INHALT

EINLEITUNG

1. Die Idee einer systematischen Philosophie als Leitidee der Interpretation

„Was ... die betrifft, die sich um die Anordnung und die Verknüpfung meiner Gründe nicht kümmern und nur, wie es bei vielen gebräuchlich ist, ihren Fleiß daran setzen werden, einzelne Sätze zu bemäkeln, so werden sie aus dieser Schrift keinen großen Nutzen ziehen." (AT VII, 9.28—10.2)

Mit diesen Worten hat Descartes im Vorwort der *Meditationen* die Versuche kritisiert, isolierte Sätze seiner Philosophie zum Gegenstand der Auseinandersetzung zu machen. Ungeachtet dieser Warnung wurde jedoch der Erörterung „einzelner Sätze" — wie besonders das Beispiel des Satzes „Ich denke, also bin ich" zeigt — von der Descartes-Forschung viel Aufmerksamkeit geschenkt, und es kann nicht bestritten werden, daß hierbei manche nützlichen Resultate erzielt wurden. Doch obwohl Einzelanalysen bestimmter philosophischer Sätze einen gewissen Wert besitzen, verlangt die adäquate Darstellung der Probleme nicht nur der Cartesianischen, sondern jeder systematischen Philosophie bei der Interpretation des Details die Berücksichtigung des Systemszusammenhangs.

Daher muß auch bei der Erörterung spezieller Probleme der Cartesianischen Philosophie der Grundriß des Systems stets im Auge behalten werden, da der Sinn von Descartes' Begriffen, die Bedeutung seiner Fragestellungen, nicht ohne Berücksichtigung ihrer Stellung im Ganzen seiner Philosophie zu erfassen sind. Auf die Darstellung dieses Grundrisses kommt es im folgenden vor allem an. Ausgehend von dem die Cartesianische Methodologie kennzeichnenden Anspruch, mit dem verfügbaren methodischen Instrumentarium ein umfassendes wissenschaftliches System aufbauen zu können, soll gefragt werden, ob Descartes' Methode prinzipiell geeignet ist, die erstrebte systematische Einheit aller rational begründbaren Erkenntnisse zu erzeugen, wobei namentlich das Problem ins Auge zu fassen sein wird, inwieweit die Erste Philosophie als Lehre von den obersten Grundsätzen des philosophisch-wissenschaftlichen Systems ein Anwendungsfall dieser Methode sein kann. Detailanalysen werden gegenüber dieser Aufgabe in den Hintergrund treten.

Bei der Analyse der Ersten Philosophie ist unmittelbar der Zusammenhang der Teile der theoretischen Philosophie zu beachten, zu der, außer der Philosophia Prima, Physik bzw. Naturphilosophie und deren Teilbereiche Kosmologie, Physiologie und Psychophysik gehören. Dagegen wird im folgenden aus Gründen der Kürze und Übersichtlichkeit auf Descartes' praktische Philosophie nicht eingegangen, obwohl eine umfassende Interpretation nicht ohne Berücksichtigung des Zusammenhangs von theoretischer und praktischer Philosophie möglich sein dürfte. Auf die Einbeziehung dieses Zusammenhangs konnte freilich um so eher verzichtet werden, als seine Darstellung im Descartes-Buch des Verfassers von 1964 versucht wurde.

Die Forderung, aus dem systematischen Kontext heraus zu interpretieren, gilt für beliebige Probleme der Cartesianischen Philosophie; sie gewinnt aber besondere Bedeutung für die Analyse der Ersten Philosophie, ist es doch bei ihr aus dem wesentlichen Grund nicht möglich, vom Systemzusammenhang zu abstrahieren, da die Cartesianische Philosophia Prima den Charakter einer Fundamentaldisziplin im Zusammenhang des Gesamtsystems haben soll. Descartes verstand nämlich unter „Erster Philosophie" (hinsichtlich der in ihr angestrebten Resultate) die Lehre von den Prinzipien der Naturwissenschaften bzw. der Naturphilosophie [1]; diese Prinzipien aber können nicht unabhängig von den aus ihnen abzuleitenden spezielleren Erkenntnissen in ihrer vollen Bedeutung erfaßt werden.

Der systematische Zusammenhang der Cartesianischen Philosophie und insbesondere die Stellung der Ersten Philosophie in ihr lassen sich nicht deutlich begreifen, wenn nicht dem methodologischen Gesichtspunkt gegenüber dem inhaltlichen der Vorrang eingeräumt wird. Deshalb werden im ersten Teil der vorliegenden Untersuchung jene methodologischen Prinzipien erörtert, deren sich Descartes bediente, um Einzelsätze zu Theorien und schließlich zu einem umfassenden System zu verbinden. Unter methodologischem Gesichtspunkt wird sich die Erste Philosophie als eine mit Hilfe der analytischen (resolutiv-kompositiven) Methode, wie sie auch von der zeitgenössischen Wissenschaft angewendet wurde [2], aufgebaute Lehre von den Erfahrungsprinzipien erweisen.

Anstelle von Erkenntnistheorie wird im folgenden meist von Erfahrungstheorie bzw. Theorie der Erfahrung gesprochen werden [3], um der Cartesianischen Terminologie möglichst nahe zu bleiben. Wie in Kap. XII ausführlich gezeigt werden soll, bedeutet „Erfahrung" bei Descartes nicht nur Erfahrungserkenntnis in dem heute geläufigen Sinn, sondern außerdem auch die unmittelbare Intuition sowohl idealer Sachverhalte, als auch der Existenz des denkenden Subjekts und der diesem gegenwärtigen gegenständlichen Erscheinungen. „Erfahrung" heißt somit jede direkte Perzeption, so daß nur die diskursive Erkenntnis, die Descartes für zweitrangig hielt und die im folgenden auch nur am Rande erörtert werden soll, nicht unter diesen Begriff fällt.

Um der Bedeutungsweite des Cartesianischen Ausdrucks gerecht zu werden, wird im folgenden die Bezeichnung „Theorie der Erfahrung" gewählt, um eine

[1] Cf. *Principes*, Préf., AT IX B, 14.8—9: la première partie [scil. de la vraie philosophie] est la méthaphysique, qui contient les principes de la connaissance."

[2] Hier ist vor allem an Galileis Unterscheidung von *metodo risolutivo* und *metodo compositivo* zu denken. Das Nähere über die analytische Methode findet sich in Kap. I.

[3] Dieser Sprachgebrauch folgt dem von H. Heimsoeth 1912.

Theorie zu kennzeichnen, die späterem Sprachgebrauch zufolge „transzendental" zu nennen wäre. Wie sich zeigen wird, versuchte Descartes durch Analyse der Erfahrung in dem weiten Sinn, der soeben angedeutet wurde, deren fundamentale Bedingungen zu erfassen und zur Grundlage der Formulierung von Prinzipien zu machen, auf denen ein umfassendes wissenschaftliches System errichtet werden sollte. Die so verstandene Cartesianische analytische Erste Philosophie ist so offensichtlich eine Vorstufe der Transzendentalphilosophie, daß es, stünde dem nicht die Terminologie des 17. Jahrhunderts entgegen, nicht unbegründet wäre, sie „Transzendentale Logik", etwa im Sinne von H. Krings, zu nennen [4].

Durch die Auffassung der Ersten Philosophie als Prinzipienlehre werden alle theologischen bzw. quasi-theologischen und psychologischen Probleme, deren Erörterung Descartes zur Metaphysik im weiten Sinne rechnete, vom Begriff der Prima Philosophia ausgeschlossen. „Metaphysik" hat dieser Terminologie entsprechend eine weitere Bedeutung als „Erste Philosophie". Obwohl Descartes zwischen beiden Ausdrücken nicht scharf unterschied, soll im folgenden an der hier angedeuteten terminologischen Unterscheidung festgehalten werden, um den in erster Linie zu klärenden Problemkomplex von den historisch mit ihm verbundenen Fragen „metaphysischer" Natur, z. B. dem in Med. IV erörterten Theodizeeproblem, abzugrenzen. Dieser terminologischen Konvention liegt selbstverständlich kein Werturteil zugrunde, sondern sie drückt den Gedanken aus, daß Probleme wie das des Daseins eines persönlichen Gottes oder das der Willensfreiheit mit der als Lehre von den Grundsätzen des wissenschaftlichen Erkennens verstandenen Ersten Philosophie nichts zu tun haben.

Der Versuch, die Cartesianische Methode in abstrakter Weise darzustellen, erweist sich als wenig ergiebig. Deshalb wird die analytische Methode, wie sie Descartes verstand, zunächst in ihre beiden komplementären Aspekte, nämlich Resolution und Komposition, zerlegt, und sodann jeder dieser Aspekte hinsichtlich der Anwendung der methodologischen Prinzipien auf bestimmte Erkenntnisbereiche diskutiert. Dabei wird sich zeigen, daß zwischen der Resolution bzw. der Komposition in Mathematik, Physik, Naturphilosophie und Erster Philosophie zwar gewisse Analogien feststellbar sind, daß sich aber gleichzeitig die methodologischen Prinzipien gemäß den Bedingungen des jeweiligen Anwendungsbereichs so stark differenzieren, daß Descartes' Anspruch, eine Einheitsmethode des wissenschaftlichen Erkennens entwickelt zu haben, als fragwürdig erscheint.

Insbesondere wird gefragt werden müssen, wie sich die Methode der Ersten Philosophie zu derjenigen der Mathematik und Physik bzw. Naturphilosophie verhält. Bekanntlich erblickte Descartes in der analytischen Methode der Mathematik das Vorbild der wissenschaftlichen Methode überhaupt. Deshalb forderte er, auch die Erste Philosophie mit Hilfe dieser Methode aufzubauen. Wie sich

[4] Cf. bzgl. Descartes' Reflexion auf den transzendentalen Charakter seiner Philosophie: H. Krings, *Transzendentale Logik,* München 1964, p. 57.

aber nachweisen läßt, hat er selbst beim Aufbau der Ersten Philosophie diese Forderung nicht realisieren können. Sofern die Theorie der Erfahrung, als die sich die Cartesianische Prima Philosophia unter dem Gesichtspunkt der Methode darstellt, mit Hilfe der resolutiv-kompositiven Methode entwickelt wurde, war ihr Vorbild nicht die Mathematik, sondern die Physik bzw. die Naturphilosophie.

2. Historische Wurzeln der Idee einer Ersten Philosophie

Der Begriff der Ersten Philosophie reicht bis zu Aristoteles zurück, der die Erste Philosophie oder „Weisheit" als Wissenschaft von den ersten Prinzipien und Ursachen formal in gleicher Weise bestimmte wie später Descartes, einschließlich der Parallelität von „Gründen" und „Ursachen" (Met. I 2, 982 b 9)[5]. Selbst die Stellung der Ersten Philosophie gegenüber den spezielleren Teilen des philosophischen Systems ist bei Descartes ähnlich gekennzeichnet wie bei Aristoteles, wie ein Vergleich zwischen dem ersten Buch der Aristotelischen Metaphysik und Descartes' Vorwort zur französischen Übersetzung der „Prinzipien der Philosophie" erkennen läßt. Trotz dieser formalen Übereinstimmung ist aber Descartes' Erste Philosophie gegenüber der Metaphysik der aristotelischen Tradition neuartig, da sie den ersten Versuch darstellt, eine Lehre von den Prinzipien des wissenschaftlichen Erkennens als Theorie der Erfahrung mit Hilfe einer am Verfahren der zeitgenössischen Naturwissenschaften orientierten Methode zu entwickeln.

Neben der aristotelischen Metaphysik-Tradition muß als zweite antike Wurzel der Cartesianischen Ersten Philosophie die Platonische Erkenntnismetaphysik berücksichtigt werden, innerhalb deren die Frage nach dem Wesen der wissenschaftlichen Erkenntnis (*epistéme*) bereits klar gestellt und versuchsweise beantwortet worden war. Obwohl Platon als Begründer der analytischen Methode in der Mathematik gilt, hat er jedoch die metaphysische Wesenserkenntnis im Gegensatz zur geometrischen Erkenntnis nicht als Anwendungsfall der mathematischen Methode aufgefaßt, sondern als Erfassung eines „Anypotheton" charakterisiert. Die Idee eines nicht mehr deduktiv zu begründenden ersten Grundes liegt auch der Cartesianischen Forderung zugrunde, das philosophische System auf ein schlechthin erstes Prinzip zu stützen. Sofern Descartes aber mit Hilfe der Analyse von Erfahrung überhaupt zu diesem Prinzip gelangt, steht die Cartesianische Erste Philosophie als Anwendungsfall der analytischen Methode vom methodologischen Standpunkt aus betrachtet im Gegensatz zur Platonischen Dialektik, die daher nur in zweiter Linie als Wurzel der Cartesianischen Ersten Philosophie in Betracht zu ziehen ist. Diese ist vielmehr in erster Linie durch die Tradition des Aristotelismus bedingt, die nicht nur in der späteren Scholastik, sondern auch in der Philosophie

[5] Cf. Met. V 1, 1025 b 5.

der beginnenden Neuzeit die entscheidende Rolle bei der Konzeption der Idee einer Ersten Philosophie spielte, wie sich z. B. aus den Definitionen der Prima Philosophia bei Fr. Bacon [6] und Th. Hobbes [7] deutlich erkennen läßt.

3. Die Originalität der Cartesianischen Ersten Philosophie

Hat somit die Idee einer Philosophia Prima eine in die Antike zurückreichende Vorgeschichte, so verbindet sie sich in Descartes' Denken mit einer Methode, die, obzwar ebenfalls Ergebnis einer langen Entwicklung, zu voller Klarheit erst in der beginnenden Neuzeit gelangte und die daher die Cartesianische von der Aristotelischen Ersten Philosophie wesentlich unterscheidet. Wie gezeigt werden soll, ist die erstere das Ergebnis der Anwendung der analytischen (resolutiv-kompositiven) Methode auf „die Erfahrung", d. h. auf die Tatsache, daß es überhaupt Gegenstände für ein Subjekt gibt. Die Erfahrungsanalyse ist nicht Selbstzweck, sondern dient der Auffindung jener obersten Grundsätze, aus denen die übrigen Teile des philosophischen Systems ableitbar sein sollen. Die Idee einer Prinzipienlehre als analytischer Erfahrungstheorie ist aber durchaus originell, und es ist vor allem dieser Gedanke, durch den Descartes zum Begründer der neuzeitlichen Philosophie geworden ist.

Als Prinzipienlehre hat die Cartesianische Erste Philosophie nicht die Aufgabe, eine philosophische Welterklärung zu entwickeln, sondern eine solche zu ermöglichen. Das gilt allerdings nur für die Erste Philosophie im später zu präzisierenden engeren Sinn, da die Cartesianische Metaphysik, wie sie vor allem in den *Meditationen* enthalten ist, auch Elemente einer Welterklärung aufweist. Zur Welterklärung gehören die Versuche, die Unsterblichkeit der Seele oder die reale Distinktion von Körper und Seele zu beweisen; alle derartigen Gedankengänge werden daher von der als Prinzipienlehre verstandenen Ersten Philosophie auszuschließen sein, d. h. der im folgenden verwendete Begriff der Ersten Philosphie gestattet nicht die Subsumtion aller in den *Meditationes de Prima Philosophia* erörterten Themen. In diesem Sinn wird in der vorliegenden Untersuchung von der *revidierten* Cartesianischen Ersten Philosophie gesprochen.

Sofern die Erste Philosophie die Aufgabe hat, die Voraussetzungen der systematischen Welterklärung, nicht diese selbst, zu entwickeln, kommt ihr nur in beschränktem Umfang selbständige Bedeutung zu. Obwohl sie nämlich als Erfahrungstheorie auf einen besonderen Gegenstandsbereich, nämlich auf die obersten Prinzipien als die allgemeinsten Bedingungen von Erkenntnis bzw. Erfahrung überhaupt bezogen ist, muß sie doch vor allem im Hinblick auf ihre wesentliche

[6] Cf. *The Advancement of Learning*, II, 7, § 3: Die Erste Philosophie ist „a parent or common ancestor to all knowledge". Sie behandelt „the common principles and axioms which are promiscuous and indifferent to several sciences".

[7] Cf. *De corpore*, II.

Funktion verstanden werden, die Grundlagen des Systems zunächst der theoretischen Philosophie, insbesondere der Naturphilosophie, nebst deren spezialwissenschaftlichen Verzweigungen, und schließlich durch deren Vermittlung auch die der praktischen Philosophie zu schaffen. Hieraus erklärt sich die zunächst überraschende Tatsache, daß Descartes in der Hypertrophie des metaphysischen Denkens eine Gefahr für Wissenschaft und Praxis erblickte (cf. z. B. an Elisabeth, 28. 6. 1643; AT III, 695. 8—15) [8].

Die Aufgabe der Welterklärung kommt der Naturphilosophie (mit der bei Descartes naturwissenschaftliche Theorien verschmelzen) zu, wie sie skizzenhaft im *Discours de la Méthode* und ausführlich in *Le Monde* sowie insbesondere in den *Principia Philosophiae* — von spezielleren wissenschaftlichen, mit der Naturphilosophie aber eng zusammenhängenden Entwürfen zu schweigen — enthalten ist. Sie wurde von Descartes als System von Sätzen verstanden, die aus den in der Ersten Philosophie aufgestellten metaphysischen Prinzipien deduziert werden, wobei die allgemeineren naturphilosophischen Sätze a priori, d. h. aus den obersten Grundsätzen allein, speziellere Sätze dagegen aus diesen Grundsätzen in Verbindung mit Tatsachenaussagen ableitbar sein sollen. Die Prinzipien sind nach Descartes evidente und mithin notwendig wahre Sätze. Nur provisorisch können in wissenschaftlichen Erklärungen Hypothesen an die Stelle der selbstevidenten Prinzipien treten. Das hypothetisch-deduktive Verfahren gilt aber nur so lange als zulässig, als der Rückgang auf selbstevidente Prinzipien aus kontingenten Gründen nicht vorgenommen wird oder vorgenommen werden kann. Grundsätzlich müssen jedoch alle wissenschaftlichen Beweise letzten Endes die in der Ersten Philosophie aufgestellten Prinzipien als Prämissen benutzen, um als adäquat gelten zu können.

Die Annahme, daß alle wissenschaftlichen Sätze aus einer beschränkten Anzahl evidenter, mithin notwendig wahrer und nicht revidierbarer Grundsätze ableitbar sein müßten, verrät unübersehbar den Einfluß des Aristotelischen Wissenschaftsideals. Die erkenntnismetaphysischen Voraussetzungen, mit deren Hilfe Descartes jenes Ideal realisieren zu können glaubte, erweisen sich dagegen als im weitesten Wortsinn als platonistisch. Descartes war einerseits überzeugt, mit dem Mittel der Resolution der Erfahrung und namentlich der wissenschaftlichen Erkenntnis letzte Elemente unserer Begriffe, „einfache Naturen", wie er sie nannte, isolieren zu können. Die elementarsten der zwischen solchen „Naturen" bestehenden Relationen sind evident; ihr sprachlicher Ausdruck ergibt die obersten Grundsätze der Erfahrung überhaupt. Die für die neukantianische Descartes-Interpretation charakteristische Annahme, daß jene „eingeborenen" einfachen Elemente aller unserer Begriffe Manifestationen der Struktur des „Geistes", Niederschlag der inneren Gesetzlichkeit des Erkenntnissubjekts seien, wird nur einem Aspekt der Cartesianischen Erkenntnismetaphysik gerecht. Weit entfernt davon, die „einfachen Naturen" als Erzeugnisse des menschlichen Geistes *allein* aufzufassen, er-

[8] Cf. auch die Bemerkungen über die Funktion der metaphysischen Grundlegung im *Entretien avec Burman*; AT V, 165.1—14.

blickte Descartes vielmehr in den Relationen der *natures simples* eine das Erkenntnissubjekt transzendierende Ordnung von Sachverhalten. Diese transsubjektive Ordnung sichtbar zu machen und für die Erklärung von Erscheinungen heranzuziehen, ist das Ziel der Erfahrungsanalyse.

Daß die Analyse der Erfahrung unter der Leitung methodologischer Prinzipien in Angriff genommen wird, die in Analogie zu den methodologischen Prinzipien der zeitgenössischen Mathematik bzw. Naturwissenschaft konzipiert waren, verleiht der Cartesianischen Ersten Philosophie trotz ihrer Abhängigkeit vom Aristotelischen Wissenschaftsideal und der Platonischen Erkenntnismetaphysik Züge von unbestreitbarer Originalität, wie durch die folgenden Untersuchungen deutlich werden dürfte. Angesichts der in Descartes' Erster Philosophie aufweisbaren Elemente der metaphysischen Tradition fanden Autoren, die, wie Gilson (1930) oder Koyré (1922) einseitig den Zusammenhang von Cartesianismus und Scholastik hervorhoben, manche Stütze im inhaltlichen Vergleich Cartesianischer und scholastischer Begriffe. Das für die Originalität der Cartesianischen Ersten Philosophie im Sinne der folgenden Analysen entscheidende Moment ist aber ihre Form gemäß der resolutiv-kompositiven Methode, wie sie zunächst in der zeitgenössischen mathematischen Naturwissenschaft entwickelt und von Descartes mit gewissen, später zu präzisierenden Modifikationen auf die Erste Philosophie angewendet worden war. Die resolutiv-kompositive Methode ist zwar ursprünglich als Methode der Mathematik entstanden; als mathematische Methode hat sie jedoch auf Naturphilosophie und Metaphysik nur einen indirekten, keineswegs den direkten oder gar ausschließlichen Einfluß ausgeübt, der ihr gelegentlich zugeschrieben wurde.

Die gewaltige von Descartes' Erster Philosophie auf die Folgezeit ausgehende Wirkung ist eines der eindrucksvollsten Beispiele für die Macht neuartiger Gedanken. Denn obwohl Descartes als Philosoph weniger präzis dachte als die Vertreter der Spätscholastik, die sich zum Vergleich anbieten — so etwa Fr. Suarez —, und obwohl er als Wissenschaftler nicht zu den schöpferischen Geistern erster Ordnung zu zählen ist, gibt ihm die geniale Idee, eine am Vorbild der Verfahrensweise der zeitgenössischen Naturwissenschaft bzw. Naturphilosophie orientierte Methode auf das Problem der Erfahrung anzuwenden, den unbestreitbaren Rang eines der größten Geister der gesamten Philosophiegeschichte und namentlich den des Begründers der neuzeitlichen Philosophie.

4. Methodologie und Erste Philosophie

Angesichts des angedeuteten Verhältnisses von erster Philosophie und Naturphilosophie bzw. Naturwissenschaft, das als Verhältnis zwischen der Lehre von den Bedingungen jeder Welterklärung und einer (versuchten) Welterklärung zu bestimmen ist, drängt sich die Frage auf, ob das philosophische System in allen seinen Teilen denselben methodologischen Prinzipien unterworfen sei oder ob die

Methode der Ersten Philosophie von der Methode der Naturphilosophie bzw. der Naturwissenschaft abweiche.

Descartes' Bemerkungen zu diesem Problem legen die Vermutung nahe, daß er die resolutiv-kompositive Methode insofern für die allen Teilen des Systems gleichermaßen angemessene hielt, als sie allein — und nicht die synthetische — ein inventives Verfahren darstelle. Dennoch wird die folgende Untersuchung wesentliche Differenzen zwischen den Methoden der beiden genannten Erkenntnisbereiche zutage treten lassen. Der entscheidende, hier nur andeutend vorwegzunehmende Unterschied ist der folgende: Im Zusammenhang mit naturphilosophischen bzw. naturwissenschaftlichen Erklärungen besteht die „Resolution" des Problems in der (von Descartes nicht präzis charakterisierten, im Grund aber wohl im Sinne eines divinierenden Verfahrens verstandenen) Auffindung von Hypothesen, aus denen in Verbindung mit gewissen Antecedens-Bedingungen das jeweilige Explicandum abgeleitet werden kann. Diese Ableitung heißt „Komposition" oder „Rekomposition", wobei jedoch zu beachten ist, daß die hier angegebene Grundbedeutung dieser Ausdrücke nicht scharf von gelegentlich auftretenden Nebenbedeutungen getrennt ist.

In der (revidierten) Ersten Philosophie spielen dagegen, wie bereits gesagt, Erklärungen keine Rolle. Folglich kann es in ihr keine Komposition in der angeführten Grundbedeutung des Ausdrucks geben. Nicht nur hinsichtlich der Komposition unterscheidet sich aber die Methode der Ersten Philosophie von der Methode der naturphilosophischen bzw. naturwissenschaftlichen Welterklärung, sondern auch hinsichtlich der Resolution. Die Vermutung, daß die Auffindung der obersten Grundsätze jeder Erfahrung im Aufsuchen geeigneter Hypothesen bestehe, läßt sich nämlich nicht halten, da Hypothesen nicht die für die allgemeinsten Prinzipien geforderte unerschütterliche Gewißheit besitzen. Die in der Ersten Philosophie angewandte Resolution ist vielmehr als Isolation und Intuition letzter Bedingungen der Möglichkeit von Erfahrung überhaupt zu interpretieren. Diese Bedingungen glaubte Descartes mit allgemeinsten Wesensverhalten identifizieren zu können, die einsichtig sind und daher irrtumsfrei — sozusagen in einer Art Wesensschau — erfaßt werden können. Nicht diese „Wesensschau", sondern ihre Vorbereitung in Form der Analyse von Erfahrungen der Reflexion heißt hier „Resolution". Als Verfahren der Vorbereitung einer „Wesensschau" bzw. der Gewinnung einsichtiger Prinzipien unterscheidet sich die Resolution in der Ersten Philosophie von dem gleichnamigen Verfahren im Bereich naturphilosophischer bzw. naturwissenschaftlicher Theorien der Welterklärung, das zur Auffindung hypothetischer Explikationsprämissen führen soll.

Die Bedeutung der resolutiv-kompositiven Methode für die Cartesianische Philosophie wurde schon vor Jahren erkannt [9]. Diese Erkenntnis verlangt aber

[9] Hier ist vor allem auf Heimsoeth 1912, passim, hinzuweisen. Neuerdings hat Beck 1965, p. 292, auf die Rolle der analytischen Methode innerhalb der Cartesianischen Metaphysik aufmerksam gemacht.

nach Ergänzung durch Angabe der spezifizierenden Bedingungen, unter denen die Anwendung der analytischen Methode in den verschiedenen Teilen des philosophischen Systems steht. So genügt es auch nicht, mit H. Scholz die Cartesianische Philosophie als insofern mathematisiert zu deuten, als alle ihre Sätze entweder Axiome von gleicher Evidenz wie die Euklidischen, oder aus diesen deduzierte Theoreme seien [10]; man wird vielmehr einräumen müssen, daß die Methode der zeitgenössischen Mathematik nicht unmittelbar zum Modell der in Descartes' Erster Philosophie angewendeten Methode werden konnte. Als solches kommt vielmehr nur die Methode der Naturphilosophie in Betracht, die allerdings ihrerseits von Descartes als Besonderung der Mathesis universalis verstanden wurde, so daß der mathematischen Methode die Bedeutung des mittelbaren Vorbilds der dem Aufbau der Ersten Philosophie zugrunde liegenden Methode zuzuerkennen ist.

Die soeben angedeutete Differenzierung ist notwendig, um den von Ch. Serrus (1933) gegen die Annahme der methodologischen Einheit der Cartesianischen Philosophie vorgebrachten Einwänden gerecht zu werden. Serrus hat klar gemacht, daß Descartes' Anspruch, eine auf alle Bereiche wissenschaftlicher Erkenntnis anwendbare Einheitsmethode gefunden zu haben, unhaltbar ist. Namentlich ist nach Serrus der Anspruch hinfällig, diese Einheitsmethode durch Verallgemeinerung der in den *Regulae* entwickelten methodologischen Prinzipien der mathematischen Erkenntnis gewinnen zu können.

Neben der Tatsache, daß die Mathematik im Gegensatz zur Metaphysik keine Sätze enthält, in denen die Existenz auch nur eines einzigen realen Dinges behauptet würde oder aus denen sie erschlossen werden könnte, führt Serrus zur Begründung seiner These an, daß in Descartes' Metaphysik der zum Scheitern verurteilte Versuch unternommen werde, aus dogmatisch behaupteten generellen Prämissen mit den Mitteln der syllogistischen Logik Existentialsätze abzuleiten. In diesem Punkte kann Serrus' Ansicht allerdings nicht ohne weiteres akzeptiert werden. Denn wenn auch gewissen Gedankengängen der Cartesianischen Metaphysik der Charakter syllogistisch aufgebauter Beweise nicht abgesprochen werden kann, so läßt sich doch aus der Metaphysik im weiten Sinne ein Gedankenkomplex herauslösen, der weder mathematische, noch syllogistische Form hat: eben die Erste Philosophie. Serrus hat zweifellos richtig gesehen, daß Descartes irrte, wenn er glaubte, in der Methode der Erfahrungstheorie das analytische Verfahren der Mathematik wiedererkennen zu können; zwischen beiden besteht vielmehr lediglich eine vage Analogie.

Die Möglichkeit, die Methode der Ersten Philosophie als Analogon zur mathematischen Methode zu verstehen, beruht auf gewissen Übereinstimmungen der in beiden Bereichen feststellbaren Ordnung [11]. Über diesen Übereinstimmungen dürfen jedoch die Unterschiede nicht vernachlässigt werden. So wird sich zeigen, daß

[10] Cf. H. Scholz 1933/34, pp. 1—2.
[11] J. Vuillemin 1960, pp. 120 sqq.

die mathematische Resolution als im wesentlichen deduktives Verfahren deutlich von der Resolution im Bereich der Naturphilosophie, die ein Verfahren der Hypothesengewinnung darstellt, unterschieden ist und schließlich auch zur Resolution innerhalb der Ersten Philosophie nur im Verhältnis sehr entfernter Analogie steht, sofern die resolutive Isolation von Erfahrungsbedingungen ebensowenig als Deduktion wie als Formulierung hypothetischer Annahmen zu verstehen ist.

Die im folgenden zu charakterisierende Funktion der Ersten Philosophie im Ganzen des Cartesianischen Systems kann nur dann deutlich erfaßt werden, wenn man sie ausschließlich als Erfahrungstheorie im früher angegebenen Wortsinn versteht. Daher ist es erforderlich, alles, was nicht Bestandteil der Theorie der Erfahrung ist, beiseite zu lassen, insbesondere die theologischen und psychologischen Gedankengänge, die in den *Meditationen* entwickelt werden und die Descartes zweifellos als wesentliche Bestandteile der Metaphysik betrachtete. Die Elimination dieser mit der Erfahrungsanalyse nicht zusammenhängenden Gedankengänge führt zu einer Revision der Cartesianischen Ersten Philosophie. „Revision" ist etwas anderes und in gewissem Sinn auch Schwächeres als „rationale Rekonstruktion" in dem von W. Stegmüller vorausgesetzten Wortsinn [12], sofern das Verfahren der Revision erstens keine dem 17. Jahrhundert fremden Methoden benötigt und zweitens in erster Linie der historischen Interpretation dient. Obwohl aber die Darstellung der Cartesianischen Ersten Philosophie, ihrer Methoden und ihrer erkenntnismetaphysischen Voraussetzungen streng an den geschichtlichen Tatsachen orientiert bleibt, werden Form und Funktion der Ersten Philosophie durch die Abgrenzung gegenüber allen nicht mit der Erfahrungsanalyse zusammenhängenden Gedankengängen im folgenden vielleicht präziser hervortreten als in Descartes' Texten.

[12] W. Stegmüller, *Gedanken über eine mögliche rationale Rekonstruktion von Kants Metaphysik der Erfahrung*, Teil I; in: Ratio, 9 (1967), pp. 1—2.

I. Teil

METHODOLOGISCHE GRUNDLAGEN

I. Methode und Ordnung
Vorbereitende Charakteristik der methodologischen Grundbegriffe

1. Resolution und Komposition

Die Cartesianische Methodenlehre stellt sich, wenn man von ihrer propädeutischen Funktion absieht, als Komplex von Anweisungen zur Herstellung einer bestimmten Ordnung zwischen Sätzen bzw. den ihnen nach Descartes zuzuordnenden Sachverhalten gemäß der von Descartes angenommenen durchgängigen Parallelität von wahren Propositionen und den in ihnen beurteilten Sachverhalten dar.

Descartes hat das zentrale Problem der Methode als Ordnungsproblem charakterisiert, indem er Funktion und Ziel der Methode folgendermaßen bestimmte:

„Die ganze Methode besteht in der Ordnung und Disposition dessen, worauf sich der Blick des Geistes richten muß, damit wir eine bestimmte Wahrheit entdecken." (Reg. V, Titel; AT X, 379.15—17)

Die Erzeugung der hier geforderten Ordnung soll nach Descartes so erfolgen, daß man a) komplexe und nicht unmittelbar einsichtige Sätze (gegebenenfalls in mehreren Schritten) auf einfache und unmittelbar einsichtige Sätze zurückführt und b) aus den einfachen und intuitiv als wahr erkannten Sätzen die komplexen „zusammensetzt", indem man die zur Reduktion erforderlichen Schritte in umgekehrter Reihenfolge vornimmt (379.17—21). Die komplexen Sätze folgen aus den einfachen bzw. werden aus ihnen abgeleitet, so daß sie auf Grund einer korrekten Deduktion aus einsichtigen Prämissen eingesehen werden. Da die einfachen Propositionen, aus denen die komplexen logisch „zusammengesetzt" werden, nicht anders als intuitiv zu erfassen sind und da außerdem jeder einzelne Gedankenschritt des Ableitungsverfahrens, das zur Erkenntnis der komplexen Sätze führt, ebenfalls intuitiv als korrekt eingesehen werden muß, kommt in Descartes' Methodologie der Intuition weitaus größere Bedeutung zu als der Deduktion.

(a) wird im folgenden in Anlehnung an Galileis Ausdruck „metodo risolutivo" und in Übereinstimmung mit Descartes' Terminologie in II. Resp. „Resolution" oder „Dekomposition" genannt; (b) soll als „Komposition" oder „Rekomposition" bezeichnet werden (vgl. Galileis „metodo compositivo") [1].

[1] Cf. hierzu unter anderen H. Gouhier 1962, pp. 106—111.

Obwohl (a) gelegentlich auch „Analyse" heißt, soll dieser Ausdruck hier nicht in gleicher Bedeutung wie „Resolution", sondern ausschließlich zur Bezeichnung der analytischen Methode im Sinne eines sowohl den resolutiven als auch den kompositiven Aspekt umfassenden Verfahrens gebraucht werden. „Analyse" in diesem Sinn bezeichnet nach Descartes das Gegenstück zu „Synthese", d. i. zur „geometrischen" Methode der Ableitung von Sätzen aus Definitionen, Axiomen und Postulaten nach dem Vorbild von Euklids *Elementen.* Descartes hat die synthetische Darstellungsweise im Anhang seiner Erwiderungen auf die zweite Gruppe von Einwänden gegen die *Meditationen* (= II. Resp.) andeutungsweise verwendet. Spinoza hat sich ihrer in der *Ethica* bedient; Wolff baute mit ihrer Hilfe sein weitverzweigtes philosophisches System auf. Synthetisch in dieser Bedeutung ist nicht nur die axiomatische Methode im Sinne Euklids, sondern auch die syllogistische Ableitung von Sätzen aus einer Reihe evidenter Prämissen.

Descartes hat bekanntlich die Syllogistik unter dem Gesichtspunkt der Erweiterung des Wissens für wertlos gehalten. Dieses negative Urteil gilt aber nicht nur für die syllogistische Ableitungsform, sondern für die Synthese im allgemeinen. So betonte Descartes ausdrücklich, daß die authentische Darstellung seiner Ersten Philosophie in den resolutiv-kompositiv aufgebauten *Meditationen,* nicht im ersten Teil der die synthetische Darstellungsform benützenden *Prinzipien der Philosophie* enthalten sei.

Die bekannteste und allgemeinste Charakteristik der analytischen Methode findet sich im zweiten Teil des *Discours de la Méthode,* wo Descartes vier Regeln anführt, die als Quintessenz seiner Methodenlehre gelten. In der zweiten und dritten dieser Regeln wird jenes Verfahren beschrieben, das hier erörtert werden soll; in ihnen wird gefordert,

> „jede Schwierigkeit ... in so viele Teile zu zerlegen als nur möglich und als erforderlich sein würde, um sie in der besten Weise aufzulösen"; und
>
> „der Ordnung nach meine Gedanken zu leiten, also bei den einfachsten und am leichtesten zu erkennenden Gegenständen zu beginnen, um nach und nach sozusagen gradweise bis zur Erkenntnis der zusammengesetzten aufzusteigen, wobei ich selbst unter denen Ordnung voraussetzte, die nicht in der natürlichen Weise aufeinander folgen." (AT VI, 18.24—19.2)

Während hinsichtlich der ersten Regel von Disc. II, nämlich der Regel der Evidenz, Einhelligkeit der Beurteilung herrscht, sofern in ihr nicht ein Mittel, sondern das Ziel der Erkenntnis angegeben ist [2], gehen die Meinungen über die Anwendbarkeit der Regeln der Resolution und der Komposition auseinander. Vor allem wurde bezweifelt, ob die Erste Philosophie als Anwendungsfall dieser Regeln gelten könne. Über die Rolle der auf den ersten Blick überflüssig scheinenden vierten Regel in Disc. II, die die Forderung vollständiger Enumeration der im Prozeß der Resolution und Komposition verwendeten Propositionen enthält, kann erst an

[2] Entsprechendes gilt für Reg. I—III der *Regulae* im Verhältnis zu den folgenden Regeln dieses Werks: Cf. O. Hamelin 1921, p. 64.

späterer Stelle gesprochen werden, da sich ihre Funktion nur im Zusammenhang mit den spezielleren methodologischen Begriffen der *Regulae* klären läßt.

Da in Disc. II die Cartesianische Methode nur skizziert, nicht aber in einer Weise dargestellt ist, daß von einem wissenschaftlich anwendbaren methodologischen Instrumentarium gesprochen werden kann, läßt sich auch nicht entscheiden, ob Descartes in der *Abhandlung über die Methode* noch den gleichen methodologischen Standpunkt eingenommen hat wie um 1629, als er die *Regeln zur Leitung des Geistes* verfaßte. Die Annahme, daß im *Discours* die Regeln der Cartesianischen Methode in jener Verallgemeinerung vorliegen, in der sie Descartes auch auf die Metaphysik anwenden zu können glaubte, hat zwar eine gewisse Wahrscheinlichkeit; wegen der Vagheit der Andeutungen, die Descartes in dem jüngeren Werk machte, muß es jedoch in bezug auf diesen Punkt bei bloßen Vermutungen bleiben. Es ist ohne weiteres möglich, daß Descartes 1637 einfach einen auf den Zweck des *Discours* abgestimmten Überblick über die Regeln von 1628/29 geben wollte, ohne sie inhaltlich zu modifizieren. Zur Ergänzung des in den *Regulae* Gesagten wird daher weniger auf den *Discours,* als vielmehr auf die Beispiele für die Anwendung der methodologischen Grundsätze in den *Essais* zurückzugreifen sein, in die der *Discours de la Méthode* einführen sollte.

2. Intuition als Ziel der Resolution

Die Methode dient der Vorbereitung der intuitiven Erfassung von Sätzen bzw. Sachverhalten; die Intuition selbst unterliegt dagegen keiner methodischen Regelung. Die resolutiven Verfahren, die in der Cartesianischen Methodologie angegeben werden, bezwecken allgemein die Reduktion komplexer Sätze und Probleme auf einfache Propositionen bzw. komplexer „Naturen" auf einfache, die unmittelbar einsichtig sein sollen. Die Intuition der einfachen Sätze bzw. „Naturen" kann selbst nicht mehr gelehrt werden [3], wie es auch nicht mehrere Arten intuitiver Erfassung gibt, zwischen denen nach Gesichtspunkten, die der Methodologie zu entnehmen wären, eine Auswahl getroffen werden könnte. Wenn vielmehr einfache und „offenbare" Sachverhalte vorliegen, bedarf es zu ihrer Erkenntnis keiner Technik und mithin auch keiner Kunstlehre, sondern nur des „natürlichen Lichts" (Reg. XIV; AT X, 440.7—9).

Da die Intuition einfacher Sachverhalte in vielen Fällen nicht ohne Vorbereitung erfolgen kann, diese vorbereitenden gedanklichen Operationen aber im Sinne einer Technik („ars") gelehrt werden können, bedarf es einer Methode, wenn intuitive Einsichten nicht vom Zufall abhängig bleiben sollen. Darüber hinaus dienen die methodischen Regeln der korrekten Ableitung nicht direkt einsichtiger

[3] Cf. Reg. IV; AT X, 372.17—19: „Neque enim etiam illa [methodus] extendi potest ad docendum quomodo hae ipsae operationes faciendae sint, quia sint omnium simplicissimae et primae ..."; cf. Reg. XII; AT X, 425.20—22: „nullam operam in naturis istis simplicibus cognoscendis esse collocanda, quia per se sunt satis notae."

aus intuitiv erfaßten Sätzen bzw. undurchsichtiger aus einsichtigen Sachverhalten. Für die Erreichung beider Ziele ist es erforderlich, die Erkenntnisgegenstände (Propositionen bzw. „Naturen") derart *in Reihen anzuordnen,* daß *die einen aus den anderen erkannt* werden können. Obwohl es zunächst befremdlich wirken dürfte, daß eine durch Folgebeziehungen charakterisierte Ordnung bald als Ordnung von Sätzen, bald als Ordnung von „Dingen" oder „Objekten" bezeichnet wird, muß aus Gründen der historischen Treue an der Annahme der Parallelität von logischer und ontologischer Ordnung festgehalten werden. Descartes unterschied nicht zwischen einer durch logische Folgebeziehungen und einer durch objektive Bedingungsverhältnisse zwischen Sachverhalten („Dingen", „Naturen") konstituierten Ordnung, und bestimmte die Aufgabe der Methode im Sinne der Herstellung sowohl der einen, als auch der anderen Art von Ordnung. Deshalb vertauschte er die Ausdrücke „einfache Naturen" und „einfache Propositionen" unbedenklich miteinander [4], worauf als auf einen entscheidenden Punkt der Cartesianischen Erkenntnistheorie später zurückzukommen sein wird.

„Erkennen" kann dem Gesagten zufolge in doppelter Bedeutung verstanden werden: Im engeren Sinne bedeutet dieser Ausdruck die Intuition einfacher Naturen und der zwischen ihnen bestehenden unmittelbaren Relationen (Reg. XIV; AT X, 440.2—5). Im weiteren Sinne bedeutet „Erkennen" aber zugleich auch die die Intuition vorbereitenden gedanklichen Operationen [5]. Schließlich hat auch die Ableitung komplexer Theoreme aus einfachen Propositionen (Axiomen) als Erkenntnisleistung zu gelten. Nur bei Zugrundelegung des engeren Erkenntnisbegriffs können Resolution und Komposition als bloße Mittel der Erkenntnis bezeichnet werden, während sie im Hinblick auf den weiteren Begriff von „Erkenntnis" im Sinne von Erkenntnisleistung im allgemeinen keineswegs nur eine dienende Rolle haben. Die Berücksichtigung der weiteren Bedeutung dieses Begriffs macht verständlich, weshalb Descartes keine von der Methodologie getrennte Erkenntnistheorie entwickelte. Insbesondere enthalten die *Regeln zur Leitung des Geistes* zugleich mit den methodischen Prinzipien die Grundsätze der Cartesianischen Erkenntnislehre.

Descartes neigte allerdings zur Bevorzugung des engeren Erkenntnisbegriffs, weshalb er die zum weiteren Begriff des Erkennens gehörenden gedanklichen Leistungen als etwas gegenüber der Intuition Untergeordnetes betrachtete. Das gilt nicht nur in bezug auf die Operationen der Resolution und Komposition, sondern erst recht in bezug auf die Deduktionslogik, wie es etwa in der Behauptung deutlich zutage tritt, die Erkenntnis des ersten Prinzips erfolge „ohne Logik, ohne Regel, ohne eine Formel der Argumentation, allein vermöge des Lichtes der Vernunft und des gesunden Menschenverstands" (*Recherche de la vérité*; AT X,

[4] So besonders deutlich Reg. VI; AT X, 383.11—23.

[5] Reg. XIV; AT X, 440.5—6: „tota fere rationis humanae industria in hac operatione praeparanda consistit."

521.19—21). Diese abwertende Beurteilung der Rolle der Logik und der (methodischen) Regeln ist für Descartes' „intuitionistische" (im Gegensatz zu Leibniz' „formalistischer") Einstellung charakteristisch [6].

3. „Absolute" Elemente der Ordnung

Durch die Anordnung der Erkenntnisobjekte (der Propositionen) in Reihen gemäß zwischen ihnen bestehenden Folgebeziehungen ist ihre Einteilung in „absolute" und „respektive" Elemente der Erkenntnisordnung bedingt. Das in einer Reihe von Sätzen bzw. Naturen im höchsten Grade Absolute („maxime absolutum") gilt in bezug auf diese Reihe als das Einfachste und am leichtesten Erkennbare, da es die Voraussetzungen für die Ableitung der nur mittelbar einsichtig zu machenden komplexen Sätze bzw. Naturen bildet (Reg. VI; AT X, 381.22—382.2). „Respektiv" heißen dagegen jene Elemente einer Reihe der angedeuteten Art, die nur mittelbar, nämlich durch die Beziehung auf „absolute Propositionen", als wahr erkannt werden können. „Absolut" und „respektiv" sind daher relative Bestimmungen, d. h. sie kommen nicht isolierten Sätzen, sondern Sätzen in bezug (respectus) auf andere Sätze zu, genauer in bezug auf die vorausgesetzte Ordnung von Sätzen im fraglichen Zusammenhang. Descartes war sich dieser Relativität klar bewußt (382.19—21).

„Absolute" Sätze müssen nicht einfach sein, obwohl sie unter den Bedingungen eines bestimmten Problems nicht weiter aufgelöst zu werden brauchen, um dessen Lösung zu ermöglichen. Verschiebt sich aber die Problemstellung, dann kann es unter Umständen nötig sein, die Resolution weiterzutreiben, um noch einfachere Elemente zu erhalten, die dann als die „absoluten" Teile des fraglichen Problems zu gelten hätten.

Trotz der Relativität des Ausdrucks „absolut" könnte man glauben, daß innerhalb bestimmter Probleme angegeben werden kann, was „absolut" bzw. was „respektiv" ist. Das ist jedoch bei Descartes nicht immer der Fall. Die Entscheidung ist zwar unproblematisch hinsichtlich solcher Sätze, wie sie bei der Reduktion von Gleichungen auftreten: Hier bieten sich die Linearfaktoren als „einfache Propositionen" an. Problematisch ist dagegen die Unterscheidung von „absoluten" und „respektiven" Elementen bereits bei dem von Descartes erwähnten Beispiel des Verhältnisses von konkreten Dingen und Allgemeinbegriffen. Einerseits kann nämlich das Allgemeine als „absolut" betrachtet werden, sofern es einfacher als das weniger Allgemeine ist (382.21—23). Dieser Auffassung liegt vermutlich die Vorstellung zugrunde, daß gemäß dem Reziprozitätsgesetz der scholastischen Logik Begriffe um so inhaltsärmer sind, je weiter ihr Umfang ist. Unter diesem Gesichtspunkt ließen sich mithin unter- und übergeordnete Allgemeinbegriffe nach ihrer „Einfachheit" ordnen und der in der so entstehenden Reihe einfachste als

[6] Cf. insbesondere Y. Belaval 1960.

„absolut" bezeichnen. Da hier Begriffe mit Begriffen verglichen werden, ist die von Descartes für die Vergleichbarkeit von Dingen aufgestellte Bedingung der „Teilhabe an der gleichen Natur" erfüllt (Reg. XIV; AT X, 440.10—12). Das ist jedoch nicht der Fall, wenn Allgemeinbegriffe und Einzeldinge als „absolute" und „respektive" Elemente aufeinander bezogen werden. Dennoch hielt es Descartes andererseits auch für möglich, Einzeldinge als „absolut" im Verhältnis zu allgemeinen Begriffen anzunehmen, da diese nicht unabhängig von den Einzeldingen, die unter sie fallen, existieren. Unter diesem Gesichtspunkt hätte somit das Allgemeine als respektiv gegenüber dem Partikularen zu gelten (Reg. VI; AT X, 382.23—24).

Schwierigkeiten der angedeuteten Art entstehen jedoch nur dann, wenn heterogene Gesichtspunkte nicht hinreichend scharf voneinander abgegrenzt werden. An sich ist die Unterscheidung von „absolut" und „respektiv" klar: Das Absolute ist als solches durch seine Position in einer durch eine Folgebeziehung charakterisierten bzw. konstituierten Ordnung bestimmt, wobei zu beachten ist, daß nach Descartes nicht nur Sätze aus Sätzen, sondern auch Sachverhalte aus Sachverhalten folgen können, und daß die Folgebeziehung zwischen „Naturen" eine Ordnung darstellt, die das Muster der logischen Ordnung ist. Diese letztere hat, um korrekte logische Ableitungen zu ergeben, die „natürliche Ordnung" (382.13—14) der Sachverhalte abzubilden. Wenn daher Descartes erklärt, daß die Erkenntnis komplexer Gegenstände in der Einsicht in das zwischen ihnen und einfachen Naturen bestehende Ableitungsverhältnis besteht, so liegt seiner Idee der Ableitung primär die Vorstellung eines Bedingungsverhältnisses zwischen Sachverhalten und erst sekundär die Vorstellung einer logischen Ableitungsbeziehung zugrunde.

Diese Doppeldeutigkeit von „Ableitung" bzw. „Folgerung" ist selbstverständlich nur ein Sonderfall der bereits erwähnten dogmatischen Annahme einer Parallelität von logischer und ontologischer Ordnung, verbunden mit der zusätzlichen Annahme des Primats der letzteren. Descartes hat die für seine Erkenntnismetaphysik wesentliche Parallelitätsannahme in den *Regulae* nicht begründet, obwohl er sie stets voraussetzte. In einem methodologischen Werk ist eine solche Begründung, die nicht anders als metaphysisch sein kann, auch nicht erforderlich; wohl aber muß sie von der Ersten Philosophie erwartet werden. Wie später deutlich gemacht werden soll, kommt dem Versuch, die erwähnte Parallelitätsannahme zu begründen, in der Cartesianischen Ersten Philosophie größte Bedeutung zu.

4. Anwendungsbereiche der analytischen Methode

Die hier notgedrungen sehr allgemein gehaltenen Bestimmungen der Ausdrücke „Ordnung", „absolut", „respektiv", „Folge" lassen sich konkretisieren, wenn sie auf speziellere Erkenntnisbereiche bezogen werden. Dasselbe gilt für die Ausdrücke „Resolution" und „Komposition", die in bezug auf eine vage Idee der

Ordnung auch nicht anders als vage sein können, wie die erwähnten Andeutungen in Disc. II lehren. Dagegen lassen sich Aufschlüsse über den Charakter der resolutiv-kompositiven Methode und ihrer Grundbegriffe aus der Untersuchung ihrer Anwendung auf bestimmte, durch eine jeweils besondere Art von Ordnung gekennzeichnete Erkenntnisbereiche erwarten.

Unter Descartes' Voraussetzungen kommen nur drei solche Bereiche in Betracht:

1. Die Mathematik, und zwar entweder als reine oder als angewandte Mathematik in der mathematischen Physik (die bei Descartes Mechanik, näherhin Kinematik ist), d. h. in den Wissenschaften von „Ordnung und Maß";

2. die Naturphilosophie, d. h. die nicht mathematisch darstellbare Theorie physikalischer und zum Teil biologischer Erscheinungen, die Descartes als System von Sätzen auffaßt, die durch Deduktion aus evidenten Prinzipien, die auf Einsicht in die „natura corporea" beruhen, zu gewinnen sein sollen;

3. die Erste Philosophie, die wie die Naturphilosophie eine „Ordnung von Gründen" voraussetzt, deren Objekt auf Grund seiner Unanschaulichkeit aber prinzipiell, und nicht nur wie das von (2) faktisch, der Meßbarkeit entzogen ist.

Eine Wissenschaft von qualitativen Erscheinungen als solchen ist so lange nicht möglich, als diese nicht auf quantitative Bestimmungen zurückgeführt werden, in welchem Fall der Übergang zu (2) oder zu (1) erfolgt. Der Grund hierfür liegt nach Descartes in der Tatsache, daß die Ideen von Qualitäten nicht klar und deutlich sind, eine Ordnung von Sätzen aber, die derart ist, daß „die einen aus den anderen erkannt werden können", nur unter Verwendung von klaren und deutlichen Begriffen erzeugt werden kann.

Da Wissenschaft im Cartesianischen Sinn eine Ordnung voraussetzt, deren konstitutive Beziehungen klar und deutlich eingesehen werden, liegt auch dann keine Wissenschaft vor, wenn eine Reihe von Sätzen weder auf Grund von Intuition, noch auf Grund von Deduktion, sondern auf Grund von Autorität als wahr angenommen werden. Deshalb ist die Theologie keine Wissenschaft; Glauben und Wissen sind prinzipiell zu trennen.

Entsprechend der Besonderung der Idee der Ordnung erfolgt eine Modifizierung der Methode je nach dem gewählten Objektbereich. Daher wird im folgenden das resolutive, sodann auch das kompositive Verfahren mit Bezug auf die drei soeben unterschiedenen Erkenntnisbereiche dargestellt werden, und zwar so, daß die Erörterung der analytischen Methode in Mathematik, Physik und Naturphilosophie im ersten Teil der Untersuchung die Voraussetzungen schaffen soll, von denen bei der Darstellung der analytischen Ersten Philosophie im zweiten Teil auszugehen sein wird [7].

[7] Eine von der in der vorliegenden Arbeit abweichende Gliederung der Analyse nach Typen findet sich bei G. Buchdahl 1969, pp. 126—135, wo die Analyse als Methode der Mathematik von der Analyse im Sinne des hypothetisch-deduktiven Verfahrens sowie des weiteren von der Analyse im Sinne der Resolution unterschieden und die letztere nochmals

II. Die resolutive Methode in der Mathematik

Die in den *Regulae* dargelegte Methode ist auf die Mathematik zwar nicht als einzigen, jedoch offensichtlich als nächsten und daher ausgezeichneten Anwendungsbereich bezogen.

Zu den mathematischen Wissenschaften im allgemeinen rechnete Descartes neben der reinen Mathematik (mathesis pura) alle durch diese begründeten und aus diesem Grund „mathematisch" genannten Disziplinen, nämlich Arithmetik, Geometrie, Physik, Astronomie, Musiktheorie usw. (Reg. IV; AT X, 377.9—378.11). Der Cartesianische Ausdruck „Mathesis universalis" (bzw. „generalis") hat demgemäß eine wesentlich weitere Bedeutung als der heute übliche Begriff der Mathematik [8], da er „die Theorie aller Dinge mit mathematisch präzisierbaren Eigenschaften, für welche irgendwelche Rechenregeln aufgestellt werden können" [9], bezeichnet.

Das Objekt der Mathesis pura sind Proportionen als solche, d. h. unter Absehung von Beziehungen zu bestimmten Größenverhältnissen. Deshalb ist die allgemeine Proportionentheorie (Reg. VI; AT X, 384.28—384.4) einerseits allgemeiner als alle Wissenschaften von quantitativen Verhältnissen einer bestimmten Art, andererseits ist sie auf Verhältnisse beliebiger Größen anwendbar. Mit ihrer Hilfe lassen sich die spezielleren mathematischen Disziplinen systematisch begründen.

1. Arithmetik

Bei der Zurückführung der arithmetischen Grundoperationen auf Begriffe der Proportionenlehre muß zunächst zwischen direkt und indirekt lösbaren Problemen unterschieden werden. Die ersteren betreffen die Bestimmung einer zu zwei gegebenen „in kontinuierlicher Proportion" stehenden Größe ($a : b = b : x$); ihnen entsprechen Gleichungen ersten Grades. Die Bestimmung der mittleren Proportionale(n) zwischen zwei gegebenen Größen erfolgt dagegen indirekt, wobei die Zahl *n* der zur Ableitung erforderlichen Schritte den Grad des Problems angibt

differenziert wird zur Analyse als Mittel der Auffindung elementarer „Ursachen" komplexer Phänomene und zur Analyse als Mittel zur Auffindung der logisch und mathematisch einfachsten Elemente wissenschaftlicher Erkenntnis überhaupt. Im Gegensatz hierzu wird in der vorliegenden Arbeit festgestellt, daß „Resolution" eine Phase des analytischen Vorgehens bezeichnet, nicht einen Typ von Analyse, wobei von der Resolution zu zeigen versucht wird, daß ihre Funktion in verschiedenen Anwendungsbereichen der Methode eine verschiedene ist.

[8] Nach L. J. Beck 1952, p. 198, stellt die Mathesis universalis, die weder mit der in Reg. I gemeinten Scientia generalis, noch mit der analytischen Geometrie, noch mit der Cartesianischen Algebra identisch ist, den direktesten Anwendungsfall der Cartesianischen Methode dar. Sie ist also mit dieser nicht identisch, wie gelegentlich behauptet wurde.

[9] H. Scholz 1933—34, p. 129.

(383.20—23). Den indirekt lösbaren Problemen entsprechen Gleichungen zweiten und höheren Grades, d. h. dem Problem zweiten Grades der Bestimmung einer mittleren Proportionale entspricht eine quadratische Gleichung bzw. als zugehörige Lösungsoperation das Ziehen der Quadratwurzel (Cf. Reg. XVI; AT X, 457.9—11), dem Problem dritten Grades der Bestimmung zweier mittlerer Proportionalen entspricht eine kubische Gleichung usw. Die Tatsache, daß Gleichungen höheren als vierten Grades nicht mehr allgemein durch Radikale auflösbar sind, bildete aber für Descartes wie für die gesamte Mathematik des 17. und 18. Jhs. eine unbegreifliche Grenze der Anwendbarkeit ihrer Methoden [10].

Die Lösung komplexer Probleme, die nicht mehr intuitiv gefunden werden kann, gelingt durch Zerlegung (Descartes spricht von „teilen", „dividi") des Problems in einfachere Teilprobleme, die unter Umständen ihrerseits in noch einfachere zerlegt werden müssen usw. So diskutierte Descartes in der *Géométrie* ausführlich verschiedene Methoden der Reduktion von Gleichungen höheren Grades. In diesem Zusammenhang erhält nun der Ausdruck „Resolution" eine präzise Bedeutung: Er bezeichnet den Prozeß der Gleichungsreduktion. Die sich bei der Auflösung quadratischer Gleichungen im letzten Schritt ergebenden Linearfaktoren $(x - x_1)$, $(x - x_2)$ spielen im fraglichen Zusammenhang die Rolle der „absoluten Propositionen". Durch „Komposition" aus den Linearfaktoren erhält man wieder die Gleichung in der Form $(x - x_1) . (x - x_2) = 0$. Hierbei ist klar, in welchem Sinne die Linearfaktoren „absolute Elemente" der Gleichung heißen: Einerseits lassen sie keine weitere Resolution mehr zu, andererseits ist die Lösung des Problems von ihnen abhängig.

Descartes' Charakterisierung der absoluten Propositionen erhält somit unter Berücksichtigung des soeben Gesagten eine klare Bedeutung, wovon man sich leicht überzeugen kann, wenn man die folgenden Äußerungen des Philosophen im Lichte der hier gegebenen Erklärung interpretiert:

> „Es sind nämlich dieselben [Sätze], die wir in jeder Reihe als die einfachsten bezeichnen; alle übrigen aber kann man nicht anders erfassen, als wenn man sie aus jenen ableitet, und zwar entweder auf die unmittelbare und nächste Weise oder erst durch zwei, drei oder noch mehr verschiedene Schlußfolgerungen. Diese Anzahl muß man sich ebenfalls merken, um zu erkennen, um wieviel Grade sie von dem ersten und einfachsten Satze entfernt sind." [11]

Aus dem Gesagten geht auch hervor, in welcher Weise die Resolution Bedingung der Intuition ist. In einer „Reihe von kontinuierlich proportionalen Größen" (Reg. XI; AT X, 409.15—16) läßt sich die konstante Beziehung zwischen jeweils zwei benachbarten Elementen der Reihe mit größter Leichtigkeit erkennen, ohne daß sie auf eine noch einfachere Beziehung zurückgeführt werden könnte $(a : b = b : x)$; die Beziehung einer Größe zur vorhergehenden und zur nachfolgenden $(a : x = x : b)$ wird nicht mehr mit derselben Leichtigkeit erfaßt, und noch

[10] Cf. P. Boutroux 1927, pp. 164—165.

[11] Reg. VI; AT X, 383.15—23. Hinsichtlich der mittleren Proportionalen im Zusammenhang mit dem Grad von Problemen cf. Reg. XVI; AT X, 457.9—12.

schwieriger ist die Bestimmung der Beziehung zwischen entfernteren Gliedern einer Proportion (z. B.: a : x = x : y = y : b, usw.) (409.27 —410.5). Bei Beziehungen, die nicht mehr intuitiv einsichtig sind, müssen die komplexen Relationen durch Resolution auf einfache zurückgeführt werden, die dann „mit einem Blick" erfaßt werden können. Die komplexen Beziehungen sind mithin bezüglich der einfachen „respektiv", d. h. sie können nur durch Reduktion auf (relativ) einfache Beziehungen erkannt werden. „Respektiv" sind also alle im Verlauf der Reduktion einer Gleichung auftretenden Sätze bis auf die Linearfaktoren, die den Charakter „absoluter Propositionen" haben.

So wie die einfachen Sätze nur intuitiv erfaßt werden, können jene respektiven Sätze, die durch viele Zwischenglieder von den Grundsätzen getrennt sind, nur durch Deduktion erkannt werden. Es gibt aber auch Sätze, die, obwohl sie aus einfachen Propositionen abgeleitet sind, nicht nur durch Deduktion, sondern auch intuitiv eingesehen werden können, je nachdem ob es gelingt, ihre logische Verknüpfung mit den Prinzipien momentan in einem einzigen gedanklichen Akt zu erfassen oder nicht (cf. Reg. III; AT X, 370.10—15). Nach Descartes erlangt man durch Übung die Fähigkeit, nicht nur einen größeren Zusammenhang von Beziehungen momentan, d. h. ohne Hilfe des Gedächtnisses, zu erfassen (Reg. XI; AT X, 409.6—7), sondern auch den Grad der Respektivität einer Proposition „mit einem Blick" (subito) zu erkennen, d. h. die Beziehungen zwischen den zwischen ihnen und den absoluten Propositionen vermittelnden Sätzen intuitiv einzusehen (409.13—15).

Das über die von Descartes als Beispiele herangezogenen einfachen Operationen Gesagte gilt selbstverständlich auch für komplexere Probleme, ja es erweist erst in der Anwendung auf diese seine ganze Fruchtbarkeit. Das ist z. B. bei der Reduktion biquadratischer Gleichungen mittels Hilfsgleichungen der Fall, wie man aus der Rekonstruktion der von Descartes nicht angegebenen Herleitung ersehen kann [12]. Mit dem Blick auf Probleme dieser Art konnte Descartes feststellen, daß es bei Einhaltung der von der Methode geforderten Ordnung bei Beschränkung auf evidente Grundsätze keinen auch noch so weit von den einfachen Grundsätzen entfernten Folgesatz geben könne, der nicht aus den Voraussetzungen ableitbar sei (Disc. II; AT VI; 19.12—17). In dem Verfahren der Ableitung mathematischer Aussagen in Form von „langen Ketten vollkommen einfacher und leicht einsichtiger Gründe" [13] erblickte Descartes das Vorbild der Ableitung von Folgesätzen aus evidenten Prämissen in beliebigen Bereichen wissenschaftlicher Erkenntnis.

[12] Diese Rekonstruktion gibt J. Hofmann, in: H. Scholz et al. 1951, pp. 58—59. Zum Verhältnis zwischen Descartes' Lösung der Gleichungen 4. Grades und dem Vorgehen griechischer Mathematiker (Menaichmos) cf. G. Milhaud 1921, pp. 77—78.

[13] Disc. II; AT VI, 19.6—7. Cf. Reg. III; AT X, 369.26—28.

2. Geometrie

Da sich nach Descartes der Inhalt der reinen Mathematik in der Proportionenlehre erschöpft (Reg. VI; AT X, 385.3—4) und da die Mathesis pura die Grundlage aller übrigen mathematischen Disziplinen darstellt (Reg. IV; AT X, 378.8—10), gehört die analytische Geometrie nicht zur reinen Mathematik, sondern wird durch sie begründet.

Schon 1628/29 hatte Descartes erkannt, daß zwischen den Klassen der Gleichungen zweiten, dritten, . . .n-ten Grades eine „kontinuierliche Proportion" besteht, die dem geometrischen Verhältnis der ersten, zweiten . . .m-ten Proportionale zur Einheit entspricht (Reg. XVI; AT X, 457.1—12). Die für die analytische Geometrie charakteristische Symbolisierung der algebraischen Beziehungen durch Verhältnisse von Strecken hatte er zu diesem Zeitpunkt noch nicht konsequent durchgeführt; denn obwohl er das Produkt durch ein Rechteck darstellte, dessen Seiten den Faktoren entsprechen, diente ihm im Falle von Produkten von mehr als zwei Faktoren eine der Rechteckseiten selbst als Ausdruck eines Produkts (Reg. XVIII; AT X, 465—466). Dadurch verbaute er sich die Möglichkeit, Funktionen mit Hilfe des geometrischen Symbolismus auszudrücken [14].

In der Cartesianischen analytischen Geometrie, die nicht ohne weiteres mit dem identifiziert werden kann, was hundert Jahre später so genannt wurde [15], kann man nicht, wie oft gesagt wurde, eine bloße Anwendung der Algebra auf die Geometrie erblicken [16]. Sie ist nämlich ebensosehr eine mit Hilfe von geometrischen Verhältnissen symbolisierte Algebra [17].

Für den Zweck der vorliegenden Untersuchung kommt es vor allem darauf an, sich zu vergegenwärtigen, in welchem Sinne in der Cartesianischen Geometrie von „Resolution" die Rede ist.

In Übereinstimmung mit der zeitgenössischen Auffassung der mathematischen Methode (siehe unten den historischen Exkurs), forderte Descartes, Probleme dadurch der Lösung zuzuführen, daß man sie

(a) so betrachtet, als seien sie bereits gelöst,
(b) die für die Lösung wesentlichen Bestimmungsstücke ohne Unterscheidung von bekannten und unbekannten Größen benennt (wodurch eben der Forderung Rechnung getragen wird, das Problem wie ein bereits gelöstes zu betrachten),
(c) diese Größen so anordnet, daß ihre Ordnung in möglichst natürlicher Weise die das Problem konstituierenden Abhängigkeitsbeziehungen erkennen läßt, und
(d) die Unbekannten durch so viele Gleichungen ausdrückt, als Unbekannte vorhanden sind [18].

[14] Cf. P. Boutroux 1900, p. 45.
[15] Cf. J. Hofmann, in: H. Scholz et al. 1951, p. 64.
[16] So schon A. Comte, *La géométrie analytique*, nouv. éd., Paris 1894, p. 4.
[17] L. Brunschvicg 1947, pp. 119—120.
[18] Géom. I; AT VI, 372.10—22; cf. *Calcul de Mons. Des Cartes*; AT X, 672—674.

Dieses Verfahren entspricht genau den in den *Regulae* aufgestellten methodologischen Forderungen für die Lösung „bestimmter" Probleme, bei der folgende Gedankenschritte unterschieden werden:

1. Feststellung der für ein Problem charakteristischen Bestimmungsstücke;
2. Einführung von Bezeichnungen für die bekannten wie für die unbekannten Größen;
3. Ausdruck der Unbekannten mit Hilfe ihrer Beziehungen zu gegebenen Größen (Reg. XIII; AT X, 430.11—22).

Hierbei muß man einerseits distinkt einsehen, wonach in einem Problem gefragt wird, d. h. worin das *quaesitum* besteht; d. h. es muß von allen für das fragliche Problem unwesentlichen Beziehungen abstrahiert werden. Sodann ist anzugeben, wie das Unbekannte (quaesitum) auf das Bekannte (cognitum) bezogen ist [19].

Probleme der analytischen Geometrie lassen sich somit in der Weise ihrer Lösung zuführen, daß sie in Gleichungsform ausgedrückt werden, worauf die Lösung durch Reduktion der Gleichungen in der oben beschriebenen Art erfolgt. Nach Descartes lassen sich alle Unbekannten auf eine einzige zurückführen, wenn sich ein Problem entweder mittels Lineal und Zirkel oder mit Hilfe von Kegelschnitten bzw. anderen Kurven, deren Gleichungen nicht von höherem als drittem oder viertem Grade sind, konstruieren läßt (Géom. I; AT VI, 373.28—374.5). Bedingung ist hierbei stets, daß ein Problem vollständig auf die in ihm enthaltenen einfachen Elemente zurückgeführt wird, weil nur durch Rückgang auf die absoluten Propositionen die ein Problem konstituierenden Beziehungen evident erfaßt werden können.

In der Cartesianischen Geometrie wird die allgemeine Bedingung der Vergleichbarkeit von Größen, die in der Gleichartigkeit derselben besteht (Reg. XIV; AT X, 440.10—12), dahingehend konkretisiert, daß gefordert wird, alle zu vergleichenden Größen auf eine Einheit als gemeinsames Maß zu beziehen. Durch Erfüllung dieser Forderung lassen sich alle im Zusammenhang eines Problems vorkommenden Größen (magnitudines continuae) derart ausdrücken, „daß die Schwierigkeit, die in der Erkenntnis des Maßes besteht, schließlich nur noch von der Erforschung der Ordnung abhängt" (452.3—5) [20].

Im Falle „ebener" Probleme, mit dem sich Descartes in der *Géométrie* in erster Linie beschäftigt, ist unter Descartes' Voraussetzungen die Reduktion immer möglich (Géom. I; AT VI, 374.20—376.28). Bei „soliden" Problemen sucht man das

[19] Reg. XIII; AT X, 435.2—7: „Atque haec sunt conditiones, quibus examinandis statim ab initio dicimus esse incumbendum; quod fiet, si ad singulas distincte intuendas mentis aciem convertamus, inquirentes diligenter quantum ab unaquaque illud ignotum quod quaerimus sit limitatum."

[20] Descartes erklärt es aber auch für möglich, als Einheit den Punkt zu wählen, in welchem Falle die Linie als durch die „fließende Bewegung" eines Punktes erzeugt zu denken ist (450.7—9).

Gleichungspolynom (summa aequationis) in der oben angedeuteten Weise zu reduzieren, wobei Descartes wußte, daß es als Produkt der Linearfaktoren ausdrückbar und daß es *n* reelle Wurzeln haben *kann*, wenn es sich um eine Gleichung n-ten Grades handelt (Géom. III; AT VI, 444.19—22 und 445.15—21) [21].

Während somit „Resolution" in der Mathematik eine präzise Bedeutung hat, ja dieser Ausdruck allem Anschein nach zuerst für die Auflösung von Gleichungen bzw. von Problemen der Proportionentheorie gebraucht worden ist, fällt es schwer, „Komposition" (bzw. „Rekomposition") ebenso eindeutig zu interpretieren.

III. Mehrdeutigkeit von „Rekomposition" in der Mathematik

Wenn die Rekomposition, wie aus zahlreichen Äußerungen Descartes' hervorzugehen scheint, in nichts anderem als darin besteht, die Gedankenschritte, in denen die Resolution erfolgt ist, in umgekehrter Reihenfolge zu durchlaufen, dann fällt es schwer, ihr den Rang einer der Dekomposition gleichwertigen Phase des Erkenntnisprozesses zuzugestehen, wenigstens sofern ihre Anwendung auf mathematische Probleme in Frage steht. Zwar scheint es z. B. bei der Bestimmung dreier mittlerer Proportionalen möglich, die Einsetzung der durch Auflösung der letzten Gleichung, die sich bei der „Teilung" des Problems ergibt, gefundenen Werte in die den früheren Stufen der Zerlegung in Teilprobleme entsprechenden Gleichungen und schließlich in die ursprüngliche Gleichung als „(Re-)Komposition" zu bezeichnen; aber da man sich bei diesem Vorgehen sozusagen auf gebahntem Weg bewegt, bleibt es gegenüber der Resolution zweitrangig.

In einem anderen Sinn kann von „Komposition" gesprochen werden, wenn man berücksichtigt, daß die Erfüllung der Forderung, ein Problem, um es der Lösung zuzuführen, wie ein bereits gelöstes zu betrachten, einen Akt gedanklicher Synthese voraussetzt, dem aber wiederum eine wenn auch nicht immer explizite Resolution vorangegangen sein muß, in der die Elemente, deren Beziehungen in Form einer Gleichung auszudrücken sind, erfaßt werden. Resolution und Komposition durchdringen sich in dieser Bedeutung eher im Prozeß der Problemlösung, als daß sie scharf voneinander abgegrenzt wären [22]. Faßt man „Komposition" so weit, daß auch dieser der expliziten Resolution vorhergehende synthetische Akt darunter begriffen wird, dann lassen sich Dekomposition und Rekomposition im Zusammenhang mit der Lösung mathematischer Probleme nicht in der Weise trennen, daß eine rein resolutive einer rein kompositiven Phase des Lösungsprozesses vorherginge, so daß zwischen ihnen eine scharfe Trennungslinie gezogen werden könnte. Insbesondere bleibt unklar, ob der Ausdruck eines Problems in Gleichungsform noch zur Resolution oder schon zur Komposition gehört.

[21] Für weitere Einzelheiten cf. Vuillemin 1960, ch. V.
[22] Cf. H. H. Joachim 1957, pp. 40—41.

Von Komposition kann im Bereich der Mathematik schließlich noch in einem dritten Sinn gesprochen werden, nämlich im Hinblick darauf, daß bei der von Gleichungen für Gerade und Kegelschnitte ausgehenden Entwicklung von Kurvengleichungen höheren Grades jeder bestimmte Gleichungstypus sowohl als Resultat einer vorangegangenen, wie als Ausgangspunkt einer folgenden „Komposition" betrachtet werden kann, wie P. Boutroux (1914) bemerkt hat. Hierbei wäre das Ergebnis der kompositiven Ableitung „respektiv" in bezug auf deren Voraussetzungen, jedoch hätte derselbe Gleichungstypus als „absolut" zu gelten, sofern er seinerseits zum Ausgangspunkt fortgesetzter Komposition gemacht würde. Die kompositive Erzeugung von Gleichungen höheren Grades wäre mithin die Umkehrung der „resolutiven" Reduktion von Gleichungen höheren auf solche niedrigeren Grades.

In dem von Descartes berücksichtigten mathematischen Bereich herrscht die von ihm geforderte Kontinuität der deduktiven Ordnung, die die Voraussetzung dafür ist, daß nicht nur intuitiv einsichtige einfache Propositionen, sondern auch „all das, was sich aus bestimmten anderen, sicher erkannten Dingen mit Sicherheit ableiten läßt" (Reg. III; AT X, 369.20—22), zum Gegenstand sicherer Erkenntnis wird, weil die selbst nicht evidenten Folgesätze „von wahren und klar erkannten Prinzipien aus durch eine kontinuierliche und nirgendwo unterbrochene Bewegung des intuitiv jeden Einzelschritt hervorbringenden Denkens abgeleitet werden" (369. 24—26). Die Verwirklichung dieses Ideals der deduktiven Kohärenz erkaufte Descartes jedoch um den Preis des Ausschlusses der sogenannten „mechanischen Kurven" aus der analytischen Geometrie, die er im Gegensatz zu den sogenannten „geometrische Kurven" mit seinen mathematischen Mitteln nicht zu bewältigen vermochte. Diese Beschränkung des Bereichs der analytischen Geometrie wurde schon im 17. Jahrhundert im Zusammenhang mit dem sogenannten „inversen Tangentenproblem" als unhaltbar erkannt.

Wie die folgenden Ausführungen deutlich machen sollen, ist die Unmöglichkeit einer scharfen Trennung von resolutivem und kompositivem Aspekt ein durchgängiges Kriterium der Cartesianischen Methode, also nicht auf die Methode der Mathematik beschränkt. Je komplexer die Probleme, desto deutlicher tritt das wechselseitige Abhängigkeitsverhältnis von Resolution und Komposition zutage.

Während aber in der Naturphilosophie wie in Teilen der Metaphysik unter „Komposition" nichts anderes verstanden wird als „Deduktion", ja vielfach „syllogistische Deduktion", besteht nach Descartes die Ableitung komplexer aus relativ einfachen („absoluten") Propositionen im mathematischen Bereich nicht in der Deduktion weniger allgemeiner aus allgemeineren Sätzen, weshalb er die mathematische der syllogistischen (bzw. generell der „synthetischen") Ableitungsmethode als schöpferisches (inventives) Verfahren gegenüberstellte, dessen Anwendung auf Physik, Naturphilosophie und Metaphysik die durch ihre herkömmliche, nämlich syllogistische Form bedingte Sterilität dieser Disziplinen überwinden sollte.

IV. Exkurs: Historische Hinweise zu den Begriffen „Resolution" und „Komposition"

Die Termini „Resolution" und „Komposition" haben eine lange Geschichte, auf die hier kurz eingegangen werden soll, um die Art der Verwendung jener Ausdrücke bei Descartes und seinen Schülern besser verständlich zu machen.

Bekanntlich vermutete Descartes, daß die „Analyse oder Resolution" (im Gegensatz zur „Synthese oder Komposition") (II. Resp.; AT IX A, 121.25—26) bereits den Mathematikern der Antike vertraut gewesen sei (122.13—17). Tatsächlich findet sich schon in Euklids *Elementen* die Definition der Analyse als „Annahme des Gesuchten als zugestanden durch die Folgerungen bis zu einem als wahr Zugestandenen" (XIII, 1). Allgemein galt in der griechischen Mathematik seit Euklid, daß ein Problem dadurch der Lösung zuzuführen sei, daß man es wie ein bereits gelöstes betrachtete, um auf diese Weise Beziehungen zwischen bekannten und unbekannten Bestimmungsstücken formulieren zu können. Die auf die Analyse folgende Komposition bestand aus der „Konstruktion" und der „Demonstration", wobei bei der Komposition die in der Analyse vorgenommene Reihenfolge der Ableitungsschritte umgekehrt werden sollte [23].

Die Euklidische Begriffsbestimmung liegt den Definitionen des Ausdrucks „Analyse" bei den späteren griechischen Mathematikern zugrunde. So definierte z. B. Pappus, ähnlich wie Diophant, „Analyse" als „Weg von einem wie ein Gegebenes betrachteten Unbekannten zum Gegebenen durch geordnete Zusammenstellung der Konsequenzen". In der „Synthese" gelangt man umgekehrt dadurch zum Ziel der Konstruktion des Gesuchten, daß man das in der Analyse als Letztes erhaltene Resultat zum Ausgangspunkt macht und die aus diesem folgenden Konsequenzen der Natur des Problems entsprechend ordnet bzw. verknüpft [24].

An den Werken von Euklid, Pappus, Diophant, Apollonius, Archimedes und anderen orientierte sich die Mathematik des 16. und 17. Jhs., namentlich deren bedeutendster vorcartesianischer Vertreter Fr. Viète, dessen Definitionen für „Analyse" und „Synthese" offensichtlich von Pappus entlehnt sind. Dasselbe gilt für M. Ghetaldi [25], der in der Einleitung zum ersten Buch seines Werkes *De Resolutione et Compositione Mathematica* (1630) die fraglichen Definitionen in augenfälliger Übereinstimmung mit denjenigen der griechischen Mathematiker einführte [26]. Dieser Freund Viètes wurde gelegentlich als der eigentliche Begründer

[23] Cf. H. Hankel 1874, pp. 141—144.

[24] Belege bei J. Klein 1936 (Teil II), p. 159. Über Descartes' positive Einschätzung der antiken Analyse, bes. nach der Bekanntschaft mit dem Problem des Pappus, cf. G. Milhaud 1921, pp. 140—141. Hinsichtlich der Anregungen, die Descartes von Pappus empfangen haben dürfte cf. H. Heimsoeth 1912, pp. 43—44.

[25] Neben diesem wurde der entscheidende Schritt der Begründung der analytischen Geometrie auch Fermat zugeschrieben, dessen Bedeutung G. Milhaud 1921, pp. 132—136, im Anschluß an M. Cantor hervorgehoben hat.

[26] Diese Einleitung ist abgedruckt bei D. Gelich 1882, pp. 191 sqq., der auch in Ghetaldi den Begründer der analytischen Geometrie sehen wollte.

der analytischen Geometrie bezeichnet, doch bleibt er zweifellos noch weiter hinter der Leistung Descartes' zurück als Viète.

Neben der mathematischen gibt es aber noch eine andere Tradition der resolutiv-kompositiven Methode, durch die die moderne Form dieser Methode mit antiken Ansätzen verbunden erscheint, nämlich die des italienischen Renaissance-Aristotelismus, dessen Vertreter sich nicht nur auf Aristoteles selbst, sondern insbesondere auch auf Galen beriefen [27]. Schon dieser hatte zwischen „doctrina resolutiva" und „doctrina compositiva" unterschieden [28], jedoch nicht so sehr im Hinblick auf die Mathematik, als vielmehr auf die Physik, an der die italienischen Aristoteliker, deren Sammelpunkt die medizinische Fakultät der Universität Padua war, ausschließlich interessiert waren. Ihre Absicht bestand in der Erkenntnis der Ursachen bestimmter Phänomene durch Resolution des Gegebenen, um sodann aus den Ursachen die fraglichen Erscheinungen „zusammensetzen", d. h. erklären zu können. Von dieser methodologischen Tradition war offensichtlich auch Galilei abhängig [29].

Wie später zu zeigen sein wird, suchte Descartes die mathematische mit der kausalen Deutung der resolutiv-kompositiven Methode zu verbinden, woraus sich der für ihn eigentümliche Gebrauch des Ausdrucks „Prinzip" erklärt, der bald „Grundsatz", bald „Ursache", bald beides zugleich bedeutet. Entsprechend läßt Descartes sowohl Folgesätze, als auch Wirkungen aus Prinzipien „folgen".

Auf jeden Fall darf man sich durch Descartes' geringschätzige Bemerkungen über die „Analyse der Alten" (Disc. II; AT VI, 17.27), die er für nutzlos erklärte (17.29), nicht zu der Meinung verführen lassen, er habe durch die Begründung der analytischen Geometrie völlig mit der mathematischen Tradition gebrochen [30]. Daß im Gegenteil zwischen der Cartesianischen und der antiken analytischen Methode im Bereich der Mathematik ein enger Zusammenhang besteht, geht z. B. deutlich aus der Tatsache hervor, daß ein Descartes-Schüler wie Fr. van Schooten Gedanken der Cartesianischen Geometrie ohne weiteres in der Sprache der antiken Mathematik wiedergeben konnte. Das gilt weniger für seinen Kommentar zur *Géométrie,* in dem er die Aufgabe der Geometrie allgemein dahingehend bestimmte, Probleme auf die Bestimmung des Verhältnisses zwischen gegebenen und gesuchten Größen zurückzuführen [31] und in Gleichungsform auszudrücken, als vielmehr für seinen *Tractatus de concinnandis demonstrationibus geometricis ex calculo algebraico,* wo er Resolution, Konstruktion, Komposition sowie die Demonstration der Resolution und Komposition pedantisch voneinander trennte. Wie stark die antike Form der Darstellung hierbei überwiegt, erkennt man allein schon

[27] Cf. J. H. Randall 1961, chap. I, sowie W. Risse 1966, und N. W. Gilbert 1960.

[28] Zu diesen tritt bei Galen als dritte „doctrina" die Methode der Zergliederung der Definition hinzu. Cf. W. Risse 1966, pp. 272—273.

[29] Zu Galileis Methodologie cf. H. Heimsoeth 1912, pp. 17—23.

[30] Das bestreitet auch nachdrücklich G. Milhaud 1921, p. 141.

[31] Cf. Descartes' *Geometria*, ed. III, vol. I (1683), p. 149: „omnemque difficultatem in ea invenienda esse sitam."

aus der Tatsache, daß er bei jedem Beweis auf die ihm zugrunde liegenden Sätze der *Elemente* verweist. Hierbei fällt die Überflüssigkeit der auf die Resolution folgenden Teile der Problemlösung besonders in die Augen. Das gilt insbesondere für die Komposition, die erklärtermaßen für van Schooten nichts anderes als die Umkehrung der Resolution ist [32]. Wo nämlich die Komposition nicht mehr, wie bei Euklid, mit dem in Form (anschaulicher) Konstruktion geführten Existenzbeweis zusammenhängt [33], kann sie nicht mehr dieselbe Rolle spielen wie in der antiken Geometrie.

Die traditionelle resolutiv-kompositive Methode rechtfertigt, wenn sie in der von van Schooten bevorzugten Weise angewendet wird, tatsächlich Brunschvicgs ironische Bemerkung: „Mit vorgetäuschtem und bei so würdigen Gelehrten ein wenig komischem Erstaunen finden sie [scil. die Mathematiker], indem sie ihren Weg nun in umgekehrter Richtung gehen, die Steinchen wieder, die sie vorher auf ihrem Weg ausgelegt hatten." [34]

Um diesen Vorwurf nicht gegen Descartes richten zu müssen, versuchte Brunschvicg die Cartesianische Komposition nicht als Operation, deren Objekt eine bestimmte Gleichung ist, zu deuten, sondern als den Aufbau der Theorie der algebraischen Gleichungen im allgemeinen („le monde des équations"). Bestünde jedoch die mathematische Komposition wirklich in der Konstitution der Algebra, während die Aufgabe der Resolution in der Algebraisierung geometrischer Probleme zu erblicken wäre, dann könnte man in Resolution und Komposition nicht mehr Phasen der Lösung ein und desselben Problems erblicken, da sie dann zwei verschiedenen Ebenen angehörten. Da die von Descartes in abstracto vorgenommene Bestimmung des Verhältnisses von Resolution und Komposition in der Mathematik — wie oben gesagt — große Schwierigkeiten bereitet, ist es begreiflich, daß Brunschvicg nach einem Ausweg in Form einer vom Wortlaut der Cartesianischen Begriffsbestimmungen abweichenden Interpretation suchte. Da diese jedoch aus den Texten nicht zu rechtfertigen ist, wird man besser tun, anzunehmen, daß die für die Cartesianische Mathematik im Grund wenig belangvolle Unterscheidung von Resolution und Komposition von Descartes teils unter dem Einfluß der Tradition, teils auf Grund der Analogie zur physikalischen Methode der Reduktion von Phänomenen auf einfache Naturen bzw. der Konstruktion von Theorien aus diesen „Naturen" beibehalten wurde. Vielleicht spielte sogar jene Vorstellung der „Komposition" des Seienden aus Materie und Form für Descartes noch eine gewisse Rolle, die er bei Fr. Suarez nicht nur als Zusammensetzung der materiellen Dinge

[32] Geom., ed. II, vol. II (1661), p. 361: „Si enim per haec ipsa [scil. vestigia resolutionis] regrediamur, incipiendo ab ejus fine et desinendo ubi illa initium sumpsit, inventa simul erit via a dato seu concesso perveniendi ad quaesitum."

[33] Zur Bedeutung der Konstruktion in der antiken Geometrie im Zusammenhang mit dem Existenzbeweis cf. E. Niebel, *Ursprung und philosophische Bedeutung des Konstruktivitätsgedankens der Antike*; in: Der Mathematikunterricht, 9 (1963), pp. 31—48, der Überlegungen von H. G. Zeuthen, *Die geometrische Konstruktion als Existenzbeweis in der antiken Geometrie* (Mathem. Annalen, 47 (1896), pp. 222—228, weiterführt.

[34] Brunschvicg 1951, p. 17 (Übers. des Zitats vom Vf.).

aus Stoff und Form, sondern in übertragener Bedeutung auch als Komposition von Natura und Suppositum oder von Genus und Differentia fand [35].

Descartes' analytische Methode erwuchs also aus mehreren historischen Wurzeln. Neben der diairetischen Methode, die Aristoteles in Phys. I.1, 184 a 18 sqq. als Weg vom an sich Undeutlicheren, für uns aber Deutlicheren, zum an sich Deutlicheren charakterisiert [36], und der diesen Aspekt entwickelnden analytischen Methode der späteren Aristoteliker, wie neben der begriffszergliedernden Methode der Ramisten [37] darf die Bedeutung des Verfahrens der Mathematik für die Cartesianische Methodologie nicht übersehen werden, wenn man nicht zu Fehlurteilen gelangen will. Mag es auch zutreffen, daß bei Descartes von der (naturphilosophischen) Beweismethode der Aristoteliker nur eine vage Kenntnis von Analysis und Synthesis übrig geblieben ist [38], so zwingt die Berücksichtigung seiner Bemühungen um wissenschaftliche Erklärung physikalischer Phänomene, z. B. in der *Dioptrik,* ebenso wie die Einbeziehung der Mathematik in die methodengeschichtliche Betrachtung doch zur Anerkennung eines im einzelnen oft schwer historisch bestimmbaren Zusammenhangs zwischen seinem Denken und der methodologischen Tradition. Die analytische Methode der Mathematik darf hierbei nicht außer acht gelassen werden, weil ohne ihre Berücksichtigung die Methode der Cartesianischen Physik bzw. Naturphilosophie nicht voll verstanden werden kann, hat doch Descartes die letztere nach dem Modell der ersteren zu konzipieren gesucht, wie sich insbesondere den *Regulae* entnehmen läßt.

Infolge der Überlagerung verschiedenartiger methodologischer Traditionen ist es allerdings oft schwer, die Grundbegriffe der Cartesianischen Methodenlehre eindeutig zu interpretieren. Das gilt namentlich für die Bestimmung des Verhältnisses von Synthesis (als Gegenbegriff zu Analysis) und (Re-)Komposition. Beide Verfahren sind deduktiv, weshalb es verständlich ist, daß für „Komposition" oft der Ausdruck „Synthesis" erscheint. Dennoch läßt sich der Unterschied zwischen synthetischer Methode und kompositivem Vorgehen innerhalb der Analysis hinreichend klären, wenn man sich die mathematische Bedeutung dieser Termini vor Augen hält: Synthetisch heißt nämlich jene Methode, die in der Ableitung von Folgesätzen aus Axiomen besteht, deren Geltungsgrund ihre unmittelbare Einsichtigkeit ist. Die Prämissen der Rekomposition müssen dagegen nicht in jedem Fall evidente Sätze bzw. sie müssen nicht immer oberste Grundsätze sein, sondern sie ergeben sich als Resultat der Resolution komplexer Sätze und sind nur insofern begründet, als sie in Form korrekter Resolution vorgegebener Sätze gewonnen sind. Ihre Geltung ist somit relativ auf die vorausgesetzte Geltung dieser Sätze.

[35] Cf. Disp. XV, sect. XI, 1; Op. omnia, vol. 25: 1861, p. 557. Zur aristotelisch-scholastischen Vorgeschichte der allgemeinen Größen- und Proportionenlehre cf. L. J. Beck 1952, p. 200 und E. Gilson, *Index scolastico-cartésien,* p. 167.

[36] Cf. H. Krings, *Transzendentale Logik,* München 1964, p. 45.

[37] Den Einfluß der Ramistischen Methodologie hat vor allem im Hinblick auf Disc. II betont in den Vordergrund gerückt W. Risse 1966, pp. 280—283.

[38] W. Risse 1966, p. 279.

V. Die resolutive Methode in der Physik

Obwohl Descartes die physikalische als Sonderfall der mathematischen Methode verstanden wissen wollte, läßt sich zeigen, daß „Resolution" im Bereich der physikalischen Erkenntnis eine von der oben erörterten mathematischen abweichende Bedeutung hat. Sowohl in der Mathematik als auch in der Physik dient zwar die Anwendung der Methodenregeln der Herstellung von Beziehungen zwischen einem Gegebenen (dem „cognitum") und einem Gesuchten (dem „quaesitum") in der Art, daß das letztere als durch das erstere bestimmt erscheint; während jedoch im Bereich der Mathematik das Gesuchte in Form eines eindeutigen Verfahrens aus den gegebenen Sätzen abgeleitet werden kann, vermochte Descartes die Auffindung des „quaesitum" im Bereich der Physik nicht logisch eindeutig zu charakterisieren. Die „quaesita" physikalischer Erklärungen sind nämlich Hypothesen, und die Hypothesenbildung besteht nach Descartes, so weit die Texte erkennen lassen, in einem probierenden, von einem gewissen Fingerspitzengefühl und bestimmten Erfolgserwartungen auf Grund vorangegangener Erfahrungen geleiteten Kombinieren der für die Ableitung des Gegebenen entscheidenden Begriffe. „Resolution" bedeutet in diesem Zusammenhang zwei prinzipiell verschiedene, von Descartes jedoch nicht sauber getrennte Dinge: Erstens die Isolation der im jeweiligen Zusammenhang entscheidenden begrifflichen Elemente und zweitens die Aufstellung von Hypothesen unter Verwendung dieser Elemente. Als Auswahlkriterien kannte Descartes bereits die Einfachheit und explikatorische Fruchtbarkeit von Hypothesen, so wie er auch die Rolle der Empirie und insbesondere die des Experiments im Zusammenhang mit der Überprüfung von Hypothesen wohl zu würdigen wußte.

Für physikalische Hypothesen im engeren Sinn ist charakteristisch, daß in ihnen nur exakt ausdrückbare quantitative Relationen eine Rolle spielen. Läßt sich ein Vorgang mit Hilfe mathematisch formulierter Gesetze erklären, dann geht die Lösung des entsprechenden physikalischen Problems in die Aufgabe über, eine Gleichung aufzulösen (Reg. XIII; AT X, 431.3—6 und 15—23). In diesem Sinne betreffen physikalische Probleme, ebenso wie mathematische, „Ordnung und Maß". „Maß" hat allerdings im Bereich der Physik eine weitere Bedeutung als in der Mathematik: Für die Lösung physikalischer Probleme sind unter Umständen Messungen erforderlich, und diese haben mit empirischen Mitteln zu erfolgen.

Descartes hat sich jedoch gelegentlich damit begnügt, physikalische Probleme mit rein mathematischen Methoden, d. h. a priori, zu behandeln. Das zeigt sich besonders deutlich bei seinem Versuch einer Berechnung des Fallgesetzes, bei dem er aus verschiedenen willkürlich gewählten Voraussetzungen mehrere verschiedene Resultate ableitete und offensichtlich nicht daran dachte, zwischen diesen eine Entscheidung mit experimentellen Mitteln herbeizuführen [39]. Wo schließlich nicht ein-

[39] Cf. *Cogitationes privatae*; AT X, 219.13—26 (Fall I) und 220.1—4 (Fall II). Cf. hierzu A. Koyré 1966, p. 114. Zum vorliegenden Kapitel ist außerdem zu verweisen auf G. Milhaud 1921 und A. Gewirtz 1941 (Journ. Hist. Ideas).

mal die Möglichkeit der mathematischen Formulierung von Problemen besteht und Erklärungen von Naturvorgängen mit Hilfe von Annahmen über Beziehungen zwischen qualitativen Begriffen versucht werden, handelt es sich nicht mehr um physikalische, sondern um naturphilosophische Erklärungsversuche.

Schon hier muß betont werden, daß Descartes zwar in manchen Fällen seinem Hang zum (mathematischen) Apriorismus in ungerechtfertigter Weise nachgegeben hat, daß er aber in den meisten Fällen die Bedeutung des empirischen Momentes für die physikalische Erkenntnis durchaus richtig eingeschätzt hat, sei es als Ausgangspunkt für die Formulierung von Problemen bzw. für die Aufstellung von Hypothesen, sei es als Mittel der Verifikation bzw. Falsifikation wissenschaftlicher Annahmen. Das zeigt sich z. B. in den Andeutungen über das Verfahren der Bestimmung des Verhältnisses von Länge, Dicke, Spannung und Tonhöhe schwingender Saiten (Reg. XIII; AT X, 432.7—8). Descartes' instruktivstes und überzeugendstes Beispiel in seinem Frühwerk ist jedoch das Problem der sogenannten anaklastischen Linie, das sein bevorzugtes Paradigma für die Anwendung der analytischen Methode auf physikalische Fragen darstellte. Es handelt sich bei diesem Problem um die Auffindung von Kurven, die Linsen mit der Eigenschaft begrenzen, alle parallel zur Achse einfallenden Strahlen in einem Brennpunkt zu vereinigen.

Descartes fand zunächst rein mathematisch, daß Ellipsen und Hyperbeln [40] diese Eigenschaft stets dann haben, wenn das Verhältnis zwischen großer Achse und doppelter Exzentrizität dem Verhältnis des Sinus des Einfallswinkels zum Sinus des Brechungswinkels entspricht [41]. Da die Bestimmung des Brechungskoeffizienten aber mit empirischen Mitteln erfolgt, erfordert die Lösung des Problems die Berücksichtigung nicht nur mathematischer Beziehungen, sondern auch experimenteller Daten, so daß das Problem der anaklastischen Linie mit mathematischen Mitteln allein nicht gelöst werden kann [42].

Während also Descartes die Bedeutung von Beobachtung und Experiment ausdrücklich anerkannte, negierte er gleichzeitig die Möglichkeit, realwissenschaftliche Probleme mit rein empirischen Mitteln zu lösen. Die Baconianische Induktion ist mithin für sich keine den physikalischen Problemen adäquate Methode, da wissen-

[40] In der *Géométrie* schrieb Descartes diese Eigenschaft den nach ihm benannten Ovalen zu. — Das Problem der anaklastischen Linie und die mit ihm zusammenhängenden Fragen haben Descartes nicht nur vorübergehend beschäftigt, wie zahlreiche Zeugnisse beweisen. So liegt aus der Zeit vor der Niederschrift der *Regulae* ein Fragment mit dem Titel *Ovales opticae quatuor* vor. Beeckmans Tagebuch enthält Andeutungen über Descartes' Überlegungen zum Brechungsgesetz. Vor allem aber ist auf Géom. II zu verweisen, wo Descartes vier Gattungen von Ovalen mit ausdrücklichem Hinweis auf ihre Anwendbarkeit in der Optik beschreibt (AT VI, 424.9—429.11). Schließlich wurden Fragen der angedeuteten Art von Descartes wiederholt in seiner Korrespondenz erörtert.

[41] Das Sinusgesetz der Lichtbrechung formulierte Descartes in Dioptr. II; AT VI, 101.

[42] Reg. VIII; AT X, 394.4—8: „... hujus lineae determinationem pendere a proportione, quam servant anguli refractionis ad angulos incidentiae; sed quia hujus indagandae non erit capax, cum non ad Mathesim pertineat, sed ad Physicam, hic sistere cogetur."

schaftlich relevante Beobachtungen erst angestellt werden können, wenn die mathematische Form des zu lösenden Problems eingesehen worden ist. Angewendet auf das Problem der anaklastischen Linie heißt das, daß zunächst mit mathematischen Mitteln festgestellt werden muß, welche Kurven die erwähnten optischen Bedingungen *möglicherweise erfüllen,* bevor (mit relativ geringem experimentellen Aufwand) diejenigen von ihnen ermittelt werden können, die sie *faktisch erfüllen.* Das geschieht in Form eines experimentum crucis, d. h. es genügt, den Strahlengang in einem einzigen Fall zu beobachten.

Die Resolution im Bereich der Physik führt mithin im Unterschied zur mathemathischen Resolution zu zwei verschiedenen Arten „absoluter" Sätze bzw. Naturen, nämlich zu mathematischen Beziehungen und zu empirischen Daten. Deshalb kann auch die Frage, was in der Physik unter „einfachen Naturen" zu verstehen sei, nur beantwortet werden, indem man eine Differenzierung nach dem jeweils berücksichtigten Aspekt vornimmt. Hinsichtlich der mathematischen Form des Problems werden als solche die Lösungen jener Gleichungen zu gelten haben, die den anaklastischen Linien entsprechen. Hinsichtlich der empirischen Bedingungen führt die Resolution zunächst zur Feststellung des Brechungsindex für das fragliche brechende Medium, sodann auf das Brechungsgesetz in seiner allgemeinen Form und schließlich auf die Theorie des Lichts in jener Gestalt, wie sie Descartes in seiner *Dioptrik* entwickelt und in den *Meteoren* angewendet hat [43]. Dieser Theorie zufolge ist das Licht als Bewegung der Partikel der subtilen Materie aufzufassen (cf. insb. Dioptr. II; AT VI, 103.10—14). In der „Natur" des Lichts ist nach Descartes die einfachere „Natur" der Bewegung und mithin — da es sich um Änderung räumlicher Beziehungen handelt — die schlechthin einfache Natur der räumlichen Ausdehnung enthalten, die als solche keiner Resolution mehr unterworfen werden kann. Da Descartes „Naturkraft" mit Hilfe von Aussagen über Bewegungen von Partikeln expliziert, kann er das im vorliegenden Zusammenhang „im höchsten Grade Absolute" auch als die Idee der Naturkraft im allgemeinen bezeichnen, gemäß der von ihm aufgestellten Forderung, das Licht ebenso wie alle anderen physikalischen Erscheinungen durch Zurückführung auf den Begriff „Naturkraft" zu erklären [44].

Diese für den heutigen Leser vermutlich schwer verständliche Forderung der Begründung spezieller physikalischer Theorien auf allgemeinste naturphilosophische (und letzten Endes, wie hier noch nicht zu erörtern, auf metaphysische) Annahmen ergab sich für Descartes nicht nur aus seinen erkenntnistheoretischen Voraussetzungen, sondern sie hat auch eine spezielle Bedeutung innerhalb der Theorie des Lichts bzw. der Lichtbrechung. Nur mit Hilfe der Annahme, daß das Licht unter physikalischem Gesichtspunkt als Bewegung von Partikeln der subtilen

[43] Zur Anwendung der analytischen Methode auf optische Probleme cf. G. Buchdahl 1969, pp. 136—147.

[44] Reg. VIII; AT X, 395.1—4: „ ... ad illuminationem intelligendam sciendum esse, quid sit generaliter potentia naturalis, quod ultimum est in tota hac serie maxime absolutum."

Materie aufzufassen sei, glaubte Descartes nämlich die mechanistische Deutung des Lichts angesichts der Tatsache, daß Lichtstrahlen beim Übergang von einem Medium geringerer in ein solches größerer Dichte im Gegensatz zu makrophysikalischen Körpern zum Einfallslot hin abgelenkt werden (103.7—30), aufrecht erhalten zu können. Die Forderung, alle physikalischen Vorgänge nach Art von Bewegungsvorgängen in der Welt der beobachtbaren materiellen Körper zu erklären, wird allerdings durch die Einführung der per definitionem nicht beobachtbaren subtilen Materie gänzlich unbestimmt. Descartes hat hier eine unter seinen eigenen Voraussetzungen sehr bedenkliche Konzession an die Physik der „qualitates occultae" gemacht, und er glaubte sie machen zu müssen, weil er nur so am Prinzip der universalen mechanistischen Deutung physikalischer Erscheinungen festhalten zu können meinte.

Die anhand des Beispiels der anaklastischen Linie getroffenen Feststellungen methodologischer Art gelten auch für Descartes' Verfahren bei der Lösung anderer wissenschaftlicher Probleme. So erweist sich z. B. seine Analyse der Erscheinung des Regenbogens klar als Anwendungsfall der resolutiv-kompositiven Methode. Descartes zeigt im Disc. VIII der *Météores* nämlich zunächst durch Resolution, daß das Phänomen unabhängig von der Zahl und dem Durchmesser der als kugelförmig angenommenen, in der Luft verteilten Wassertropfen auftritt. Deshalb besteht die Möglichkeit, den im Fall des Regenbogens auftretenden Effekt anhand eines geeigneten Modells, nämlich einer wassergefüllten Glaskugel, zu beobachten. Der Strahlengang in einer solchen Kugel läßt sich nämlich unter Voraussetzung des Brechungsgesetzes und des spezifischen Brechungsindex berechnen, und das Ergebnis der Berechnung kann mit Hilfe einer entsprechenden Versuchsanordnung verifiziert werden. Wieder setzt Descartes voraus, daß sich das Brechungsgesetz aus der Lichttheorie bzw. letztlich aus der Idee der Naturkraft ableiten läßt, mit deren Hilfe er insbesondere die Entstehung des Spektrums zu erklären suchte, indem er annahm, daß sich ein Teil der den auf ein brechendes Prisma auffallenden Lichtstrahl bildenden Partikel der subtilen Materie infolge der allgemeinen Bewegungsgesetze langsamer, ein anderer Teil schneller bewege als die Partikel des einfallenden Strahls. Da den unterschiedlichen Geschwindigkeiten, mit denen die Teilchen der subtilen Materie ins Sensorium gelangen, verschiedene Farbempfindungen entsprechen, werden mithin die Spektralfarben wahrgenommen, wenn Lichtpartikel mit entsprechender Geschwindigkeit als optische Reize vorhanden sind (In anderem Zusammenhang nahm Descartes aber an, daß die Übertragung optischer Reize instantan, d. h. mit unendlicher Geschwindigkeit, erfolge: Unter dieser Voraussetzung wird aber seine Erklärung der Lichtbrechung und speziell der Entstehung des Spektrums hinfällig).

Um die Tatsache zu erklären, daß der Regenbogen dem Beobachter unter einem Winkel von etwa 40^0 erscheint, bedient sich Descartes der Enumeration oder Induktion (das Wort im Cartesianischen, nicht im Sinne Bacons verstanden!), d. h. er berechnet den Strahlengang für verschiedene Einfallswinkel zwischen 0^0 und 90^0 (im Abstand von Zehnteln des rechten Winkels). Hierbei ergibt sich eine

Häufung von Ausfallswinkeln um 40 ^{0}, d. h. durch die mehrfache Brechung und Reflexion der Strahlen wird ein Effekt erzielt, der der Bündelung der einfallenden Strahlen im Fall der Brechung durch ein Prisma entspricht. Wenn nämlich von einem Objekt beträchtlich weniger Reize als von seiner Umgebung aufgenommen werden, so erscheint es ebenso als dunkel, wie wenn keine Reize von ihm ausgegangen wären (Mét. VIII; AT VI, 336.20—23). Die Induktion erklärt also sowohl die Tatsache, daß der Regenbogen unter einem Winkel von etwa 40^{0} erscheint, als auch die Entstehung eines Spektrums trotz Fehlens eines scharf gebündelten Einfallsstrahls. Descartes bedient sich, was hier nicht auszuführen ist, des gleichen Verfahrens zur Erklärung des Phänomens des sekundären Regenbogens. Hier ist zu beachten, daß jene Methode, die in den *Regulae* mit dem Namen „Enumeration" oder „Induktion" bezeichnet wird, das durch die vierte Regel in Disc. II geforderte Verfahren der vollständigen Aufzählung ist, das auf Grund der allzu knappen Andeutungen des *Discours* trivial erscheinen könnte, das aber im Zusammenhang mit der Lösung spezieller physikalischer Probleme als besonderes Verfahren erkannt werden kann.

Für die Korrektheit seiner Erklärung des Regenbogens spricht nach Descartes ihre vollkommene Übereinstimmung mit den Beobachtungsdaten [45]. Es wäre aber falsch, hieraus schließen zu wollen, Descartes habe seine Erklärung definitiv im Sinne des hypothetisch-deduktiven Verfahrens aufgefaßt. Denn wenn er auch gelegentlich die Möglichkeit andeutete, seine in der *Dioptrik* und in den *Meteoren* aufgestellten Theorien in dieser Weise zu verstehen, so gilt das doch nur provisorisch, nämlich so lange, als die Lösung der fraglichen Probleme nicht in axiomatisch-deduktiver Form erfolgt, was nach Descartes nicht nur stets möglich, sondern für eine endgültig befriedigende Theorie sogar unerläßlich ist [46].

Erklärungen wie die der Lichtbrechung vollziehen sich also innerhalb einer Theorie, die aus einander über- bzw. untergeordneten Hypothesen unterschiedlicher Allgemeinheit besteht. Auf der untersten Stufe stehen Hypothesen über den Strahlengang beim Eintritt in ein brechendes Medium. Mit Hilfe dieser Hypothesen, die die Form naturwissenschaftlicher Gesetzesaussagen haben, läßt sich unter Heranziehung von gewissen empirischen Antecedens-Daten, wie Brechungsindex, Einfallswinkel usw., eine Erklärung dafür geben, daß ein Strahl unter bestimmten Umständen in bestimmter Weise gebrochen wird. Ausgehend von den Hypothesen dieser ersten Stufe steigt Descartes zu allgemeineren Annahmen über die Natur des Lichts als Korpuskularbewegung auf, die der Ableitung der Hypothesen erster Stufe dienen sollen. Um schließlich auch die Hypothesen der zweiten

[45] Mét. VIII; AT VI, 334.15—19: „Et, en tout ceci, la raison s'accorde si parfaitement avec l'expérience, que je ne crois pas qu'il soit possible après avoir bien connu l'une et l'autre, de douter que la chose ne soit telle que je viens de l'expliquer."

[46] Dieses Ergebnis wird durch die Argumentation von E. Denissoff 1970, pp. 63 sqq., nicht erschüttert. So unhaltbar die Auffassung ist, Descartes sei so gut wie ausschließlich Apriorist gewesen, so bedenklich ist der Versuch, ihn primär als induktiv verfahrenden Naturwissenschaftler verstehen zu wollen.

Stufe begründen zu können, führt er Annahmen über die Natur der Bewegung überhaupt bzw. der Materie überhaupt ein, die Hypothesen letzter oder höchster Stufe heißen mögen.

Die als Hypothesen höchster Stufe aufgestellten Annahmen haben nun nach Descartes die Eigenschaft, in selbstevidente Sätze verwandelt werden zu können, da „Materie" im Sinne von räumlicher Ausdehnung eine einfache Natur und somit unmittelbar einsichtig ist. Gestützt auf diese Einsicht lassen sich oberste geometrische und kinematische Prinzipien formulieren, in denen die notwendige Verknüpfung der in der Idee „Materie" bzw. der Idee „Bewegung" enthaltenen Momente ausgedrückt wird. Eine vollständige wissenschaftliche Theorie führt also an ihrem höchsten Punkt zur Umwandlung der Hypothesen letzter Stufe in Sätze, die auf einer Art Wesensschau beruhen und als solche empirischer Bestätigung nicht mehr bedürfen.

Wird die Resolution nicht bis zu diesem äußersten Punkt vorangetrieben, so läßt sich der Übergang von Hypothesen zu selbstevidenten Grundsätzen nicht vollziehen. Infolgedessen bedürfen die hypothetischen Annahmen der empirischen Bestätigung, d. h. die aus ihnen abgeleiteten Folgesätze sind mit experimentellen Mitteln zu überprüfen, wobei sie im positiven Fall als vorläufig bestätigt gelten, während sie im negativen Fall falsifiziert sind.

Verfügt man dagegen über selbstevidente Prinzipien, so kann man nach Descartes erwarten, daß auch die aus ihnen abgeleiteten Folgerungen definitiv bewiesene Sätze sind. Lassen sich also die ursprünglichen Hypothesen zweiter und erster Stufe aus den evidenten Grundsätzen der Theorie ableiten, dann hören sie ebenfalls auf, Hypothesen zu sein. Damit übernimmt Descartes die für das Aristotelische Erkenntnisideal charakteristische Forderung, nur notwendig wahre Sätze als wissenschaftliche Sätze anzuerkennen (Cf. Anal. post. I.2, 71 b 9 sqq.).

Selbst wenn man die Möglichkeit des Übergangs von Hypothesen der letzten Stufe zu evidenten Sätzen einräumt, stellt sich der Realisierung des Ideals einer axiomatisch-deduktiven Physik jedoch ein unüberwindliches Hindernis entgegen: Die Sätze der zweiten Stufe lassen sich nicht logisch aus Sätzen der letzten Stufe deduzieren, und dasselbe gilt für das Verhältnis von Hypothesen der zweiten und der ersten Stufe. Die Sätze niedrigerer Stufe haben gegenüber den jeweils höheren ein Mehr an Inhalt, weshalb sie nur unter Zuhilfenahme von Beobachtungsaussagen oder zusätzlichen hypothetischen Annahmen abgeleitet werden können. Descartes hat diese Schwierigkeit nicht übersehen, allerdings auch nicht in ihrer ganzen Tragweite erfaßt. Immerhin machte er das bemerkenswerte Eingeständnis, daß nur die unmittelbar aus den obersten Prinzipien abgeleiteten Sätzen a priori deduziert werden könnten, während seiner Ansicht nach für alle spezielleren Folgerungen zusätzliche empirische Prämissen erforderlich sind.

Descartes' Ausführungen über die Komposition lassen somit an einem entscheidenden Punkt die wünschenswerte Präzision vermissen, obwohl das von ihm gemeinte Verfahren grundsätzlich präzis beschrieben werden kann. Das gilt aber für die physikalische Resolution sicherlich nicht, die sich eher mit Hilfe psychologischer als mit Hilfe logischer Begriffe beschreiben läßt. Wenn es zutrifft, daß die Grundbedeutung von „Resolution" in der Mathematik „Reduktion bzw. Auflösung von Gleichungen" ist, dann wäre die Resolution im mathematischen Sinn im wesentlichen ein deduktives Verfahren, innerhalb dessen das divinatorische Moment, wie es sich etwa im Auffinden von Hilfsgleichungen äußert, eine untergeordnete Rolle spielt. Anders verhält es sich bei der Resolution als Mittel naturwissenschaftlicher oder naturphilosophischer Erkenntnisgewinnung. Hier scheint die Auffindung der einfachen Begriffe ebenso wie das Verknüpfen derselben zu Hypothesen prinzipiell Sache des probierenden Entwerfens zu sein. Die Phantasie spielt Möglichkeiten von Begriffskombinationen durch, von denen nachträglich die einen verworfen, die anderen provisorisch akzeptiert werden. Zweifellos ist die Aktivität der Phantasie hierbei durch Erfahrungen und durch zum Teil auf der Kenntnis von Naturgesetzen beruhende Erwartungen gelenkt; aber die in diesem Zusammenhang in Betracht kommenden Gründe sind primär psychologischer, nicht logischer Natur. Deshalb scheint der Versuch einer Systematisierung der physikalischen Resolution, wie sie Descartes verstand, aussichtslos, und tatsächlich hat er einen solchen Versuch auch nicht unternommen. Offenbar deckte sich seine Auffassung in diesem Punkte mit derjenigen, die Hobbes in die folgenden Worte kleidete:

„Eine sichere Technik der Erfindung gibt es nicht. Mit Hilfe des Spürsinns jedoch, nämlich durch Probieren, durch Einführung von Annahmen und durch Deduktion von Folgesätzen aus den Annahmen, gelangt man sehr oft zu den Ursachen des Gesuchten ..." [47].

Im folgenden soll auf die soeben berührten Punkte näher eingegangen werden, wobei das Ideal historischer Treue der Interpretation den Versuch ausschließt, durch rationale Rekonstruktion dort Eindeutigkeit herzustellen, wo sie unter den Bedingungen des 17. Jhs. nicht zu erwarten ist. Hierbei ist die Aufklärung des Cartesianischen Verfahrens nicht Selbstzweck, sondern soll die Aufklärung der methodologischen Grundlagen vorbereiten, von denen aus Descartes seine Erste Philosophie aufbaute.

VI. Die resolutive Methode in der Naturphilosophie

1. Der Begriff der Naturphilosophie

Unter „Naturphilosophie" sollen hier nicht nur Descartes' kosmologische Spekulationen, sondern auch seine spezielleren Versuche, physikalische Phänomene zu erklären, verstanden werden, sofern sie spekulative Elemente enthalten. Dement-

[47] *Principia et problemata aliquot geometrica*; Opera latina, ed. Molesworth, vol. V, p. 158: „Ars ... inveniendi certa nulla est. Sagacitate autem puta experiendo, supponendo, consequentias a suppositis deducendo, pervenietur saepissime ad causas quaesiti."

sprechend ist nicht nur der erwähnte Versuch einer Erklärung des Lichts als Bewegung von Partikeln der subtilen Materie zur Naturphilosophie zu rechnen, sondern jeder Versuch einer Ableitung speziellerer physikalischer Gesetze aus physikalischen Prinzipien. Da nach Descartes jede abgeschlossene physikalische Erklärung von der Idee der Naturkaft auszugehen hat, diese Idee aber ihrerseits auf das Wirken Gottes zurückzuführen ist, gibt es streng genommen in seiner Philosophie überhaupt keine rein physikalischen Erklärungen, d. h. Erklärungen, die nur prüfbare Gesetzesaussagen und Tatsachenfeststellungen als Prämissen enthalten, d. h. es gibt keine von der Naturphilosophie scharf trennbare Cartesianische Physik.

Deshalb war es folgerichtig, wenn Descartes seine ursprüngliche Hoffnung, eine vollständig mathematisierte Physik aufbauen zu können, später als unrealisierbar preisgab. Dazu kam, daß die Unvollkommenheit seines mathematischen Instrumentariums, zu dem die Infinitesimalrechnung noch nicht gehörte, den Aufbau einer analytischen Mechanik nicht zuließ. Descartes befand sich somit in der unbefriedigenden Situation, trotz seiner Überzeugung von der prinzipiellen Vollständigkeit seiner Mathematik — die seiner Ansicht nach nur noch im Detail ergänzt werden konnte — deren Untauglichkeit für die Verwirklichung seines physikalischen Wissenschaftsideals eingestehen zu müssen.

Wenn aber naturphilosophische Probleme nicht mehr in Form von Gleichungen formuliert und daher erst recht nicht mit mathematischen Mitteln gelöst werden können, dann muß in bezug auf sie „Resolution" eine von der mathematischen noch stärker abweichende Bedeutung annehmen als im Zusammenhang mit physikalischen Problemen der in Kap. V beschriebenen Art [48].

Für Descartes' Vorgehen in der Naturphilosophie ist der Versuch typisch, durch Anwendung der resolutiven Methode die Voraussetzungen für den Aufbau einer Theorie des Magnetismus zu schaffen, obwohl eine solche mit den zeitgenössischen Mitteln und auf Grund der zeitgenössischen Kenntnisse auch nicht annähernd exakt formuliert werden konnte. Die Beobachtungen des mathematischen Laien Gilbert, die Descartes fesselten, gestatteten keineswegs die Formulierung eines „vollkommen einsichtigen Problems", d. h. eines Problems, das mit mathematischen Mitteln formuliert und gelöst werden kann. Merkwürdigerweise behauptete Descartes die Möglichkeit einer Erklärung der magnetischen Erscheinungen gerade in jener Reg. XIII, die sich auf die vollkommen einsichtigen Probleme bezieht. Tatsächlich aber begnügte er sich mit wenigen und alles andere als klaren Andeutungen über die Resolution des fraglichen Phänomens. Wenn er z. B. behauptet, „daß im Magneten nichts erkannt werden kann, was nicht gemäß gewissen einfachen und an sich bekannten Naturen feststeht" (Reg. XII; AT X, 427.17—18), so läßt er dabei offen, um welche einfachen Naturen es sich handelt bzw. wie die „Mischung ein-

[48] E. Cassirer 1962, pp. 74—75 hat gezeigt, daß sich Descartes durch die Verwendung unmittelbarer anschaulicher Vermutungen über Einzelvorgänge anstelle von Annahmen über Gesetzeszusammenhänge von der wissenschaftlichen Erklärungsart mit Hilfe von Hypothesen entfernt hat.

facher Naturen" im Fall des Magneten erkannt werden kann, „die notwendig ist, um alle Wirkungen hervorzubringen, die er [scil. der Forscher] an dem Magneten beobachtet hat" (427.21—23). Der Zusammenhang der Cartesianischen Naturphilosophie rechtfertigt jedoch die Annahme, daß als absolute Termini des fraglichen Problems Sätze über „Naturkräfte" ins Auge zu fassen sind. Da für Descartes „Naturkraft", wie bereits gesagt, stets eine Abkürzung für „Bewegungsgesetzmäßigkeiten" ist, die Erscheinung des Magnetismus aber nicht auf Bewegungen zurückführbar ist, mußte er sich auf die Behauptung einer Analogie mit Bewegungsvorgängen bekannter Art zurückziehen, ohne jedoch irgendwelche Anhaltspunkte für eine solche Erklärung mit Hilfe mechanistischer Analogien vorweisen zu können. Prinzipiell ist selbstverständlich gegen die Heranziehung von Analogien nichts einzuwenden, wie auch Descartes betont hat (Reg. VIII; AT X, 395.9—10). Offensichtlich müssen aber die Analogien, auf die man sich berufen will, aufweisbar sein, was bei der Behauptung der Erklärbarkeit des Magnetismus nach Art der Erklärung mechanischer Vorgänge nicht der Fall ist.

2. Der Begriff „Naturkraft"

Descartes' Auffassung vom Wesen der Naturkraft, über die oben schon einige Andeutungen gemacht wurden, ist deutlich in seinen Ausführungen in den *Prinzipien der Philosophie* ausgesprochen, die auf die Feststellung hinauslaufen, daß alle physikalischen Erscheinungen auf Bewegungsvorgänge, näherhin auf die streng deterministischen Gesetzen unterworfene Übertragung von Bewegungsquanten („quantitas motus") zurückgeführt werden können [49]. Weil diese Übertragung nur durch Druck und Stoß, d. h. nicht in Form von Fernwirkungen, erfolgen soll, kommt den Stoßgesetzen in der Cartesianischen Physik bzw. Naturphilosophie eine fundamentale Bedeutung zu. „Naturkraft" im Cartesianischen Sinn bedeutete also nicht dasselbe wie der scholastische Terminus „vis", der eine qualitas occulta bezeichnet; d. h. dieser Ausdruck bedeutet nicht eine metaphysische Potenz, sondern einen Zustand bewegter Körper. Da Descartes versuchte, physikalische Vorgänge auf Änderungen der räumlichen Beziehungen zwischen Teilen der Materie zurückzuführen, d. h. auf den Transport materieller Partikel oder Verbindungen von solchen (den makrophysikalischen Körpern) aus der Nachbarschaft bestimmter Materieteile in die Nachbarschaft anderer solcher Teile (cf. Princ. II, 25), konnte er die Forderung aufstellen, die Physik auf Kinematik zu reduzieren. Nichts anderes als die Grundlagen der Kinematik bezeichnet der Cartesianische Terminus „Naturkraft", der mithin eine bloße Metapher und nur als solche mit Descartes' Idee einer „geometrischen", d. h. auf Kinematik reduzierten Physik vereinbar ist.

[49] „Quantitas motus" ist der Impuls ($U = m.v$), zum Unterschied von der „lebendigen Kraft" einer Masse ($E = {}^1/_2\, m.v^2$); cf. G. W. Leibniz, *Brevis demonstratio erroris memorabilis Cartesii circa legem naturalem* (1686).

Da nach Descartes Bewegung ebenso eine Eigenschaft bewegter Körper ist wie Gestalt eine Eigenschaft gestalteter Körper, bedeutet die Verwendung des Ausdrucks „Naturkraft" nicht die Einführung irgendwelcher die Bewegung verursachender metaempirischer Agentien in der Natur (cf. Princ. II, 25). Wenn aber Descartes, wie unten auszuführen sein wird, die im Universum vorhandene Bewegungsquantität auf einen göttlichen Schöpfungsakt zurückführt, so heißt das, daß er die obersten Grundsätze der Physik, wie den Satz der Erhaltung der Bewegungsquantität oder den Trägheitssatz, nicht als schlechthin erste Prinzipien anerkannte, sondern als solche nur Sätze über das Wirken Gottes auf die Natur gelten ließ.

3. „Ausdehnung" und „Bewegung" als Grundbegriffe der Cartesianischen Naturphilosophie

Da Descartes annahm, daß alle Eigenschaften materieller Dinge sowie alle physikalischen Vorgänge auf Ausdehnungsverhältnisse und deren Änderungen (d. i. auf Bewegungen) zurückführbar sind, gelangte er zu der Behauptung, daß die räumliche Ausdehnung (im Sinne des dreidimensionalen Anschauungsraumes) jene „einfache Natur" sei, auf die die konsequente Resolution physikalischer Phänomene hinführen müsse. In diesem Sinne ist die Idee der räumlichen Ausdehnung der fundamentale Begriff der Cartesianischen Naturphilosophie im allgemeinen und der genetischen Kosmologie im besonderen (cf. *Le Monde,* Kap. VI; Disc. VI und Princ. III). Die Ausdehnung ist für Descartes mit anderen Worten das „Wesen" materieller Dinge, weshalb er sich berechtigt glaubte, „Ausdehnung" und „Materie" zu identifizieren und der letzteren die Bestimmungen der ersteren zuzuschreiben, nämlich Dreidimensionalität, Homogeneität, ins Unendliche fortführbare Teilbarkeit und Unbegrenztheit. Diesen Bestimmungen fügte er noch die Eigenschaft der Undurchdringlichkeit hinzu.

Zur Erklärung physikalischer Erscheinungen muß darüber hinaus auf die Vorstellung zurückgegriffen werden, daß die materiellen Partikel bzw. die Körper beweglich bzw. im konkreten Fall faktisch in Bewegung sind. Die Idee der Beweglichkeit mag durch Resolution des Begriffs der räumlichen Ausdehnung gewonnen werden können; die Idee einer Welt ausgedehnter Dinge, in der ein konstantes Bewegungsquantum faktisch vorhanden ist, läßt sich auf diese Weise nicht bilden. „Bewegung" hätte demnach als eine gegenüber der Ausdehnung selbständige einfache Natur zu gelten.

Hier liegt eine wesentliche Schwierigkeit der Cartesianischen Naturphilosophie, da Descartes' Materiebegriff zwar Beweglichkeit [50], nicht aber die aktuale Bewegung impliziert. „Naturkraft" als absoluter Term naturphilosophischer Erklärun-

[50] *Le Monde*, VI; AT XI, 34.3—5: „ ... chacune de ses parties est capable de recevoir en soi tous les mouvements que nous pouvons aussi concevoir."

gen ist aber nicht in bezug auf die Beweglichkeit, sondern auf aktuale Bewegungen von Materieteilen definiert. Daher muß die Cartesianische Naturphilosophie von dem durch die räumliche Ausdehnung definierten Körperbegriff verschiedene Voraussetzungen enthalten.

Schon die Unterscheidung konkreter materieller Dinge als Teile der homogenen Materie erfolgt durch Rückgriff auf die Vorstellung der Bewegung, sofern „Körper" von Descartes als Konglomerat materieller Partikel definiert wird, die sich relativ zu ihrer Umgebung in gleicher Weise bewegen. Da nun, wie gesagt, „Materie" bzw. „Extensio" das Merkmal der Bewegung nicht impliziert, muß die Idee endlicher konkreter Dinge auf ein von der räumlichen Ausdehnung verschiedenes Prinzip zurückgeführt werden. Tatsächlich beruht das Vorhandensein bestimmter physikalischer Körper nach Descartes auf dem Vorhandensein der durch einen besonderen Akt Gottes geschaffenen Bewegungsquanität im Universum [51].

Die von Descartes behauptete Einfachheit des „geometrischen" Materiebegriffs [52] hat zur Folge, daß für den Aufbau der Naturphilosophie neben der räumlichen Ausdehnung als zweiter selbständiger Grundbegriff derjenige der Bewegung eingeführt werden muß. Dementsprechend nahm Descartes zwei getrennte göttliche Schöpfungsakte für die Entstehung des Universums an, nämlich den Akt der Erschaffung der Materie und den Akt der Erschaffung der Bewegung. Im Begriff des physikalischen Körpers sind zwar die Merkmale der Ausdehnung und der Bewegung gleichermaßen enthalten (wegen der soeben erwähnten Bestimmung des Körperbegriffs mit Hilfe von Bewegungsverhältnissen); als „Wesen" materieller Körper bezeichnete Descartes aber stets die räumliche Ausdehnung und nur diese, wodurch eben die Einfachheit seines Körperbegriffs bedingt ist. Infolgedessen wird die Bewegung von diesem „Wesen" materieller Dinge ausgeschlossen, was sich unübersehbar in der erwähnten Beschränkung der Cartesianischen Physik auf Kinematik bzw. im Fehlen der Dynamik äußert.

Es kann nicht verschwiegen werden, daß, was in Descartes' Naturphilosophie als Ergebnis der Resolution auftritt, vielfach bei genauerer Betrachtung als Ergebnis von zum Teil vorschnellen empirischen Generalisationen zu erkennen ist. Das gilt insbesondere für die Cartesianischen Bewegungsgesetze und speziell für den Satz von der Erhaltung des Bewegungsquantums. Descartes' Forderung, „distinkt festzustellen, wie die einfachen Naturen zur Zusammensetzung der übrigen Dinge zusammenwirken" (Reg. XII; AT X, 427.3—6), bleibt daher in der Cartesianischen Naturphilosophie weitgehend unerfüllt.

[51] Cf. *Le Monde,* VI; AT XI, 34.11—13: „toute la distinction qu'il [scil. Dieu] y met consiste dans la diversité des mouvements qu'il leur donne."

[52] 35.12—14: „il n'y a rien de plus simple, ni de plus facile à connaître dans les créatures inanimées [que la matière]."

VII. Die hypothetisch-deduktive Methode in der Physik und der Naturphilosophie

1. Komposition auf Grund evidenter und auf Grund nicht-evidenter Prämissen

Wissenschaftliche Erkenntnis besteht nach Descartes in der Erfassung komplexer Phänomene als Zusammensetzung (compositio) bzw. Kombination (mixtura) absoluter Elemente (und letztlich einfacher Naturen). Dementsprechend erfolgt die wissenschaftliche Erklärung von Phänomenen dadurch, daß unter Berücksichtigung aller erreichbaren Erfahrungsdaten und nach deren resolutiver Zurückführung auf „absolute" Terme bzw. (im Fall vollständiger Resolution) auf einfache Naturen die das zu erklärende Phänomen beschreibenden Sätze aus den als Ergebnis der Resolution gewonnenen einfachen Propositionen abgeleitet werden (cf. Reg. XII; AT X, 427.19—23).

Hierbei spielt der Cartesianischen Auffassung zufolge die Erfahrung in doppeltem Sinn eine Rolle: Wissenschaftliche Erkenntnis beruht nach Descartes nämlich auf Erfahrung als empirischer Erkenntnis komplexer Erscheinungen, zum anderen auf Erfahrung als Intuition einfacher Naturen (s. unten Kap. XII). Nur die erstere kann, wenn sie nicht hinreichend vorbereitet und rational verarbeitet wird, Anlaß zum Irrtum sein (Reg. II; AT X, 365.2—13). Die letztere dagegen ist notwendig wahr.

Im Prozeß des wissenschaftlichen Erkennens stellt Erfahrung im ersten Sinn den Ausgangspunkt gedanklicher Operationen dar, deren unmittelbares Ziel die Erfahrung im zweiten Sinn, deren ferneres Ziel aber die „Zusammensetzung" wissenschaftlicher Erklärungen ist.

Sowohl die Komposition, als auch die Vorbereitung der intuitiven Erfahrung durch Resolution sind durch die Prinzipien der Methode reguliert, weshalb es für Descartes keine von diesen Prinzipien unabhängige wissenschaftliche Erfahrung gibt. Das unsystematische Sammeln von Beobachtungsdaten mit der Hoffnung, durch nachträgliche Generalisation zur Einsicht in Gesetzeszusammenhänge zu gelangen, stellt nach Descartes keine wissenschaftlich ernstzunehmende Methode dar. In diesem Punkte war er unverkennbar Rationalist. Er war jedoch nicht Rationalist in dem Sinn, daß er die Bedeutung der Empirie für die wissenschaftliche Erkenntnis überhaupt negiert hätte: Nichts könnte unzutreffender sein, verfolgt doch die Cartesianische Methode ausdrücklich das Ziel, gesicherte Erfahrungserkenntnis zu ermöglichen.

Nun gibt es nach Descartes zwei Bereiche, in denen die Erfahrung stets sicher ist: Erstens im Fall der Intuition einfacher und absoluter Dinge (Reg. VIII; AT X, 394.13: „experientia certa"), zweitens dann, wenn der Verstand „nur den sich ihm darbietenden Gegenstand, so wie er ihn, sei es in sich selbst oder in der sinnlichen Anschauung, besitzt, genau bloß intuitiv erfaßt" (Reg. XII; AT X, 423.2—4), ohne über das Verhältnis von Erscheinung (res sibi objecta) und Ding an sich (res externa) zu urteilen. Von der Erfahrung des Gegebenseins gegenständlicher Erscheinungen (seien diese nun einfach oder komplex), ist hier noch nicht zu sprechen; sie bildet, wie später zu zeigen sein wird, den Ausgangspunkt der Analyse in der Ersten Philosophie. Die erste Art sicherer Erfahrung ist im vorliegenden Zusammenhang allein wichtig: Ihre Objekte sind die resolutiv isolierten einfachen und daher unmittelbar einsichtigen Elemente physikalischer Vorgänge. Naturwissenschaftliche Erkenntnis besteht in nichts anderem als in der Einsicht in die Art, in der jene einfachen Naturen in einem komplexen Phänomen untereinander verknüpft sind [53].

Die „Zusammensetzung" von Aussagen über komplexe Sachverhalte aus relativ einfachen Elementen kann auf Grund einsichtiger Prinzipien oder auf Grund hypothetischer Annahmen erfolgen. Nur im ersten Fall ergibt die Komposition Resultate von zweifelsfreier Sicherheit, während im zweiten Fall wegen des Fehlens der Einsicht in den Wesenszusammenhang eine bloß subjektive Verknüpfung, d. h. eine Konjektur (conjectura) vorliegt, die als solche falsch sein kann [54].

Infolgedessen ist im Fall der Komposition durch Konjektur die empirische Verifikation zwar nicht das einzige, dennoch aber das vorzügliche Mittel zur Rechtfertigung der hypothetischen Annahmen, während im Falle der Komposition als korrekter Ableitung aus evidenten Grundsätzen Ergebnisse gewonnen werden, die der Verifikation nicht bedürfen. Im folgenden soll zunächst die erste Art der Komposition erörtert werden, während die zweite in Kap. VIII dargestellt wird [55]. Bereits hier ist jedoch zu bemerken, daß die Tendenz der Cartesianischen Methodologie dahin geht, die hypothetischen nach Möglichkeit durch einsichtige Prinzipien der Komposition zu ersetzen.

2. Wahrheit hypothetischer Erklärungen und metaphysische Wahrheit

Nicht jede Konjektur hat den Charakter einer wissenschaftlichen Hypothese, woraus sich die Tatsache erklärt, daß Descartes in scheinbar widersprüchlicher Weise über die Zulässigkeit hypothetischer Annahmen in der Wissenschaft urteilte. So forderte er einerseits, „daß wir unseren Urteilen über die Wahrheit der Dinge

[53] Cf. Reg. XII; AT X, 422.7—9: „Dicimus quinto, nihil nos unquam intelligere posse praeter istas naturas simplices, et quamdam illarum inter se mixturam sive compositionem"; cf. 427.3—6: „Colligitur tertio, omnem humanam scientiam in hoc uno consistere, ut distincte videamus, quomodo naturae istae simplices ad compositionem aliarum rerum simul concurrant."

[54] 423.28—30: „ . . . nos falli tantum posse, dum res quas credimus a nobis ipsis aliquo modo componuntur."

[55] Bezüglich der Unterscheidung von Komposition durch Vermutung (conjectura) und durch Deduktion cf. Reg. XII; AT X, 424.2—3; die Komposition auf Grund äußeren Antriebs (per impulsum) bleibt als etwas Irrationales hier außer Betracht.

überhaupt niemals hypothetische Annahmen beimischen" [56]; andererseits stellte er im Hinblick auf die in Reg. XII vorgetragene sinnesphysiologische Erklärung der Wahrnehmung (d. h. die Entstehung von Wahrnehmungs„ideen") fest, es sei unvermeidlich, von Annahmen (suppositiones) auszugehen, deren Einführung als gerechtfertigt zu gelten hätte, wenn sie die beiden folgenden Bedingungen erfüllten:

(a) Sie müssen einen gewissen Erklärungswert besitzen (Reg. XII; AT X, 412.9—10: „reddere omnia longe clariora");

(b) sie dürfen nicht im Gegensatz zum Sachverhalt stehen, dessen Erklärung beabsichtigt ist (412.9: „nihil illas ex rerum veritate minuere"). Hierbei wird jedoch nicht von vornherein angenommen, daß die den Sachverhalt konstituierenden „Naturen" in derselben Weise an sich verknüpft seien, wie durch die Hypothese vorausgesetzt wird (412.6—7: „Neque credetis, nisi lubet, rem ita se habere . . .").

Hypothesen sind mithin unter dem Gesichtspunkt ihres Erklärungswertes, nicht unter dem Gesichtspunkt der „Wahrheit der Dinge" zu beurteilen. Demgemäß stellte Descartes fest, daß „die einzelnen Dinge anders anzusehen sind der Ordnung unserer Erkenntnis nach, als wenn wir von denselben reden rücksichtlich ihrer tatsächlichen Existenz" (418.1—3).

Die Ausschaltung der Frage nach dem Verhältnis von Erscheinungen und ansichseienden Dingen (418.13—14), d. h. der Frage nach der „metaphysischen Wahrheit" (die erst in den *Meditationen* in den Mittelpunkt des Interesses rückt, obwohl sie in den *Regulae* nicht gänzlich fehlt), hat zur Folge, daß die Auswahl zwischen mehreren möglichen Hypothesen nur unter dem Gesichtspunkt ihrer Brauchbarkeit zum Zweck der angestrebten Erklärung erfolgen kann (cf. 412.3—6). Daß sich Descartes des Unterschieds von „Wahrheit" im Hinblick auf Hypothesen und von metaphysischer Wahrheit bewußt war, zeigt z. B. seine Feststellung, daß die metaphysisch falsche Annahme „imaginärer Kreise" (offenbar der Epizyklen der ptolemäischen Astronomie) zur Beschreibung der Planetenbahnen wissenschaftlich legitim sei, „wenn man nur mit ihrer Hilfe richtig unterscheidet, welche Erkenntnis von jedem beliebigen Objekt wahr oder falsch sein kann" (417.25—27) [57]. Solange Hypothesen nicht mit Behauptungen über die Dinge selbst vermengt werden, können sie nicht metaphysisch falsch (mithin auch nicht metaphysisch wahr) sein [58].

Vor allem in der *Dioptrik* und in den *Meteoren* stützte sich Descartes, wie er selbst erklärte, auf Hypothesen [59]. Im letzten Teil des *Discours de la Méthode* charakterisierte er das hypothetisch-deduktive Verfahren besonders im Hinblick

[56] Reg. III; AT X, 367.24—26: „ . . . nullas omnino conjecturas nostris de rerum veritate judiciis esse unquam admiscendas."

[57] Cf. an Morin, 13. 7. 38; AT II, 199.10—14: „les Epicycles et autres tels cercles, sont ordinairement supposés comme faux, et la mobilité de la terre comme incertaine, et on ne laisse pas pour cela d'en déduire des choses très vraies."

[58] Cf. Reg. XII; AT X, 424.15—17: „Quicquid autem hac ratione componimus, non quidem nos fallit, si tantum probabile esse judicamus atque nunquam verum esse affirmemus."

[59] An Morin; AT II, 199.4: „suppositions ou hypothèses."

auf die Bedeutung der empirischen Überprüfung von aus hypothetischen Voraussetzungen abgeleiteten Folgesätzen. Hierbei ist auf den später zu erörternden Doppelsinn des Cartesianischen Ausdrucks „Prinzip" zu achten, der einerseits Grundsätze, andererseits Ursachen bezeichnet. Das vorausgeschickt, dürfte Descartes' Feststellung ohne weiteres akzeptabel sein, daß die Prinzipien nicht eigentlich dem Beweis der aus ihnen abgeleiteten Folgesätze bzw. Wirkungen dienen, sondern ihrer Erklärung. Umgekehrt werden durch empirische Bestätigung der Folgesätze die zugrundeliegenden Prinzipien indirekt bestätigt [60]. So wie Descartes meint, daß sich z. B. das Brechungsgesetz auch mit Hilfe anderer als der in der *Dioptrik* verwendeten Hypothesen über die Natur des Lichts finden lassen könne [61], so hielt er es prinzipiell in allen Fällen hypothetischer Erklärung für möglich, ein und denselben Sachverhalt auf mehrere verschiedene Arten zu erklären. Vom Standpunkt der hypothetischen Erklärung aus gesehen, ist nach Descartes etwa die kopernikanische Theorie der Planetenbewegung der ptolemäischen nur unter dem Gesichtspunkt der Einfachheit überlegen. Grundsätzlich könnten aber das ptolemäische und das kopernikanische Weltbild nebeneinander bestehen.

Von diesem Standpunkt aus kann mangelnde Einsichtigkeit der Prämissen kein Einwand gegen eine Theorie sein, wie Descartes im Hinblick auf die *Dioptrik* ausdrücklich feststellte. Seine Theorie der Lichtbrechung hängt nicht von der Einsichtigkeit der Annahmen über die Natur des Lichts ab, auf denen sie beruht, und kann deshalb auch nicht mit der Begründung *allein* zurückgewiesen werden, daß diese Annahmen nicht bewiesen seien. Ihre Widerlegung kann vielmehr nur in Form der Falsifikation ihrer Konsequenzen oder durch den Aufweis von Ableitungsfehlern erfolgen [62].

Obwohl Descartes (vor allem in Disc. VI) den Erkenntniswert des hypothetisch-deduktiven Verfahrens so nachdrücklich verteidigt hat, daß z. B. E. Cassirer in diesem Verfahren die Realisierung des Cartesianischen Erkenntnisideales erblicken wollte [63], kann nicht übersehen werden, daß Descartes ihm nur provisorischen Charakter zuerkannte. Solange eine Erklärung auf hypothetischen Voraussetzungen beruht, kann sie seiner Ansicht nach niemals endgültig gesichertes Wissen (und das heißt: Wissen im strengen, von Descartes geforderten Sinn) sein (cf. Reg. XII; ed. Crapulli, 50: „doctiores non facit"). Und wenn er sich in den *Essais* von 1637 dieses Verfahrens bediente, so geschah das mit dem stillschweigenden (in der Korrespondenz übrigens ausdrücklich vorgebrachten) Vorbehalt, daß es sich um eine provisorische Darstellung handle: Die hypothetisch angenommenen Prämissen in

[60] Disc. VI; AT VI, 76.18—22: „ ... l'expérience rendant la plupart de ces effets très certains, les causes dont je les déduis ne servent pas tant à les prouver qu'à les expliquer; mais, tout au contraire, ce sont elles qui sont prouvées par eux."

[61] Cf. an Morin; AT II, 197.19—24. Schon hier gibt aber Descartes zu verstehen, daß er ungeachtet der hypothetischen Darstellungsweise überzeugt sei, endgültige Resultate gefunden zu haben (199.23—200.20).

[62] An Mersenne, 27. (17.) 5. 38; AT II, 143.20—25.

[63] E. Cassirer, Erkenntnisproblem I, 1922, pp. 478—479.

den speziellen Theorien der Lichtbrechung, des Regenbogens usw. lassen sich grundsätzlich aus evidenten Prinzipien der Ersten Philosophie ableiten, in welchem Fall sie aufhören, Hypothesen zu sein [64]. Nur in diesem Fall kann man nach Descartes von „Demonstration" im strengen Wortsinn sprechen, da eine solche nur vorliegt, wenn Sätze aus evidenten Prinzipien zwingend abgeleitet werden (an Mersenne; 27. (nach Alquié: 17.) 5. 38; AT II, 141.22—142.5).

3. Die Bedeutung der Empirie für die Komposition

Im Zusammenhang mit der hypothetischen Komposition erhebt sich die Frage nach der Rolle der Empirie. Bekanntlich wurde immer wieder behauptet, Descartes habe die Notwendigkeit, wissenschaftliche Annahmen mit empirischen Mitteln zu kontrollieren, verkannt. Das ist jedoch nicht uneingeschränkt vertretbar. Zweifellos neigte Descartes zu einer gewissen Unterschätzung der Bedeutung, die der empirischen Komponente im Zusammenhang naturwissenschaftlicher Theorie zukommt, doch hat er sie weder völlig übersehen, noch unterschied er sich in dieser Hinsicht wesentlich von führenden Wissenschaftlern der Epoche, z. B. von Galilei, der dem Experiment keineswegs jene Rolle einräumte, die es moderner Auffassung zufolge in der Naturwissenschaft spielen muß. In gewissen Fällen hielt Galilei Hypothesen auf Grund ihrer relativen Einfachheit allein für hinreichend legitimiert, so daß er auf ihre empirische Verifikation verzichten zu können glaubte.

Die Rolle, die der Empirie nach der Cartesianischen Methodologie zukommt, läßt sich nicht nur im Sinne der Verifikation hypothetischer Annahmen kennzeichnen, obwohl sie in erster Linie diese Funktion hat. Wie schon erwähnt, berücksichtigte Descartes Experimente vor allem in Gestalt des Experimentum crucis.

Daneben muß man aber nach Descartes auch beim axiomatisch-deduktiven Verfahren auf Experimente zurückgreifen, wenn die aus evidenten Prinzipien abgeleiteten Folgesätze relativ spezielle Sachverhalte betreffen. Da in diesem Fall a priori immer mehrere Spezialisierungen der einsichtigen allgemeinen Prinzipien möglich sind, muß eine Entscheidung zwischen ihnen mit empirischen Mitteln herbeigeführt werden [65]. Es handelt sich, wie Descartes sagt, darum, aus der Menge der aus gegebenen „Ursachen" a priori ableitbaren „Wirkungen" diejenigen

[64] Im Hinblick hierauf stellte Descartes fest: „Talia sunt ea quae scripsi ut quum non aliis quam Mathematicis rationibus aut certa experientia nitantur nihil falsi possint continere." (an Mersenne, 30. 8. 1640; AT III, 173.6—8) Cf. Disc. VI, 76.22—25.

[65] Cf. Disc. VI; AT VI, 64.13—22: „lorsque j'ai voulu descendre à celles qui étaient plus particulières, il s'en est tant présenté à moi de diverses, que je n'ai pas cru qu'il fût possible à l'esprit humain de distinguer les formes ou espèces de corps qui sont sur la terre d'une infinité d'autres qui pourraient y être, si c'eût été le vouloir de Dieu de les y mettre, ni, par conséquent, de les rapporter à notre usage, si ce n'est qu'on vienne au-devant des causes par les effets, et qu'on se serve de plusieurs expériences particulières."

auszusondern, die mit den Beobachtungsdaten übereinstimmen (Princ. III, 4). In diesem Sinne ist seine Feststellung gegen Ende der „Prinzipien" zu verstehen, er habe unter Beschränkung auf quantitative Bestimmungen alle zwischen Körpern bestehenden allgemeinen physikalischen Beziehungen mittels mechanischer Gesetze ausgedrückt, *deren Wahrheit empirisch bestätigt werden kann* [66].

4. Die objektive Gültigkeit der Resultate der Komposition

Descartes hat selbst nur allzu oft gegen seine eigenen Forderungen verstoßen, indem er Hypothesen wie evidente Grundsätze behandelte bzw. das Vorliegen evidenter Einsicht behauptete, wo er lediglich vorschnell empirische Generalisationen vornahm. Obwohl er auf der einen Seite klar den Unterschied zwischen realwissenschaftlichen und mathematischen Beweisen sah, erlag er immer wieder der Versuchung, auch für die Physik die apriorische Beweisbarkeit gewisser Sätze zu behaupten [67]. Das zeigte sich in krasser Weise bei der Erörterung von Harveys Erklärung des Blutkreislaufs, die er klar als hypothetisch erkannte. Da er aber überzeugt war, daß diese Erklärung mit gewissen Tatsachen nicht in Einklang zu bringen war (Cf. *Description du corps humain, X*VIII; AT XI, 241.3—244.16), ersetzte er sie durch eine andere, ebenfalls hypothetische Erklärung, die er aber bemerkenswerterweise nicht als eine solche (eventuell besser bestätigte), sondern als schlechthin wahre Erklärung verstanden wissen wollte [68].

Der hier zutage tretende erkenntnistheoretische Dogmatismus entspricht allerdings nicht Descartes' prinzipieller Einstellung. Hier ist zunächst nochmals daran zu erinnern, daß in Reg. XII zwischen der Betrachtung der Dinge nach der Erkenntnisordnung und Behauptungen hinsichtlich ihrer denkunabhängigen Existenz unterschieden wurde (AT X, 418.1—3). Da aber diese Unterscheidung lediglich der provisorischen Beschränkung der Untersuchung auf die Ordnung der Dinge gemäß ihrer Erkennbarkeit dient und keineswegs den Verzicht auf den Nachweis der Übereinstimmung zwischen der Ordnung der klar und deutlich erkannten Dinge und der denkunabhängigen Ordnung der Wirklichkeit bedeutet — dieser Nachweis ist vielmehr ein wesentliches Ziel der Ersten Philosophie —, wird man zur Abwehr des Vorwurfs, Descartes habe einen extremen erkenntnistheoretischen Dogmatismus vertreten, auf andere Argumente zurückzugreifen haben. Folgende Erwägungen sind in diesem Zusammenhang entscheidend:

[66] Princ. IV, 200: „Nempe figuras et motus et magnitudines corporum consideravi, atque secundum leges mechanicae, certis et quotidianis experimentis confirmatas, quidnam ex istorum corporum mutuo concursu sequi debeat, examinavi."

[67] Für Descartes' Einsicht in den Unterschied von mathematischer und realwissenschaftlicher Demonstration spricht z. B. die folgende Äußerung gegenüber Mersenne, 27. (17.) 5. 38; AT II, 142.5—8: „Mais d'exiger de moi des démonstrations géométriques en une matière qui dépend de la physique, c'est vouloir que je fasse des choses impossibles."

[68] Disc. V; AT VI, 52.3—5: „Mais il y a plusieurs autres choses qui témoignent que *la vraie cause* de ce mouvement du sang est celle que j'ai dite." (Hervorh. vom Vf.)

Erstens dehnte Descartes die dogmatische These nicht auf hypothetische Begründungen aus, sofern diese ausdrücklich als solche vorgetragen werden. Das ist z. B. der Fall bei der Theorie der Weltentstehung in Disc. V und in besonders klarer Weise in den abschließenden Paragraphen der *Prinzipien der Philosophie,* wo Descartes für die Sätze der Naturphilosophie nur forderte, daß sie den Beobachtungsaussagen nicht widersprechen dürften, während er nicht behaupten wollte, daß sie die Wirklichkeit selbst abbildeten. Da Descartes für folgende Erkenntnisbereiche ausdrücklich absolute, nicht bloß hypothetische Geltung in Anspruch nahm, nämlich

a. für mathematische Beweise;

b. für die Erkenntnis der Existenz materieller Dinge („cognitio quod res materiales existant"); und

c. für die Beweise der geometrisch verfahrenden Physik („evidentia omnia ratiocinia, quae de ipsis [i. e. de rebus materialibus] fiunt") (Princ. IV, 206),

muß für alle nicht angeführten Bereiche naturphilosophischer Erkenntnis angenommen werden, daß die ihnen zugehörigen Sätze in Descartes' Augen hypothetischen Charakter haben. Auf hypothetische Sätze wird aber die dogmatische These nicht angewendet, die somit nur einen beschränkten Geltungsbereich hat.

Zweitens muß bei der Erörterung des Vorwurfs des rationalistischen Dogmatismus berücksichtigt werden, daß Descartes versucht hat, die objektive Gültigkeit evidenter Einsichten in den angeführten Bereichen spekulativ zu begründen. Da das Prinzip der göttlichen Wahrhaftigkeit, auf das er sich hierbei stützte, ein metaphysisches Prinzip ist (Princ. IV, 206: „metaphysicum fundamentum"), ist es gerechtfertigt, auch die durch dasselbe begründete These der objektiven Gültigkeit evidenter Einsichten bzw. der aus evidenten Grundsätzen deduzierten Folgesätze „metaphysisch" zu nennen, und das heißt: innerhalb der Cartesianischen Metaphysik begründet. Mithin ist der erkenntnistheoretische Dogmatismus spätestens seit den *Meditationen* nicht mehr ein im Sinne Descartes' unkritischer Dogmatismus, als den man ihn unter den Voraussetzungen der *Regulae* auffassen konnte.

In allen jenen Fällen, in denen Sätze nicht durch Deduktion aus evidenten Grundsätzen allein, sondern zusätzlich zu diesen aus Beobachtungsaussagen gewonnen werden, kann die Übereinstimmung mit der Wirklichkeit nicht mit Sicherheit behauptet werden. Allerdings war Descartes Rationalist genug, um in der Notwendigkeit, in gewissen Erkenntnisbereichen empirische Daten berücksichtigen zu müssen, ein Indiz für die Beschränktheit unseres Erkenntnisvermögens zu erblicken. Seine wiederholten Bemühungen, a priori zu beweisen, was sich nicht ohne Berücksichtigung von empirischen Daten erkennen läßt, können daher vom psychologischen Gesichtspunkt aus als Versuche gedeutet werden, einen vermeintlichen Mangel der menschlichen Natur wenn nicht zu überwinden, so doch wenigstens in seinen Auswirkungen zu mildern.

VIII. Die axiomatisch-deduktive Methode in der Naturphilosophie

1. Ideal und Verwirklichung des apriorischen Aufbaus der Naturphilosophie

Trotz der Bevorzugung des axiomatisch-deduktiven Vorgehens vor dem hypothetisch-deduktiven Verfahren verfocht Descartes, wie aus dem in Kap. VII Gesagten hervorgeht, keinen uneingeschränkten Apriorismus [69]. Dessen ungeachtet steht in der Cartesianischen Philosophie die Komposition in Form der Deduktion aus evidenten Prinzipien im Vordergrund.

Da die Frage, in welcher Weise die Ableitung der Folgesätze vorzunehmen sei, Descartes nur in zweiter Linie beschäftigte, während er die Aufgabe der Formulierung der obersten Grundsätze des naturphilosophischen Systems für vordringlich hielt, konnte er die Metaphysik (im Sinne der Ersten Philosophie) geradezu als „Erforschung der ersten Prinzipien" definieren.

Für die Prinzipien, von denen die Komposition im Bereich der Naturphilosophie auszugehen hat, stellte Descartes folgende Bedingungen auf:

a. Sie müssen evident, und daher unbezweifelbar, sein;

b. sie müssen unabhängig von der Erkenntnis anderer Sätze eingesehen werden können;

c. alle anderen philosophischen Sätze müssen von ihnen abhängen, d. h. aus ihnen ableitbar sein (Princ., Préf.; AT IX B, 2.19—25) [70].

Wenn die Prinzipien klar und deutlich sind und wenn aus ihnen Folgesätze korrekt abgeleitet werden, dann kann es, wie Descartes sagt, in dem so entstehenden System kein Theorem geben, das nicht „manifest" wäre (2.26—29). Ein Blick auf die Art, in der Descartes das Ideal einer axiomatisch-deduktiven Naturphilosophie zu realisieren gesucht hat, zeigt aber, daß er bereits bei den grundlegenden

[69] Besonders aufschlußreich für seine Einschätzung der Rolle der Erfahrung ist eine Briefstelle aus dem Jahre 1632, in der er die Überzeugung ausspricht, aus einem vollständigen Begriff der Fixsternordnung müßten sich alle physikalischen Erscheinungen, die gegenwärtig nur a posteriori, d. h. aus ihren Wirkungen, erklärt werden können, a priori ableiten lassen: An Mersenne, 10. 5. 32; AT I, 250.21—251.2. Um aber die Idee dieser Ordnung bilden zu können, seien — wie Descartes betont — gründliche und ausgedehnte Beobachtungen erforderlich, wobei sich Descartes vor allem von der Beobachtung der Kometenbahnen wichtige Aufschlüsse erhoffte. Die hierbei anzuwendende Methode sei diejenige Fr. Bacons (251.17—18: „selon la méthode de Verulamius"). Freilich äußerte er zugleich Zweifel an der Möglichkeit, in absehbarer Zeit hinreichend viele Beobachtungsdaten beibringen zu können.

[70] H. Scholz (1933—34, p. 29), der das Ideal einer axiomatisch-deduktiven Wissenschaft im Cartesianischen Sinne analysiert hat, fand es eigenartig, daß Descartes seine Metaphysik (genauer wäre zu sagen: seine Erste Philosophie) nicht axiomatisch-deduktiv aufgebaut hat. Bei einem derartigen Einwand wird jedoch übersehen, daß die Erste Philosophie grundsätzlich nicht in dieser Weise aufgebaut werden kann, da sie der Aufstellung der Prinzipien dient und folglich nicht ein System von Sätzen sein kann, die aus den Prinzipien abgeleitet sind.

Schritten den Rekurs auf Beobachtungsaussagen nicht vermeiden konnte. Das zeigt sich schon bei fundamentalen Sätzen des zweiten Teils der *Prinzipien,* z. B. bei dem Satz, daß eine ebenso große Kraft erforderlich ist, um einem Körper einen Bewegungsimpuls zu verleihen, wie um diesen Impuls zu vernichten (Princ. II, 26). Ähnlich verhält es sich bei der Formulierung der grundlegenden Gesetze in Princ. II, 37—40, wo Descartes nicht umhin konnte, auf die Erfahrung zu verweisen [71].

Die Erfahrung spielt aber in der Cartesianischen Naturphilosophie eine noch allgemeinere Rolle: Da die zur Ersten Philosophie gehörige Analyse der „Natur" des Körpers nicht zur Erkenntnis führt, *ob* überhaupt ausgedehnte Dinge existieren, sondern zur Beantwortung dieser Frage auf die Tatsachenfeststellung zurückgegriffen werden muß, daß wir empfindende Subjekte sind, d. h. Subjekte, die Wahrnehmungsideen haben (cf. Princ. II, 1), geht bereits in die Grundlegung der Naturphilosophie eine (psychologische) Erfahrung ein. Ohne Berücksichtigung der Tatsache, daß es überhaupt Empfindungen gibt, ließe sich aus Descartes' Voraussetzungen nur eine hypothetische Kosmologie nach Art der in Galileis *Dialogo sopra i due massimi sistemi del mondo* (giornata seconda) skizzierten entwerfen. Folgerichtig hat Descartes im *Discours* auch nicht mehr behauptet, als daß sich aus den eingeborenen Ideen (den „Wahrheitskeimen, die natürlicherweise in der Seele liegen"), einschließlich der Gottesidee, die ersten Prinzipien bzw. Ursachen alles dessen, was in der Welt ist *oder sein kann,* ableiten ließen (Disc. VI; AT VI, 64.1—5). Damit die Prinzipien der „möglichen Welt" als Prinzipien der realen Welt erkannt werden können, muß zusätzlich ein Erfahrungsdatum berücksichtigt werden, eben die Tatsache, daß wir Sinnesempfindungen haben. Die Naturphilosophie als solche beruht daher, sofern sie die Existenz materieller Dinge voraussetzt, auf mindestens einer Tatsachenfeststellung, die zu den apriorischen Prinzipien hinzutreten muß.

Außer dieser fundamentalen Erfahrung und solchen empirischen Daten, die stillschweigend in die vorgeblich apriorische Ableitung physikalischer Sätze eingehen, treten in Descartes' Naturphilosophie auch Ad-hoc-Behauptungen mit dem Anspruch auf, Bestandteile einer apriorischen Theorie zu sein. Da z. B. aus Descartes' Voraussetzungen folgt, daß es ein Vakuum nicht gibt, die Tatsache der Verdünnung und Verdichtung materieller Dinge die Annahme eines Vakuums aber nahezulegen scheint, führte der Philosoph zwecks Vermeidung dieser Konsequenz den Begriff der subtilen Materie ein. Die nicht wahrnehmbare materia subtilis soll die Zwischenräume zwischen den Partikeln der Körper erfüllen und im Fall der Verdichtung entweichen bzw. im Falle der Verdünnung einströmen (Princ. II, 5—6). Da weder die subtile Materie, noch die von ihr zu erfüllenden „Poren" der ausgedehnten Dinge beobachtbar sind, handelt es sich bei diesem Begriff um eine Konstruktion zum Zweck der Vermeidung bestimmter Schwierigkeiten, die sich

[71] Cf. Princ. II, 39: „experientiâ confirmatur"; Princ. II, 40: „experimur dura qualibet corpora projecta, cum in aliud durum corpus impingunt, non ideo a motu cessare, sed versus contrariam partem reflecti."

aus der Identifikation von Materie und Ausdehnung ergeben; d. h. es liegt keineswegs das Ergebnis einer Deduktion aus evidenten Prinzipien vor.

Auch der Satz von der Konstanz des Bewegungsquantums im Universum (Princ. II, 36) — Descartes' „denkwürdiger Irrtum" — ergibt sich als Resultat einer Scheinableitung aus metaphysischen Voraussetzungen bzgl. der Existenz und der Unveränderlichkeit Gottes (wobei letztere vorgeblich aus Gottes unendlicher Vollkommenheit ableitbar sein soll). Selbst wenn die Unveränderlichkeit Gottes ist, daß sich die konstante Erhaltung der Welt durch den unveränderlichen Willen Gottes in der Konstanz des Bewegungsquantums und nicht z. B. in der Konstanz der Energie manifestiert. Tatsächlich handelte es sich bei der Cartesianischen Konstanzannahme um eine Voraussetzung, für die Descartes nachträglich eine metaphysische Begründung suchte und in ihrer Zurückführung auf den Begriff der kontinuierlichen Erhaltung des Universums durch den konstanten göttlichen Willen gefunden zu haben glaubte. Ähnliches gilt für Descartes' Versuch, die Stoßgesetze aus metaphysischen Voraussetzungen zu deduzieren.

2. Deduktion und Intuition

Wenn die „Komposition" in der Naturphilosophie in der Deduktion von Folgesätzen aus evidenten Prinzipien besteht, dann enthält entweder die Cartesianische Naturphilosophie nur wenige Sätze, die durch Komposition gewonnen sind, oder der Ausdruck „Deduktion" hat neben der engeren noch eine weitere Bedeutung. Der Zusammenhang dieser Untersuchung macht deshalb eine Klärung der Bedeutung von „Deduktion" bei Descartes nötig.

Bekanntlich steht in der Cartesianischen Methodologie die Deduktion der Intuition gegenüber, ohne jedoch von dieser ganz scharf getrennt zu sein. Denn obwohl die Deduktion im Unterschied von der Intuition diskursiv (Reg. III; AT X, 370.4—6) und daher, als in der Zeit verlaufend, bis zu einem gewissen Grad vom und mithin die Unveränderlichkeit des göttlichen Willens zugestanden würde, folgte hieraus nicht die Konstanz des Bewegungsquantums, da ja nicht ausgemacht Gedächtnis abhängig ist [72], betonte Descartes, daß auch einfache Folgebeziehungen durch Intuition erfaßt würden [73]. Unmittelbare Folgebeziehungen werden daher ebenso wie einfache Naturen entweder adäquat oder gar nicht erfaßt [74]. Für das diskursive Erkennen (discursus) wird mithin die „Evidenz bzw. Gewißheit der Intuition" vorausgesetzt (Reg. III; AT X, 369.11—13: „intuitûs evidentia et certi-

[72] Reg. III; AT X, 370.7—9: „ad hanc non necessaria est praesens evidentia, qualis ad intuitum, sed potius a memoria suam certitudinem quoddammodo mutuatur."

[73] 369.14—17. Cf. bezüglich der für die Demonstration vorauszusetzenden Evidenz W. Stegmüller, *Metaphysik-Skepsis-Wissenschaft,* 2. A., Berlin, Heidelberg, New York 1969, pp. 164—165 und 267—269.

[74] Reg. II; AT X, 365.3—6: „deductionem ... sive illationem puram unius ab altero posse quidem omitti, si non videatur, sed nunquam male fieri ab intellectu vel minimum rationali."

tudo"), da jede „Kette von Gründen" gemäß Descartes' methodologischen Grundsätzen in einfache Schlußschritte, d. h. in eine Reihe von Intuitionen, zu zerlegen ist, deren Gegenstand einfache Folgebeziehungen sind. Obwohl auf diese Weise die Unterscheidung von Deduktion und Intuition relativiert wird, hielt Descartes mit dem vollen Bewußtsein ihrer Relativität an ihr fest, da zwar jeder einzelne unmittelbare Ableitungsschritt in einer Begründungsreihe intuitiv einsichtig ist (Reg. XI; AT X, 407.13—14), der logische Zusammenhang über mehrere Zwischenglieder hinweg aber nicht mehr durch Intuition erfaßt werden kann, insbesondere wenn deren Zahl so groß ist, daß auch die Erweiterung des Bereichs intuitiver Beziehungserfassung durch Übung nicht mehr dazu führt, ihren Zusammenhang simultan zu perzipieren.

Sobald die deduktive Verknüpfung nicht mehr unmittelbar einsichtig ist, besteht prinzipiell die Möglichkeit fehlerhafter Ableitung. Immer wenn Descartes von Deduktionen komplexer Art spricht, räumt er die Möglichkeit ein, Irrtümer bei der Ableitung zu begehen (cf. z. B. Reg. XII; AT X, 424.21). Die Unzuverlässigkeit des Gedächtnisses, auf das man sich in diesem Fall stützen muß, ist bekanntlich einer der Ansatzpunkte für den methodischen Zweifel in Med. I. Aus dem Gesagten geht hervor, daß das Zweifelsargument der fehlenden Evidenz von Erinnerungsurteilen nicht nur die Gewißheit evidenter Sätze, sondern auch die Gewißheit unmittelbarer Folgerungen nicht zu erschüttern vermag.

Wenn auch die Deduktion (ausgenommen die unmittelbare Folgerung) nicht zu unbedingt sicherer Erkenntnis führt, ergibt sie unter gewissen Bedingungen doch relativ sichere Erkenntnis. Diese Bedingungen sind die folgenden: a. Die Voraussetzungen, von denen die Deduktion ausgeht, müssen sicher erkannt sein [75]; b. die Ableitung muß „notwendig" sein [76], d. h. auf der Einsicht in die notwendige Verknüpfung der auseinander abzuleitenden Propositionen beruhen [77] (wobei im Fall komplexer Deduktionen, der hier vorausgesetzt ist, die notwendige Verknüpfung entfernterer Glieder der Deduktionsreihe nicht unmittelbar einsichtig ist); c. der Ableitungszusammenhang muß kontinuierlich sein, d. h. in der Reihe der Ableitungsschritte darf keine Evidenzlücke klaffen [78].

Aus dem dargestellten Verhältnis von Intuition und Deduktion ergibt sich, daß die ersten Prinzipien immer durch Intuition, die näheren Folgesätze je nachdem, ob ihr Zusammenhang mit den Prinzipien unmittelbar oder mittelbar erfaßt wird, entweder durch Intuition oder durch Deduktion, die ferneren Folgesätze aber ausschließlich durch Deduktion erkannt werden (cf. Reg. III; AT X, 370.10—15).

[75] Cf. z. B. Reg. III; AT X, 369. 21: „ex certo cognitis" bzw. 369.24: „a veris cognitisque principiis deducantur."

[76] 369.21—22: „necessario concluditur."

[77] Cf. Reg. XII; AT X, 425.1—3: Man schaltet die Fehlerquellen der Deduktion so weit als möglich aus, „si nulla unquam inter se conjungamus, nisi unius cum altero conjunctionem omnino necessariam esse intueamur."

[78] Cf. z. B. Reg. III; AT X, 369.24—26: „deducantur per continuum et nullibi interruptum cogitationis motum singula perspicue intuentis." Cf. Reg. VII; AT X, 387.14—388.9.

Berücksichtigt man den Umstand, daß Descartes zwischen Intuition und Deduktion keine völlig scharfe Abgrenzung vorgenommen hat, dann läßt sich eine historisch befriedigende, sachlich allerdings triviale Antwort auf eine der am meisten diskutierten Fragen der Descartes-Forschung geben, auf die Frage nämlich, ob die Wortverbindung „Ich denke, also bin ich" Ausdruck einer Intuition oder einer Folgerung sei. Die Annahme, daß im ersten Prinzip der Cartesianischen Philosophie eine durch das „also" ausgedrückte Folgebeziehung zwischen „Ich denke" und „Ich bin" vorliege (die ein Enthymem wäre, da stillschweigend eine weitere Prämisse, etwa der Satz „Um zu denken, muß man sein", verwendet wird), schließt nicht aus, daß die „notwendige Verknüpfung" der einfachen Naturen „Denken" und „Existieren" intuitiv perzipiert wird. Daß sich die Frage nach der Form des Cartesianischen ersten Prinzips zu einer Vexierfrage entwickeln konnte, erklärt sich daraus, daß es für Descartes hinsichtlich des Verhältnisses von Intuition und Deduktion eben kein ausschließendes Entweder-Oder gab und er deshalb das erste Prinzip bald als „Satz" bzw. „Urteil", bald als „Folgerung" bezeichnete. Worauf es ihm allein ankam, war die Abgrenzung gegenüber der syllogistischen Deutung des „also", d. h. er protestierte gegen die Auffassung, das denkende Ich werde unter den Allgemeinbegriff „denkendes Wesen" subsumiert, was in dem Syllogismus auszudrücken wäre: „Alles, was denkt, existiert; ich denke; also existiere ich". Dieser nachdrückliche Protest wurde gelegentlich dahingehend mißverstanden, als negiere Descartes grundsätzlich die Möglichkeit, die im ersten Prinzip ausgesagte Beziehung als Folgerung auszudrücken. Daß das aber nicht seine Absicht war, geht daraus hervor, daß er gelegentlich ausdrücklich von der mit den Worten „Ich denke, also bin ich" zum Ausdruck gebrachten Folgerung (illatio) sprach. Eine solche Folgerung ist für Descartes nichts anderes als die Explikation der notwendigen Verknüpfung einfacher Naturen, durch die der zugrunde liegende Sachverhalt konstituiert wird, und gegenüber dieser realen Verknüpfung sekundär. Gibt man sich von dem sekundären Charakter aller explikativen Formulierungen Rechenschaft, dann ist sogar die syllogistische Explikation der zugrunde liegenden Verknüpfung einfacher Naturen unbedenklich, wie sich dem Gespräch mit Burman entnehmen läßt [79].

3. Die Mehrdeutigkeit von „Deduktion"

Da wesentlich mehr Erkenntnisobjekte von komplexer als von einfacher Natur vorhanden sind, gesicherte Erkenntnis der ersteren aber nur durch Deduktion möglich ist, kommt dieser eine erkenntnistheoretisch (und mittelbar auch praktisch)

[79] Die Absicht, jene Deutung des ersten Prinzips zurückzuweisen, derzufolge es primär auf syllogistischer Subsumtion beruht, tritt unverkennbar bei der Diskussion der zweiten Gruppe von Einwänden gegen die *Meditationen* hervor, wo Descartes nachdrücklich bestritt, daß die Existenz des Subjekts aus dem Begriff des Denkens in Form eines Syllogismus deduziert werde: AT VII, 140.18—23.

so wichtige Rolle zu, daß es um so erstaunlicher ist, daß sich Descartes nicht klarer über sie geäußert hat. Der Vergleich der Kontexte, in denen der Ausdruck „Deduzieren" (oder entsprechende Ausdrücke, wie „Folgern") vorkommt, zeigt vielmehr eine erstaunliche Vieldeutigkeit.

(a) Zunächst bedeutet „Deduktion" die Ableitung von Sätzen aus gegebenen Prämissen nach Art der mathematischen Folgerung. Descartes hat keinen Zweifel daran gelassen, daß er in der mathematischen Deduktion das Vorbild jeder den Anforderungen des wissenschaftlichen Denkens genügenden Ableitung erblickte, da sie seiner Ansicht nach im Gegensatz zur syllogistischen Ableitung nicht nur explikativen, sondern inventiven Charakter habe. Daher verlangte er vom Wissenschaftler und Philosophen, sich an den langen Begründungsketten zu orientieren, mit deren Hilfe die „Geometer" bei ihren oft schwierigen Demonstrationen zu den gesuchten Resultaten gelangen [80]. An dieser Auffassung hat er stets festgehalten, wie mit aller Deutlichkeit eine gegenüber Burman gemachte Äußerung zeigt (1648) [81].

Ausgehend von der Tatsache, daß die Lösung von Gleichungen nicht mit den Mitteln der Syllogistik erfolgt, verwarf Descartes die Folgerung nach dem Prinzip „Dictum de omni, dictum de nullo", da er in ihrer Nicht-Anwendbarkeit auf die in seinen Augen exemplarische Wissenschaft ein untrügliches Zeichen ihrer Unfruchtbarkeit erblickte. Hierbei ist zu beachten, daß er seine Ablehnung nicht nur auf das bekannte Argument stützte, der Syllogismus sei lediglich ein Mittel zur Explikation von Vorgegebenem, sondern sich auf die allgemeinere erkenntnistheoretische These berief, daß universale Sätze, mithin auch die Prämissen eines Syllogismus, nicht vor und unabhängig von der Einsicht in die entsprechenden konkreten Sachverhalte aufgestellt werden könnten. Hinter dieser These steht die ontologische Annahme, daß das Universale nicht für sich existent sei.

Descartes hat die Chance, durch Analyse der in der Mathematik angewandten Ableitungsmethoden zu einer Theorie des Schließens zu gelangen, die von den Beschränkungen und Mängeln der herkömmlichen syllogischen Schlußlehre frei gewesen wäre, nicht genutzt. Es konnte daher die Vermutung ausgesprochen werden, daß die von ihm vorgenommene Annäherung der mathematischen Demonstration an intuitive Konstruktion (die mit der erkenntnismetaphysischen Voraussetzung zusammenhängt, daß in den mathematischen Grundsätzen Einsichten in ideale Sachverhalte ausgedrückt würden) die Ausbildung einer über die Syllogistik hinausgehenden mathematischen Logik weniger gefördert, als vielmehr gehemmt habe [82].

[80] Disc. II; AT VI, 19.6—8. Auf parallele Äußerungen in den *Regulae* wurde bereits hingewiesen.

[81] *Entretien avec Burman*; AT V, 177.5—6: „Matheseos studio opus est ad nova invenienda, tum in Mathesi, tum in Philosophia." Cf. 177.12—13: „In Mathesi reperiuntur recta ratiocinia, quae nullibi invenias alibi."

[82] E. W. Beth, *The Foundations of Mathematics. A Study in the Philosophy of Science;* Amsterdam 1959, p. 57.

(b) „Deduktion" bedeutet aber bei Descartes, unbeschadet der soeben angedeuteten Kritik, vielfach auch die syllogistische Folgerung. Entgegen der erwähnten Forderung, in der Philosophie wie in den Naturwissenschaften eine an der mathematischen orientierte Methode der Ableitung anzuwenden, bediente er sich in weiten Partien seiner Metaphysik der syllogistischen Ableitungsform. Äußerlich wird das durch die Verwendung der herkömmlicherweise üblichen Bindewörter „atqui" und „ergo" im Untersatz und in der Konklusion der Argumente deutlich. Insbesondere die Gottesbeweise (vor allem der sogenannte ontologische Beweis in Med. V) und der Schluß auf die Existenz der denkunabhängigen materiellen Außenwelt lassen sich ohne weiteres als Folgerungen im Sinne der aristotelischen Subsumtionslogik erkennen oder haben geradezu die Form schulmäßiger Syllogismen.

(c) Schließlich bedeutet „Deduktion" bei Descartes ein Verfahren, das als eine (freilich noch primitive) Vorstufe von Kants transzendentaler Deduktion aufgefaßt werden kann. In Anlehnung an die Kantische Terminologie ließe es sich etwa dahingehend charakterisieren, daß es in einer Verknüpfung von resolutiv isolierten „Bedingungen der Möglichkeit" von Erkenntnissen gemäß der Struktur des jeweiligen Wirklichkeitsbereichs besteht. So wie nach Kant z. B. mit Hilfe der als Möglichkeitsbedingung des Zählens aufgefaßten Form der Zeit als Sukzession von Augenblicken Grundsätze der Erkenntnis extensiver Größen aufgestellt werden sollen, so *folgt* nach Descartes z. B. der Satz „Es gibt kein Vakuum" aus dem Wesen des physikalischen Körpers. Ebenso *folgen* alle Prinzipien des wissenschaftlichen Erkennens insofern aus dem Wesen der zu erkennenden Wirklichkeit, als sie die notwendige Verknüpfung einfacher Naturen innerhalb einer intuitiv erfahrbaren, dem Erkenntnisakt vorgegebenen Ordnung wiedergeben.

Die Idee der Ordnung als Ordnung einfacher Naturen (idealer Sachverhalte) und in Verbindung mit ihr die Idee der notwendigen Verknüpfung müssen daher in den folgenden Kapiteln erörtert werden, um das Verständnis jener Form der „Deduktion" sicherzustellen, die vor allem in der Cartesianischen Ersten Philosophie Anwendung findet. Vor allem in dieser ist es nämlich Descartes gelungen, sich dem Bann der herkömmlichen Schlußweisen zu entziehen, allerdings nicht dadurch, daß er (wie er selbst meinte) das für die Mathematik charakteristische Ableitungsverfahren an ihre Stelle setzte, sondern indem er eine Methode der Erfahrungsanalyse entwickelte, die in der früheren Philosophie höchstens in Form undeutlicher Ansätze vorgebildet war [83]. Da die Art, in der in der Ersten Philosophie Grundsätze „abgeleitet" werden, von der mathematischen ebenso wie von der syllogistischen Form der Ableitung wesentlich verschieden ist, hätte Descartes manche Mißverständnisse verhindern können, wenn er für jene nicht die Ausdrücke „Deduzieren" bzw. „Folgern" gebraucht hätte [84].

[83] Hier wird wohl in erster Linie an den Gedankengang bei Augustinus, *De lib. arb.* 2, zu denken sein.

[84] Cf. z. B. *Recherche*; AT X, 503.20—21, sowie *Principes,* Préf.; AT IX B, 10.5—11.

Descartes irrte, als er annahm, die im Hinblick auf die Mathematik entwickelten methodologischen Regeln auf die Philosophie im allgemeinen, mithin auch auf die Erste Philosophie, anwenden zu können. Grundsätzlich gilt für die Cartesianische Erste Philosophie dasselbe, was Kant von seiner metaphysischen Grundlegung der Erkenntnis festgestellt hat: Als „Philosophie über die ersten Gründe unseres Erkenntnisses" [85] ist die Metaphysik nach Kant, ebenso wie es bei Descartes der Fall ist, ein Anwendungsgebiet der analytischen Methode [86]. Im Gegensatz zu Descartes behauptete aber Kant einen prinzipiellen Unterschied zwischen den Methoden der Mathematik und der Metaphysik, weshalb er die Überzeugung vertrat, „daß nichts der Philosophie schädlicher gewesen sei als die Mathematik, nämlich die *Nachahmung* derselben in der Methode zu denken, wo sie unmöglich kann gebraucht werden" [87].

Kants Bemerkung dürfte sich gegen Versuche in der Art der Spinozanischen *Ethica* gerichtet haben, die Metaphysik nach „geometrischer" Methode darzustellen. Was aber Descartes anbetrifft, so hätte Kant von seinem Standpunkt aus zwar die Cartesianische Forderung kritisieren müssen, die Erste Philosophie der mathematischen Methode zu unterwerfen, nicht jedoch die in der Cartesianischen Ersten Philosophie faktisch angewandte Methode, die klar von der mathematischen Form der analytischen (resolutiv-kompositiven) Methode zu scheiden ist [88].

Wenn auch Descartes' Überzeugung, eine universal anwendbare Einheitsmethode entwickelt zu haben, irrig war, so handelte es sich doch insofern um einen fruchtbaren Irrtum, als er den Anstoß zur Konzeption der Ersten Philosophie als analytischer Erfahrungstheorie gab. Hierdurch wurde Descartes zum Vorläufer Kants und damit der nachkantischen Transzendentalphilosophie, sofern sie dem Kantischen Ansatz verbunden blieb. So wenig die von den Marburger Neukantianern verfochtene Auffassung des Cartesianismus als einer dem subjektivistischen Kritizismus wesensverwandten Philosophie haltbar ist, so wenig kann die Tatsache bestritten werden, daß Descartes' Konzeption der Ersten Philosophie als analytischer Metaphysik der Erfahrung die Kantische Konzeption einer analytischen Metaphysik, wenn auch in relativ primitiver Form, vorwegnahm. Beiden Philosophen ging es um die Aufstellung der obersten Grundsätze objektiv gültiger Erkenntnis von Gegenständen: in dieser Zielsetzung stimmten sie überein; sie differierten aber in der Interpretation dessen, was sie als Ziel anerkannten. Diese Differenz wird deutlich, wenn man sich vergegenwärtigt, daß Descartes und Kant

[85] *Untersuchung über die Deutlichkeit der Grundsätze der natürlichen Theologie und der Moral*; AA II, 283.13—14.

[86] Ibid., 276.20—277.2.

[87] Ibid., 283.19—22. Cf. *Kr. d. r. V.* 754—755.

[88] Zum Verhältnis von analytischer und synthetischer Methode in der neuzeitlichen Philosophie und namentlich bei Kant cf. G. Martin, *Immanuel Kant*, 4. Aufl. Berlin 1969, pp. 249—254.

unter dem Gegenstand, von dem objektiv gültige Erkenntnis gewonnen werden soll, völlig Verschiedenes verstanden: Descartes das Ding an sich, Kant die Erscheinung, d. h. das Ding, sofern es vom Subjekt erfahren wird.

IX. Die Ordnung der Gründe als Ordnung von Sachverhalten

1. Subjektivistische oder objektivistische Auffassung der Ordnung

Der zuletzt angedeutete Unterschied zwischen der Cartesianischen und der Kantischen Interpretation des der Ersten Philosophie formal gestellten Ziels läßt sich auch als Unterschied zwischen einer objektivistischen und einer subjektivistischen Deutung der Ordnung des zu erkennenden Gegenstandsbereichs bestimmen. Wie oben gesagt, hat die Methode nach Descartes die Funktion, eine derartige Ordnung der Erkenntnisobjekte herzustellen, daß die einen aus den anderen erkannt werden können [89]. Die für die Descartes-Interpretation entscheidende und deshalb immer wieder diskutierte Frage in bezug auf diese Ordnung lautet nun, ob die „Ordnung der Gründe" das Ergebnis einer objektiv nicht determinierten Konstruktion des erkennenden Subjekts ist, oder ob sie dem Subjekt vorgegeben ist und von ihm im wesentlichen nur aufgefunden wird. Angesichts der Alternative „Subjektivismus — Objektivismus" soll im folgenden argumentiert werden, daß die objektivistische Deutung der Cartesianischen Idee der Ordnung den Vorzug verdient, d. h. daß die Erkenntnisordnung von Descartes nicht primär als Ergebnis ordnender Akte des Subjekts, sondern als bedingt durch die Ordnung der dem subjektiven Denkakt vorgegebenen Sachverhalte aufgefaßt wurde. Die Methode stellt dieser Auffassung gemäß das Mittel dar, die objektive Ordnung in planvoller Weise aufzufinden. Daß diese Ordnung nicht als ein von den konkreten Erkenntnisinhalten getrenntes Reich idealer Wesenheiten zu denken ist, ergibt sich daraus, daß sich die Ordnung nach Descartes zu den geordneten Dingen wie ein Modus zur Substanz verhält (Princ. I, 55), und mithin von den geordneten Dingen auch nur modal unterschieden werden kann.

Zugunsten der subjektivistischen Deutung wird mit Vorliebe Descartes' Unterscheidung zwischen einer Ordnung der Gründe („ordre des raisons") und einer Ordnung der Inhalte („ordre des matières") ins Treffen geführt. Diese Argumentation beruht auf der irrigen Annahme, die Ordnung der Gründe sei die Erkenntnisordnung im Gegensatz zu der als „Ordnung der Sachen" bezeichneten Sachverhaltsordnung. Diesem Mißverständnis wird in Abschnitt 2 des vorliegenden Kapitels entgegengetreten.

Außerdem wird die subjektivistische Interpretation gelegentlich durch den Hinweis auf die Möglichkeit gestützt, zwischen mehreren Begründungen für ein und dieselbe Problemlösung zu wählen. Aus der Willkür, die bei der Entscheidung für

[89] Reg. VI; AT X, 381.9—13. Cf. II. Resp.; AT VII, 155.11—14.

eine von mehreren möglichen Begründungen besteht, glaubt man auf die Subjektivität der „Ordnung der Gründe" schließen zu können. Hier liegt jedoch eine Verwechslung zwischen zwei verschiedenen Begriffen vor, dem der Ordnung im Sinne der notwendigen Verknüpfung der Gründe, und dem der subjektiven Anordnung der Begründungsschritte, die bis zu einem gewissen Grad dem Belieben des denkenden Subjekts anheimgestellt ist. Die erstere ist sozusagen das zeitlose Muster, das in diskursiven, d. h. in der Zeit verlaufenden Begründungsschritten nachgezeichnet wird, wobei der Faden des Begründungszusammenhangs unter Umständen an verschiedenen Stellen des Musters aufgenommen werden kann. Ausgangspunkt und eventuell auch Richtung der Anordnung der Gründe sind variabel, nicht jedoch das Verknüpfungsmuster der „Ordnung der Gründe", an das man sich bei jeder beliebigen Anordnung der Begründungen zu halten hat. So läßt sich z. B. die Ellipse auffassen als Projektion eines Kreises auf eine Ebene; als geometrischer Ort aller Punkte, die von einem Kreis und einem innerhalb desselben liegenden Punkt denselben Abstand haben; als geometrischer Ort aller Punkte, deren Abstandssumme von zwei gegebenen Punkten konstant ist [90]. Welche Eigenschaft der Ellipse man zum Ausgangspunkt für die Ableitung der übrigen Bestimmungen macht, hängt von der Entscheidung des Mathematikers und eventuell von den pragmatischen Bedingungen der jeweiligen Aufgabe ab; die notwendige Verknüpfung aller Eigenschaften in der „wahrhaften und unveränderlichen Natur" der Ellipse wird aber von dieser Entscheidung nicht berührt. Das Denken legt — wie Descartes gelegentlich sagt — den Dingen keine Notwendigkeit auf (Med. V; AT VII, 67.5—6). Namentlich ist die „Natur" (Wesenheit, Form) mathematischer Gegenstände — wie er im gleichen Zusammmenhang betont — „weder von mir ausgedacht, noch von meinem Geiste abhängig" (67.28—68.2).

Ähnlich verhält es sich mit der „Natur" räumlich ausgedehnter Dinge, in der mehrere Eigenschaften zu einer Einheit verknüpft sind, die gedanklich geschieden und aufeinander bezogen werden können, ohne daß die subjektive Bedingtheit der Anordnung der Bestimmungen die Annahme rechtfertigen würde, ihre Ordnung (im Sinne der Wesensstruktur der Res extensa) hänge von subjektiven Entscheidungen ab [91].

Es versteht sich von selbst, daß die Ordnung der Gründe meist nicht ohne weiteres aufgefunden werden kann. Ihre Erforschung erfordert oft anhaltende Bemühungen (Reg. XIV; AT X, 451.9—10). Ist sie jedoch gefunden, läßt sie sich ohne Schwierigkeit einsehen, da es nun leicht ist, die geordneten Elemente gemäß den

[90] Cf. P. Boutroux 1900, pp. 34—35.

[91] Cf. Reg. XII; AT X, 418.3—13: „Nam si, ver. gr., consideremus aliquod corpus extensum et figuratum, fatebitur quidem illud, a parte rei, esse quid unum et simplex: neque enim, hoc sensu, compositum dici posset ex natura corporis, extensione, et figura, quoniam hae partes nunquam unae ab aliis distinctae exstiterunt; respectu vero intellectus nostri, compositum quid ex illis tribus naturis appellamus, quia prius singulas separatim intelleximus, quam potuimus judicare, illas tres in uno et eodem subjecto simul inveniri."

zwischen ihnen bestehenden Beziehungen in Gedanken durchzugehen. Es gibt zwar Fälle, in denen man sich eine Ordnung „ausdenken" muß, um die Erkenntnis eines in seinen Beziehungen nicht durchschauten Komplexes zu ermöglichen, doch dient auch die Erfindung von Ordnungen letzten Endes nur der Auffindung der einen wahren Ordnung des zu erkennenden Sachverhalts.

Wie im zweiten Teil dieser Untersuchung klar werden soll, ist auch in der Cartesianischen Ersten Philosophie die Verknüpfung der „Gründe" durch eine objektive Ordnung bestimmt, obwohl auch hier verschiedene Anordnungen der Begründung möglich sind. So hat Descartes bekanntlich in verschiedenen Kontexten verschiedene Sätze als erstes Prinzip bezeichnet, nämlich bald „Ich bin", bald „Die Seele existiert", bald „Ich denke, also bin ich", bald aber auch „Gott existiert". Zwischen „Ich bin" und „Gott existiert" besteht eine „notwendige Verknüpfung". Die hierdurch gegebene objektive Ordnung wird von der Möglichkeit nicht berührt, bald den Satz „Ich bin" als erstes Prinzip und mithin „Gott existiert" als Folgesatz, bald umgekehrt „Gott existiert" als erstes Prinzip und mithin „Ich bin" als Folgesatz aufzufassen.

2. Mögliche Auffassungen des Verhältnisses von subjektiver und objektiver Ordnung

Das Verhältnis „subjektiv — objektiv" kann in bezug auf die Idee der Ordnung auf mehrere Arten aufgefaßt werden:

a. Als Verhältnis von klassifikatorischer Ordnung und Ordnung objektiver Sachverhalte

Nach Descartes bildet die Enumeration (oder „Induktion") eine Unterart der Deduktion. In den *Regulae* wird darunter ein Verfahren der Klassifikation verstanden, näherhin ein Verfahren der Zusammenfassung von Sätzen zu Satzklassen (Descartes dachte in erster Linie an die Klassifikation der Gleichungen nach ihrem Grad). Wie bereits in bezug auf die Deduktion festgestellt, gibt es keine scharfe Grenze zwischen Deduktion und Intuition. Das gilt auch hinsichtlich der Enumeration, die zur Intuition in einem Verhältnis wechselseitiger Ergänzung stehen soll, so daß beide quasi zu einer einzigen Operation verschmelzen. Hierbei werden durch die vollständige Enumeration die Voraussetzungen für die Intuition geschaffen, durch die Intuition der für eine Klasse von Objekten charakteristischen Fälle soll aber auch umgekehrt die Erkenntnis des Wesens einer Klasse von Gegenständen herbeigeführt werden [92]. An die Induktion in diesem Sinne ist auch bei der vierten Regel in Disc. II zu denken, die in der skizzenhaften Darstellung von 1637 so trivial erscheint, daß ihre Funktion in der Erkenntnisgewinnung schwer-

[92] Reg. XI; AT X, 408.14—17: „hae duae operationes se mutuo juvent et perficiant, adeo ut in unam videantur coalescere, per motum quemdam cogitationis singula attente intuentis simul et ad alia transeuntis."

lich zu durchschauen ist, wenn man sich nur auf die Andeutungen des *Discours de la Méthode* stützt.

Die klassifikatorische Ordnung kann in vielen Fällen auf mehrere Arten erzeugt werden, wie daraus hervorgeht, daß Descartes fordert, sie müsse „gut" hergestellt sein, d. h. so, daß sie den von der Methode zu erwartenden denkökonomischen Effekt hervorbringt (Reg. VII; AT X, 391.9—10: „ordo bene institutus"). Wenn es aber eine im jeweiligen Zusammenhang beste Ordnung gibt, dann muß es auch weniger gute Ordnungen durch Enumeration geben. Die enumerative Ordnung ist daher bis zu einem gewissen Grad von der Entscheidung des Forschers abhängig und in diesem Sinne „subjektiv". Aus dem Gesagten geht jedoch hervor, daß sie nicht subjektiv im Sinn eines Gegensatzes zur objektiven Ordnung der Gründe ist; diese letztere ist vielmehr stets Bedingung der „Induktion".

b. Als Verhältnis von hypothetisch angenommener und einsichtiger Ordnung

In den Fällen, in denen die in der Sache selbst liegende Ordnung nicht intuitiv erfaßt werden kann, genügt es unter Umständen bzw. ist für die Lösung von Problemen eventuell unentbehrlich, das Vorhandensein einer Ordnung hypothetisch anzunehmen, um auf diese Weise die vollständige Enumeration aller denkbaren Folgesätze möglich zu machen (Reg. X; AT X, 404.22—405.2). Vermutlich meinte Descartes, daß unter diesen Folgesätzen mit Hilfe des experimentum crucis eine Auswahl getroffen werden müsse, womit dann die unter den gegebenen Bedingungen optimale Klärung des Sachverhalts erreicht wäre. Da auf diese Weise keine Intuition einer objektiven Ordnung herbeigeführt wird, kann auch kein Gegensatz zwischen subjektiv konstruierter und realer Ordnung behauptet werden; ihr Verhältnis bleibt vielmehr unbestimmt.

c. Als Verhältnis von explikativer und klassifikatorischer Ordnung

Eine explikative Ordnung von Sätzen eines bestimmten Erkenntnisbereichs liegt dann vor, wenn die Sätze so geordnet sind, daß die einen aus den anderen erkannt werden können. Dagegen besteht die klassifikatorische Ordnung in der Subsumtion von Begriffen unter allgemeinere, dieser wiederum unter noch allgemeinere Begriffe usw., bis letztlich allgemeinste Gattungsbegriffe erreicht werden, d. h. Kategorien im aristotelischen bzw. scholastischen Sinn (Cf. Reg. VI; AT X, 381. 11—12).

Dieses Verhältnis ist in Descartes' oft zitierter und selten verstandener Erklärung gemeint, er folge (namentlich in den *Meditationen)* nicht der Ordnung der Sachen, sondern der Ordnung der Gründe (an Mersenne, 24.12.40; AT III, 266. 16—18). Daß hier nicht ein Gegensatz zwischen Erkenntnis- und Seinsordnung behauptet wird, geht daraus hervor, daß die Cartesianische Metaphysik wesentlich die Demonstration der Übereinstimmung beider bezweckt. Descartes stellte vielmehr der von seiner Methodologie geforderten explikativen, durch Folge- bzw.

Kausalbeziehungen konstituierten Ordnung eine Ordnung ohne Erklärungswert gegenüber, nämlich die klassifikatorische Ordnung in der Art der Arbor Porphyriana, in der er das vorzügliche Ordnungsprinzip der scholastischen Philosophie erblickte, wogegen er in der explikativen Ordnung, derzufolge „Dinge" so aufeinander zu beziehen sind, daß die einen aus den anderen erkannt werden können, das unterscheidende Charakteristikum des neuzeitlichen naturwissenschaftlichen Denkens erkannte. Indem er diese letztere auf die Metaphysik zu übertragen suchte, wurde er zum Bruch mit der im wesentlichen klassifikatorischen aristotelisch-scholastischen Metaphysik gedrängt [93].

Descartes hat zwar in den *Regulae* die Frage nach dem Verhältnis von Erkenntnis- und Seinsordnung ausdrücklich ausgeklammert; das heißt jedoch nicht, daß er nicht schon damals eine bestimmte Vorstellung vom Verhältnis beider gehabt hätte. Tatsächlich kann die Annahme eingeborener Prinzipien des Erkennens, die Descartes seit seinen philosophischen Anfängen und mithin auch in den *Regulae* machte, nur dazu dienen, die Konformität von Erkenntnis- und Seinsordnung zu begründen [94]. Es ist allerdings richtig, daß der in den *Regulae* auf Schritt und Tritt vorausgesetzte Parallelismus der Ordnung einfacher Sätze und der Ordnung einfacher Naturen 1628/29 für Descartes noch nicht zum Problem geworden war, weshalb er ihn auch nicht zu beweisen versuchte. Außerdem legte der methodologische Charakter des Werkes die ausdrückliche Beschränkung auf die Untersuchung der Dinge, sofern sie Erkenntnisobjekte sind, nahe [95]. Das bedeutet aber nicht, daß Descartes' Ziel nicht schon damals in der Erkenntnis der Ordnung der Dinge selbst bestanden hätte; es bedeutet vielmehr lediglich, daß er (in gewissem Sinne unkritisch) überzeugt war, durch Analyse der Objekte, wie sie durch ihre Beziehung zum erkennenden Subjekt bestimmt sind, auch ihre objektive Natur, ihr „Wesen", erfassen zu können. Die Begründung der Konformitätsthese unternahm er begreiflicherweise nicht in den *Regulae,* sondern erst in den *Meditationen über die Erste Philosophie,* deren Ziel der Aufbau der Metaphysik der Erfahrung ist: Aufgabe einer solchen ist es aber, das Verhältnis von Erkenntnisordnung und ansichseiender Wesensordnung spekulativ zu bestimmen.

[93] Mithin ist die Annahme D. Mahnkes 1967, pp. 30—31, daß Descartes mit „ordre des matières" einen realistischen, mit „ordre des raisons" einen idealistischen Gesichtspunkt bezeichnen wollte, unzutreffend.

[94] Cf. O. Hamelin 1921, p. 64: „les notions de vérité, de certitude et même de critérium de la certitude, qui forment le contenu des règles ... sont au moins connexes des notions les plus proprement et les plus incontestablement métaphysiques."

[95] Cf. Reg. XII; AT X, 418.13—14: „hic nos de rebus non agentes, nisi quantum ab intellectu percipiuntur."

X. Ordnung und Anschauung

1. Das Verhältnis der Idee der Ausdehnung zur Anschauung

a. *Anschauung und Mathematik*

Obwohl Descartes schon in den *Regulae* die Reduktion aller wissenschaftlichen und insbesondere der mathematischen Probleme auf solche der Ordnung gefordert und in der Erfüllung dieser Forderung den von der Anwendung seiner Methode zu erwartenden Fortschritt erblickt hatte (Reg. XIV; AT X, 452.5—6), drang er doch nicht zu einem unanschaulichen Begriff der Ordnung vor. Das bedeutet, daß er auch von der anschaulichen Repräsentation der algebraischen Beziehungen durch geometrische Verhältnisse niemals ganz losgekommen ist, mag auch seine gedankliche Entwicklung zwischen den *Regulae* und der *Géométrie* dadurch gekennzeichnet gewesen sein, daß an die Stelle des Primats des anschaulich-geometrischen der Primat des algebraischen Momentes trat [96]. Die Annahme, daß Descartes' „reine Mathematik" eine von der Anschauung räumlicher Beziehungen grundsätzlich unabhängige Algebra gewesen sei, wie vor allem L. Brunschvicg meinte, ist unhaltbar, da die „pura atque abstracta Mathesis" (Med. V; AT VII, 65.13—14) nicht „rein und abstrakt" heißt, weil sie anschauungsunabhängig wäre. Das geht schon daraus hervor, daß in der von Descartes autorisierten französischen Übersetzung der *Meditationen* der Ausdruck „pura Mathesis" mehrmals durch „géométrie" bzw. „géométrie spéculative" wiedergegeben wird. Außerdem bezeichnete der Philosoph im Zusammenhang der Erörterung des Verhältnisses von Anschauung („imaginatio") und reinem Intellekt als Objekt der „reinen Mathematik" ausdrücklich die „natura corporea", d. i. die dreidimensionale räumliche Ausdehnung (Med. VI; AT VII, 74.1—2). Die Identifikation von „reiner Mathesis" und „Geometrie" läßt den Schluß zu, daß Descartes auch 1641 noch keine von der Anschauung räumlich ausgedehnter Dinge völlig abgelöste Mathematik vor Augen hatte, wenn er von „pura Mathesis" sprach [97], mag er auch eine solche ursprünglich für möglich gehalten und angestrebt haben, wie aus gewissen Andeutungen der *Regulae* hervorzugehen scheint (cf. Reg. IV; AT X, 374.1—7). Der Versuch, die Regeln von 1628/29 anzuwenden, dürfte ihm jedoch deutlich gemacht haben, daß mit ihrer Hilfe das Ideal einer anschauungsfreien Mathematik nicht realisiert werden konnte [98].

In den *Meditationen* hat Descartes die Anschauungsunabhängigkeit mathematischer Einsichten nachdrücklich behauptet (Cf. Med. VI; AT VII, 72.4—73.10).

[96] Cf. das Kapitel *Mathématique et Métaphysique* in: L. Brunschvicg 1951. — Der Abriß einer Elementar-Algebra, den Descartes (nach AT X, 659) 1638 verfaßte oder verfassen ließ, sollte ausdrücklich als Einführung in die *Géométrie,* auf die wiederholt Bezug genommen wird, dienen, mithin keine prinzipiell unanschauliche Algebra entwickeln.

[97] Cf. P. Boutroux 1900 und 1914.

[98] P. Boutroux 1900.

Hierbei muß jedoch beachtet werden, daß er sich immer nur auf die Unabhängigkeit der Begriffe mathematischer Objekte, wie des Dreiecks, Vierecks, Tausendecks, von den anschaulichen Ideen von Dreiecken, Vierecken, Tausendecken bezog: Die ersteren werden vom reinen Intellekt perzipiert, während die letzteren durch die Einbildungskraft erfaßt werden (72.6—15). Die Abhängigkeit der Mathematik im allgemeinen von der Einsicht in die „natura corporea" wird dagegen nicht nur nicht in Frage gestellt, sondern ausdrücklich behauptet [99]. Obwohl Descartes die Idee der Ausdehnung als eingeboren betrachtete, sprach er von der „deutlichen Idee der körperlichen Natur, die ich in meiner Einbildung vorfinde" (73.25—26). Wenn aber diese „körperliche Natur" das Objekt der reinen Mathematik ist, dann ist diese nicht unabhängig von der Tatsache, daß es Anschauung (Einbildung) gibt, möglich.

Die bei Descartes wirksame Tendenz zur Trennung von intellektueller Einsicht und anschaulicher Vorstellung entsprach zunächst der Überzeugung, daß die Unsterblichkeit der Seele nur behauptet werden könne, wenn deren prinzipieller Unterschied vom Körper und seinen Organen (zu denen ja nach Descartes die Einbildungskraft gehört) bewiesen werde. Deshalb bekämpfte er die Annahme, die Ideen des Intellekts, mithin auch die Ideen mathematischer Objekte, seien in derselben Weise materiell wie die Ideen der Anschauung, die auf Engrammen im Gehirn beruhten [100]. Die intellektuelle Einsicht muß somit auf Grund der von Descartes angenommenen Realdistinktion von Körper und Geist anschauungsunabhängig sein.

Sodann aber wirkte in Descartes' Einstellung das Platonische Argument nach, die Ideen geometrischer Gebilde wie die des Dreiecks müßten als eingeboren betrachtet werden, weil wahrnehmbare und anschaulich vorgestellte „Dreiecke" niemals Dreiecke im Sinne der Geometrie sind (II. Resp.; AT VII, 381.26—382.13).

Die Unabhängigkeit des Intellekts von der Anschauung darf aber nicht so verstanden werden, als schließe sie jede Verbindung aus. Descartes hat im Gegenteil angenommen, daß keine bewußte Anschauung ohne Applikation der „Erkenntniskraft" auf die sensoriellen Eindrücke zustande komme (72.1—2). Diese „Applikation" des Intellekts auf anschauliche Ideen kann also auch für die Vorstellungen geometrischer Objekte angenommen werden [101]. Nichtsdestoweniger ist der Akt der intellektuellen Einsicht „rein", sofern der Intellekt im Unterschied von der An-

[99] Med. VI; AT VII, 74.1—2; cf. 71.13—15: „ . . . res materiales . . . quatenus sunt purae matheseos objectum."

[100] Cf. V. Resp.; AT VII, 385.9—12: „quamvis figurae Geometricae sint omnino corporeae, non tamen idcirco ideae illae, per quas intelliguntur, quando sub imaginationem non cadunt, corporeae sunt putandae." Erst recht können materielle Species nicht vom Geist aufgenommen werden, sondern die intellektuelle Erkenntnis auch körperlicher Dinge erfolgt ohne materielle Species (387.8—11), d. h. der Erkenntnisvorgang ist keine Funktion physiologischer Prozesse.

[101] So z. B. bezüglich des Dreiecks, das hier als Paradigma geometrischer Objekte im allgemeinen dient: Med. VI; AT VII, 72.8—10: „istas tres lineas tamquam praesentes acie mentis intueor, atque hoc est quod imaginari appello."

schauung nicht eine Funktion neurophysiologischer Prozesse ist. Infolgedessen können auch die mathematischen Einsichten „rein" genannt werden, ohne daß hierdurch ausgeschlossen würde, daß sich der Intellekt zur anschaulichen Idee der körperlichen Natur „hinwendet". Die deutliche Idee der Natura corporea ist aber, wie wegen der Wichtigkeit dieser Tatsache wiederholt sei, „in der Einbildung", d. h. das allgemeine Objekt der reinen Mathematik ist eine anschauliche Idee!

Die Textstellen, in denen Descartes zum Problem des Verhältnisses von geometrischen Wahrheiten und Anschauung Stellung nimmt, lassen sich somit entgegen dem anfänglichen Eindruck des mangelnden Ausgleichs zwischen Behauptungen der Anschauungsunabhängigkeit und Behauptungen der Anschauungsbedingtheit geometrischer Erkenntnisse [102] im Sinne einer widerspruchsfreien Auffassung vom erkenntnistheoretischen Charakter der Geometrie interpretieren, wenn man festhält, daß die Annahme der Anschauungsabhängigkeit auf die ersten Prinzipien der Geometrie, die der prinzipiellen unmittelbaren Anschauungsunabhängigkeit auf die geometrischen Folgesätze bezogen ist. Die Axiome der Geometrie sind nach Descartes' Überzeugung Ausdruck unmittelbarer Einsicht in die Struktur des dreidimensionalen Raumes, d. h. in ihnen wird die Intuition der „natura corporea" artikuliert. Aus der Anschauungsbedingtheit der Axiome folgt aber nicht, daß den aus diesen abgeleiteten Theoremen anschauliche Inhalte zugeordnet werden müßten. Eine derartige Zuordnung ist zwar gelegentlich möglich — so lassen sich etwa gewisse Sätze über das Dreieck auf anschauliche Vorstellungen beziehen —, jedoch prinzipiell niemals notwendig, ja in vielen Fällen (wie etwa beim Cartesianischen Beispiel des Tausendecks) faktisch unmöglich. Die Klarheit und Deutlichkeit der Ideen mathematischer Objekte — z. B. des Tausendecks — besteht, wie Descartes gegen Gassend betont, nicht in ihrer Anschaulichkeit, sondern primär darin, daß Sätze, in denen diese Ideen enthalten sind, in mathematische Ableitungszusammenhänge eingehen, d. h. daß solche Sätze aus anderen geometrischen Sätzen und letzten Endes aus den Axiomen der Geometrie abgeleitet und zugleich ihrerseits zu Prämissen der Ableitung weiterer Folgesätze gemacht werden können. Daß manche geometrischen Theoreme eine anschauliche Konstruktion zulassen, ist demgegenüber sekundär. Nichtsdestoweniger wird hierdurch die mittelbare Anschauungsbedingtheit aller geometrischen Erkenntnisse nicht negiert, da ja alle Theoreme der Geometrie aus anschauungsbedingten Axiomen abzuleiten sind [103].

b. Anschauung und physikalischer Körperbegriff

Nach Descartes ist jede Erkenntnis Perzeption entweder eines einzelnen Dings oder des Verhältnisses zweier oder mehrerer Dinge (Reg. XIV; AT X, 440.2—5).

[102] Cf. H. Heimsoeth 1912, insb. p. 165.

[103] Damit dürfte die Gegensätzlichkeit Cartesianischer Stellungnahmen zum Verhältnis von Imagination und mathematischer Einsicht, auf die E. Cassirer 1962, pp. 37—40, hingewiesen hat, wenigstens im wesentlichen vom Vorwurf der Widersprüchlichkeit entlastet sein.

Im zweiten Fall kann evidente Einsicht nur gewonnen werden, wenn die fraglichen Verhältnisse klar und deutlich perzipiert sind. Klare und deutliche Ideen von Beziehungen zwischen Eigenschaften von Körpern können jedoch nicht qualitative Begriffe sein; das heißt: Damit ein physikalisches Problem klar und deutlich, näherhin in Form von Gleichungen ausgedrückt werden kann, muß es mit Hilfe quantitativer Begriffe formuliert sein [104]. Unter diesen stehen Bestimmungen der räumlichen Ausdehnung an erster Stelle, da die Ausdehnung, näherhin die „reale Ausdehnung des Körpers" (Reg. XIV; AT X, 441.6—9), deren Begriff anschauliche Ideen zugeordnet werden können [105], diejenige Art von Größe ist, die „am leichtesten und am distinktesten von allen" anschaulich erfaßt werden kann. Daneben gibt es aber auch andere quantitative Bestimmungen, die unter dem Gesichtspunkt der „Dimension" betrachtet werden können. Descartes definierte „Dimension" nämlich als „die Art und Weise, gemäß der ein Subjekt als meßbar angesehen wird" (447.23—25). Unter diesen Begriff fallen also nicht nur die Leardimensionen. Descartes läßt aber keinen Zweifel daran, daß die Idee der dreidimensionalen räumlichen Ausdehnung für die physikalische Erkenntnis, wie er sie versteht, fundamental ist.

Nach Descartes besteht zwar die Möglichkeit, einen unanschaulichen Begriff der Ausdehnung zu bilden, der jedoch in seinen Augen eine „philosophische Entität", d. h. das Ergebnis einer fehlerhaften Abstraktion ist. Als solche ist er im Gegensatz zur anschauungsbedingten Idee der räumlichen Ausdehnung keine „wahre Idee". Ein klarer und deutlicher Begriff der Ausdehnung liegt dagegen dann vor, wenn „Ausdehnung" entweder als gleichbedeutend mit „etwas, das ausgedehnt ist", oder als Attribut ausgedehnter Dinge aufgefaßt wird (443.3—8). Später hat Descartes das Verhältnis von „Ausdehnung" und „ausgedehntem Ding" dahingehend präzisiert, daß er „Ausdehnung" als dasjenige Attribut bestimmte, durch das die Natur körperlicher Substanzen konstituiert wird (wie „Denken" das die Natur immaterieller Substanzen konstituierende Attribut ist), wobei die Beziehung auf die Substanz als notwendige Bedingung der Klarheit und Deutlichkeit der Idee dieses (wie jedes) Attributs gilt (Princ. I, 64).

„Ausdehnung" und „ausgedehntes Ding" dürfen somit nur modal unterschieden werden, wenn „Ausdehnung" nicht zu einer „philosophischen Entität", d. h. zu einem ens rationis werden soll. Bei der modalen Distinktion wird dagegen die substantielle Einheit von „Ausdehnung" und „materieller Substanz" anerkannt. Diese Einheit ist aber nach Descartes in der Anschauung gegeben, so daß die „wahre

[104] Cf. Reg. XIV; AT X, 440.21—24: „Notandum est ..., nihil ad istam aequalitatem [des Gegebenen und des Gesuchten] reduci posse, nisi quod recipit majus et minus, atque illud omne per magnitudinis vocabulum comprehendi."

[105] Reg. XIV; AT X, 440.28—441.3: „Ut vero aliquid etiam tunc imaginemur, nec intellectu puro utamur, sed speciebus in phantasia depictis adjuto, notandum est denique, nihil dici de magnitudinibus in genere, quod non etiam ad quamlibet in specie possit referri."

Idee" des physikalischen Körpers nicht unabhängig von der Anschauung räumlicher Beziehungen gebildet werden kann [106].

In diesem Zusammenhang könnte eingewendet werden, daß auch die Idee der „realen Ausdehnung" materieller Dinge abstrakt ist, sofern bei ihrer Bildung von allen nichtextensiven Bestimmungen abgesehen wird [107]. Hieran ist richtig, daß tatsächlich eine Art Abstraktion vorliegt, die jedoch von der oben erwähnten grundsätzlich verschieden ist, da sie zwar zu abstrakten Begriffen von Eigenschaften führt, nicht jedoch zur Annahme einer Realdistinktion von Eigenschaft und Ding, d. h. nicht zur Annahme „philosophischer Entitäten".

Mit der hier entwickelten Auffassung stehen die Ergebnisse der Analyse der Idee „Ausdehnung" in Med. II nicht in Widerspruch. Wenn dort festgestellt wird,

> „daß ja selbst die Körper nicht eigentlich durch die Sinne oder die Fähigkeit der Einbildung, sondern einzig und allein durch den Verstand erfaßt werden" (Med. II; AT VII, 34.1—3),

so entspricht das der in Reg. XII aufgestellten Behauptung, daß bewußte Empfindung oder Imagination niemals ohne Mitwirkungen der (rein geistigen) Erkenntniskraft zustande komme. Und obwohl Descartes von der Idee des ausgedehnten Dings erklärt, „es kommt ... dieser Begriff (comprehensio) nicht durch die Einbildungskraft zustande" (31.9—10), sagt er damit doch nicht, daß er grundsätzlich ohne die Einbildungskraft zustande kommen könne, sondern lediglich, daß er nicht durch sie allein zustande komme. Vermittels der Einbildungskraft werden nämlich immer nur bestimmte Ausdehnungsverhältnisse erfaßt, nicht der allgemeine Begriff der Ausdehnung, der mithin nicht als durch die Imagination gebildet anzusehen ist. Die Ausdehnung als Wesen materieller Dinge wird immer nur durch den reinen Intellekt erfaßt; das vom Intellekt perzipierte Ding ist aber „dasselbe, welches ich sehe, welches ich betaste, welches ich in der Einbildung habe, kurz, dasselbe, welches ich von Anfang an gemeint habe" (31.20—22), obwohl die Perzeption des ausgedehnten Dinges unter dem Gesichtspunkt seines Wesens als solche von der Anschauung ausgedehnter Dinge scharf unterschieden wird. Sie ist „nicht ein Sehen, ein Berühren, ein Einbilden und ist es auch nie gewesen, wenngleich es früher so schien, sondern sie ist eine Einsicht einzig und allein des Verstandes (solius mentis inspectio), die entweder, wie früher, unvollkommen und verworren, oder, wie jetzt, klar und deutlich sein kann" [108]. In diesem Punkte ist der Stand-

[106] Cf. Reg. XIV; AT X, 445.12—20: „Notandum est diligenter, in omnibus ... propositionibus, in quibus haec nomina [scil. „extensio", „figura", „numerus" ...], quamvis significationem eamdem retineant, dicanturque eodem modo a subjectis abstracta, nihil tamen excludunt vel negant, a quo non realiter distinguantur, imaginationis adjumento nos uti posse et debere: quia tunc, etiamsi intellectus praecise tantum attendat ad illud quod verbo designatur, imaginatio tamen veram rei ideam fingere debet ..."

[107] 441.8—10: „extensionem realem corporis abstractam ab omni alio, quam quod sit figurata."

[108] Med. II; AT VII, 31.23—27; cf. Med. VI; AT VII, 72.1—3, wo es von der Einbildungskraft heißt, „daß sie nichts anderes ist, als eine gewisse Anwendung (applicatio)

punkt der *Meditationen* derselbe wie derjenige der *Regulae,* wie auch die erkenntnismetaphysischen Voraussetzungen der vorliegenden Auffassung in beiden Werken dieselben sind, insbesondere die Voraussetzung, daß die Eindrücke der Imagination nur durch „Applikation" der Erkenntniskraft bewußt erfahren werden.

Ähnlich wie die Gedankengänge der *Regulae* im Zusammenhang mit der Frage nach dem Verhältnis der Idee der Ausdehnung zur Anschauung laufen auch die anhand des Wachs-Beispiels in Med. II angestellten Überlegungen auf den Nachweis hinaus, daß die Idee der Ausdehnung im allgemeinen nur vom reinen Intellekt perzipiert werden kann; sie dienen aber nicht dem Nachweis, daß diese Perzeption möglich wäre, wenn es nicht räumliche Anschauung überhaupt gäbe. Für das Verständnis der Cartesianischen Argumentation erweist es sich also auch im vorliegenden Zusammenhang als entscheidend, die in den *Regulae* ausdrücklich formulierten, in den *Meditationen* aber oft stillschweigend gemachten erkenntnismetaphysischen Voraussetzungen zu berücksichtigen, ohne sich von der Tatsache irre machen zu lassen, daß sie, verglichen mit der durch den methodischen Zweifel gekennzeichneten Stufe des kritischen Bewußtseins, unkritisch zu nennen sind. Es wird sich jedoch herausstellen, daß die entscheidenden erkenntnismetaphysischen Voraussetzungen der Cartesianischen Philosophie auch im methodischen Zweifel noch wirksam waren.

Schließlich sei kurz festgestellt, daß „extensio" bei Descartes nicht eine subjektive Anschauungsform im Sinne einer transzendentalen Bedingung gegenständlicher Erfahrung von materiellen Dingen ist. Dinge werden nicht deshalb im Raume erfahren, weil sie vermittels der Anschauungsform der Räumlichkeit perzipiert werden, sondern weil die räumliche Ausdehnung wesentliches Attribut materieller Dinge ist. Dementsprechend kann es keinen Raum geben, wenn keine materiellen Dinge existieren [109], weshalb sich die reale Ausdehnung nach der (fiktiven) Vernichtung aller ausgedehnten Dinge nicht widerspruchslos denken läßt [110]. Fragen, wie die nach der Möglichkeit eines Raumes ohne räumliche Dinge [111], übersteigen die Grenzen der Anschauung und sind in diesem Sinne metaphysisch.

Bevor das hier zunächst nur Angedeutete genauer erörtert wird, sei als Resultat festgehalten, daß man sich nach Descartes bei der Bildung des Begriffs der realen Ausdehnung, d. i. der Ausdehnung physikalischer Körper, „nicht des reinen, sondern des von anschaulichen Vorstellungen [den Phantasmata] der Einbildungskraft unterstützten Verstandes ... bedienen" muß, obwohl auch in bezug auf diesen Begriff in den *Meditationen* die Anschauungsunabhängigkeit der intellektuellen Einsicht nachdrücklich betont wird. Auch hier wie bei der Perzeption mathematischer Objekte bedeutet aber „Anschauungsunabhängigkeit" nicht die Unabhängig-

der Erkenntniskraft auf den Körper [im Sinne von „Organismus"], der ihr unmittelbar gegenwärtig ist."

[109] Cf. An Mersenne, 27. (17.) 5. 38; AT II, 138.10—11.

[110] Reg. XIV; AT X, 442.29—443.2.

[111] AT II, 138.1—3.

keit der Idee der Ausdehnung von der Anschauung, sondern die Unabhängigkeit des Aktes der intellektuellen Einsicht von neurophysiologischen Vorgängen der „Einbildungskraft".

c. *Anschauliche Ideen und „philosophische Entitäten"*

Nach Descartes beruhen anschauliche Ideen auf Sinneseindrücken, d. h. auf mechanischen Prozessen im Sensorium (näherhin auf Bewegungen der sogenannten spiritus animales), die grundsätzlich mit Hilfe mechanischer Modelle begreiflich gemacht werden können. Dasselbe gilt für die Prozesse im „Gemeinsinn" (der in den *Regulae* im Gegensatz zu Med. II noch von der Einbildungskraft unterschieden wird) sowie denjenigen in der „Einbildung" (Imagination, Phantasie). Näherhin handelt es sich bei der Entstehung anschaulicher Vorstellungen um einen Vorgang mechanischer Abbildung räumlicher Gestalten materieller Dinge, wobei Sinnesorgane, Gemeinsinn, Phantasie und bewußte Perzeption die verschiedenen Stufen bezeichnen, die bei diesem Prozeß durchlaufen werden.

Wenn die materiellen „Ideen" von Descartes als „Abbilder" der wahrgenommenen Dinge bezeichnet werden, dann ist hierbei nicht mehr an eine Abbildung im Sinne der Species-(eidola)-Lehre zu denken, sondern an einen Vorgang physikalischer Reizübertragung, bei dem zwar die Elemente der im Sensorium hervorgerufenen Eindrücke den Elementen der Objekte eindeutig zugeordnet sind, ohne daß jedoch zwischen Ding und Idee ein Verhältnis qualitativer Ähnlichkeit angenommen würde.

Von dieser Auffassung der Ideen als „Abbilder" hat sich Descartes auch in den *Meditationen* insofern nicht gelöst, als er ausdrücklich die Ideen als eine Art von Bildern der vorgestellten Objekte bezeichnete. Da „Idee" in Descartes' späterer Phase nicht mehr in erster Linie die anschaulichen Eindrücke in der Imagination, sondern primär die Begriffe bedeutet, erfuhr die Abbildungs-These sogar eine wesentliche Erweiterung, da sie nicht auf die „Abbildung" mittels physikalisch-physiologsicher Reizübertragung beschränkt blieb.

Der in anderem Zusammenhang so stark akzentuierte dualistische Hiatus von immateriellem Intellekt und (materieller) Einbildungskraft, die Descartes als eine Funktion des Organismus auffaßte [112], hat ihn offenbar bei der angedeuteten Erklärung der Entstehung von Ideen nicht gestört, denn er behauptete einerseits, daß der Intellekt die durch Gemeinsinn und Gedächtnis vermittelten Gestalteindrücke erfasse, andererseits, daß er auch die Bildung von Eindrücken in der Phantasie verursachen könne, indem er den „spiritus animales" entsprechende Anstöße mitteile. Die Annahme einer solchen Wechselwirkung veranlaßte ihn, bei der Unterscheidung von physiologischen Wahrnehmungsfunktionen (Empfindung, Gemeinsinn, Einbildungskraft bzw. Phantasie, Gedächtnis) und unabhängig von physio-

[112] Daß Einbildungskraft und materielles Gedächtnis als körperliche Funktionen gelten, zeigt besonders klar Descartes' Äußerung in einem Brief an Mersenne vom Nov.-Dez. 1632; AT I, 263.6—8.

logischen Vorgängen funktionierendem Intellekt nicht stehenzubleiben, sondern die Einheit der „Erkenntniskraft" in bewußter Empfindung, anschaulicher Vorstellung und intellektueller Einsicht zu behaupten (Reg. XII; AT X, 415.27—416.4).

Hierbei bleiben manche Fragen offen: Nicht nur ist unklar, wie die „Applikation" der geistigen Erkenntniskraft auf die materiellen Eindrücke zu denken ist; es bleibt auch dunkel, wie diese rein geistige Kraft die Bildung von Eindrücken im Nervensystem hervorrufen, d. h. wie sie die spiritus animales beeinflussen können soll.

Im Zusammenhang dieses Kapitels ist vor allem die Feststellung wichtig, daß sich Descartes' Andeutungen in Reg. XII auch nichts darüber entnehmen läßt, wie der Intellekt „philosophische Entitäten" bildet; insbesondere bleibt unklar, wie er zur Bildung der philosophischen Entität der abstrakten Ausdehnung gelangt. Der Historiker bleibt daher in diesem Punkt auf Vermutungen angewiesen. Eine (relativ befriedigende) Deutung des Verhältnisses von anschaulicher und unanschaulicher („abstrakter") Idee der Ausdehnung ist die folgende: Bezieht der Intellekt die „Abbilder" ausgedehnter Objekte in der Imagination auf reale Dinge, dann betrachtet er sie als deren Attribute, d. h. als etwas, das nur als Bestimmung eines materiellen Dings selbst real ist. Er bildet in diesem Fall eine „wahre Idee" der Ausdehnung. Das gilt übrigens auch dann, wenn er das Phantasiebild als Modifikation des wahrnehmenden Subjekts betrachtet, da es auch in diesem Fall als Modus einer Substanz aufgefaßt wird. Sieht er dagegen von der Abhängigkeit der Idee der Ausdehnung von einer Substanz, der die vorgestellten Ausdehnungsverhältnisse als Modi zukommen, ab und schreibt ihr wie einer realen Wesenheit selbständige Existenz zu, dann denkt er „Ausdehnung" nach Art einer Substanz und mithin „falsch". Da in der Einbildungskraft immer nur Abbilder ausgedehnter Dinge und nicht einer selbständigen Entität „Ausdehnung" vorhanden sind, kann nur der spekulierende Intellekt eine solche fingieren, ohne hierfür einen Anhaltspunkt zu haben. Eben deshalb heißt eine derartige Entität in der Cartesianischen Terminologie „philosophisch". Für diese Deutung spricht, daß Descartes als Grund der „Falschheit" des im Sinne einer philosophischen Entität „abstrakten" Begriffs der Ausdehnung dessen Unanschaulichkeit nennt [113]. Man stützt sich im Falle einer solchen Abstraktion nicht auf eine anschauliche Idee, sondern allein auf den fehlgeleiteten Intellekt [114]. Dementsprechend soll die Berichtigung des hier vorliegenden Fehlers einfach durch Berücksichtigung der Anschauung erfolgen: ihr ist ohne weiteres zu entnehmen, daß die Ausdehnung nicht getrennt von ihrem „Subjekt" (d. h. vom ausgedehnten Ding) vorgestellt wird (Reg. XIV; AT X, 443.3—10).

Von der Bildung philosophischer Entitäten ist die legitime Bildung der allgemeinen Idee der Ausdehnung genau zu unterscheiden. So wie nämlich nach Descar-

[113] Reg. XIV; AT X, 442.27—28: „ . . . entia philosophica, quae revera sub imaginationem non cadunt."

[114] 443.2—3: „non utetur tamen idea corporea ad hunc conceptum, sed solo intellectu male judicante."

tes die Zahl stets ein Modus der gezählten, die Ordnung ein Modus der geordneten Dinge ist [115], so müssen auch die geometrischen Begriffe „Punkt", „Linie", „Fläche" immer auf dreidimensional-räumliche Körper bezogen werden, wenn sie nicht zu „philosophischen Entitäten" werden sollen. Obwohl sie selbstverständlich abstrakte Begriffe sind, werden sie doch nicht wie die philosophischen Entitäten durch Negation dessen, wovon abstrahiert wird, gebildet (Reg. XIV; AT X, 445.12—446.10). Hier wie im Falle der Idee der Ausdehnung ist die Hypostasierung des Resultats der Abstraktion nur möglich, wenn der abstrakte Begriff nicht auf die Anschauung bezogen wird [116].

Abstraktionsbegriffe dürfen nicht mit Ideen von einfachen Naturen verwechselt werden. Das macht Descartes anhand des Begriffs „Grenze" deutlich, wie er etwa in dem Satz „Die Oberfläche ist die Grenze des Körpers" vorkommt. „Grenze" wird zwar ausgehend von der einfachen Natur „Gestalt" durch Abstraktion gewonnen und ist insofern in gewissem Sinne einfacher als diese. Dennoch bezeichnet „Grenze" keine einfache Natur, da dieser Ausdruck auf Grund seiner abstrakten Allgemeinheit vieldeutig wird, während einfache Naturen intuitiv einsichtig sind. „Grenze" dagegen läßt sich von Zeit- und Bewegungsverhältnissen ebenso aussagen wie von Ausdehnungsverhältnissen (Reg. XII; AT X, 418.19—419.5). Da die einfachen Naturen im Gegensatz zu den philosophischen Entitäten nicht durch Abstraktion zustande kommen, sind sie keine entia rationis: Sie haben vielmehr eine denkunabhängige Wirklichkeit sui generis.

Philosophische Entitäten (bzw. „Chimären" nach der Terminologie der *Meditationen*) sind mit anderen Worten deshalb keine „wahren Ideen", weil ihnen keine (materiellen oder idealen) Objekte entsprechen. Eine Abstraktion ist dementsprechend legitim, wenn die notwendige Verknüpfung der Naturen in dem durch eine abstrakte Idee repräsentierten Sachverhalt nicht negiert wird, obwohl gewisse der objektiven Beziehungen unberücksichtigt bleiben [117]. Andernfalls entsteht eine „falsche Idee", z. B. der Ausdehnung, sofern negiert wird, daß „Ausdehnung" ein Attribut ausgedehnter Dinge, oder der Gestalt, sofern negiert wird, daß „Gestalt" ein Modus der Ausdehnung und damit ausgedehnter Dinge ist.

Abstrakte Begriffe heißen mithin insofern „philosophische Entitäten", als ihre Vollständigkeit bzw. Adäquatheit behauptet wird. Nicht die Begriffe als solche sind mithin im eigentlichen Wortsinn „falsch", sondern die auf sie bezogenen Urteile. Man könnte auch sagen, „falsche Ideen" oder „Chimären" liegen dann

[115] Princ. I, 55. Cf. H. H. Joachim 1957, pp. 94—96.

[116] Reg. XIV; AT X, 445.9—10: „quae omnes et similes propositiones ab imaginatione omnino removendae sunt, ut sint verae." Aussagen über Relationen zwischen abstrakten Wesenheiten können nach Descartes unter der Bedingung wahr sein, daß sie nicht mit Anschauungen vermengt werden. „Wahr" kann hier offenbar nur „widerspruchsfrei" bedeuten.

[117] Cf. an Gibieuf, 19. 1. 42; AT III, 475.11—14: „bien qu'on puisse penser à l'une [scil. idée], sans avoir aucune attention à l'autre, on ne puisse toutefois la nier de cette autre, lorsqu'on pense à toutes les deux."

vor, wenn eine abstrakte Idee so aufgefaßt wird, als entspreche ihr eine „wahre Natur", während das in Wirklichkeit nicht der Fall ist. Das Urteil, von dem streng genommen die Falschheit auszusagen ist, besteht mithin in der Behauptung einer faktisch nicht vorhandenen Repräsentationsbeziehung der fraglichen Idee.

d. *Anschauung und naturphilosophische Prinzipien*

Oberste Prinzipien im Cartesianischen Sinne sind Sätze, die die Einsicht in die Struktur der grundlegenden „Strukturen" des Denkens und der Ausdehnung ausdrücken [118]. Die Urteilssynthese folgt hierbei der objektiven Verknüpfung der „Naturen" im Sachverhalt selbst. Im Bereich der Physik bzw. der Naturphilosophie sind die notwendigen Verknüpfungen durch die geometrische Struktur der dreidimensionalen Ausdehnung gegeben, d. h. die Bildung evidenter bzw. notwendiger synthetischer Grundsätze im Bereich der Physik ist durch die Raumanschauung bedingt.

Hierbei ist zunächst der Ausdruck „notwendige Verknüpfung" zu erläutern:

Wenn Descartes erklärte, der Aufstellung synthetischer Grundsätze müsse die Einsicht in deren „notwendige Verknüpfung" zugrunde liegen, so wollte er Sätze, in denen eine derartige Verknüpfung anzunehmen ist, nicht als analytisch im Sinne Kants charakterisieren, obwohl manche seiner Äußerungen in diese Richtung zu weisen scheinen. So liegt seiner Ansicht nach eine notwendige Verknüpfung dann vor,

> „wenn ein Ding in dem Begriff des anderen in verworrener Weise so eingeschlossen ist, daß wir nicht imstande sind, eins von beiden distinkt zu erfassen, wenn wir urteilen, daß sie voneinander getrennt sind." (Reg. XII; AT X, 421.5—8)

Die von Descartes angeführten Beispiele notwendiger Verknüpfungen schließen jedoch ihre Deutung im Sinne analytischer Sätze aus. Sie weisen nämlich in Richtung auf die synthetisch-apriorische Verknüpfung von Sätzen. In bezug auf die in den *Regulae* erörterten Beispiele „Wenn Sokrates sagt, er zweifle an allem, so folgt daraus mit Notwendigkeit, daß er zum mindesten einsieht, daß er zweifelt" (421.19—21) und „Ich bin, also ist Gott" (421.29) kann schon deshalb nicht von Analytizität im Kantischen Sinn die Rede sein, weil Kant „analytisch" im Hinblick auf prädikative Urteile definiert hat, während es sich hier um Beziehungen zwischen Sätzen handelt, näherhin um Beziehungen der Folge, die im ersten Fall ausdrücklich, im zweiten durch das „also" als solche gekennzeichnet sind.

Es ist wichtig zu sehen, daß die behauptete Beziehung nur eingesehen werden kann, wenn zusätzliche Voraussetzungen gemacht werden. So folgt „Sokrates weiß, daß er zweifelt" nicht allein aus „Sokrates zweifelt", sondern die Verknüpfung dieser beiden Sätze läßt sich nur einsehen, wenn man, wie Descartes sagt, die „Natur" des Zweifelns bzw. der Denkakte im allgemeinen (cogitationes)

[118] Cf. G. Buchdahl 1969, pp. 130 sqq.: „Analysis as intuition of basic structure."

berücksichtigt [119], d. h. wenn man als Voraussetzung anerkennt, daß jeder psychische Akt mit einem klaren Aktbewußtsein verbunden ist. Dieser Auffassung der „Natur" des Zweifelns zufolge bestünde eine notwendige Verknüpfung zwischen „Zweifel an etwas" und „Bewußtsein des Zweifels an etwas". Ähnliches gilt in bezug auf das Beispiel, das eine notwendige Verknüpfung zwischen „Sokrates zweifelt an allem" und „Sokrates erkennt, daß es Wahrheit und Falschheit gibt", voraussetzt.

In dem Satz „Ich bin, also ist Gott" kann die behauptete notwendige Verknüpfung ebenfalls nur unter der Bedingung eingesehen werden, daß eine Beziehung zwischen „Ich" und „Gott" innerhalb der objektiven Ordnung der Wirklichkeit besteht, die zunächst nur undeutlich erfaßt und in der Ersten Philosophie mit Hilfe der analytischen Methode zur vollen Klarheit und Deutlichkeit der Einsicht erhoben wird. Die Notwendigkeit der fraglichen Verknüpfung beruht darauf, daß die Existenz des denkenden Subjekts innerhalb der Ordnung der Wirklichkeit selbst als mit der Existenz Gottes an sich verknüpft erkannt wird, weshalb die isolierte Setzung des Ich nur als provisorische statthaft ist, da sie sonst im Sinne Descartes' als „philosophische Entität" zu gelten hätte. Auf diesen entscheidenden Punkt der Cartesianischen Ersten Philosophie wird im zweiten Teil zurückzukommen sein.

Bilden in den soeben angeführten Fällen der objektive Zusammenhang des Bewußtseins bzw. der Wirklichkeit im allgemeinen den Grund der notwendigen Verknüpfung, so ist dieser Grund im Bereich der Physik in räumlichen Beziehungen ausgedehnter, in bestimmter Weise gestalteter Dinge zu erblicken. Zum Beispiel versucht Descartes, die Entstehung des Spektrums auf die Bewegung von in bestimmter Weise gestalteten Partikeln der subtilen Materie zurückzuführen, wie oben dargestellt wurde. Physikalische Erklärungen im Sinne Descartes' setzen immer die Verwendung mechanischer Modelle voraus, d. h. alle Phänomene sind auf Bewegungen materieller Partikel zurückzuführen [120].

Den mechanischen Modellen, mit deren Hilfe Descartes Hypothesen über unbeobachtbare Vorgänge, z. B. in der „subtilen Materie", formuliert, liegt der Gedanke zugrunde, daß die Wirklichkeit selbst wesentlich durch räumliche Beziehungen bestimmt ist und daß die Struktur der dreidimensionalen räumlichen Ausdehnung bzw. der „natura corporea" prinzipiell einsichtig ist. Ist die Natur der körperlichen Wirklichkeit einmal erfaßt, dann können die sie artikulierenden geometrischen Beziehungen zur Beschreibung aller, auch der nicht direkt beobachtbaren materiellen Vorgänge verwendet werden.

Da ferner die „körperliche Natur" als Objekt der Imagination gilt, können „wahre Ideen" von materiellen Substanzen nicht anders als durch Beziehung mathematischer Begriffe auf die Raumanschauung gebildet werden. Durch Abstrak-

[119] 421.22—23: „Dies alles ist nämlich mit der Natur des Zweifels notwendig verknüpft."
[120] Cf. G. Buchdahl 1969, pp. 133—135 sowie H. Heimsoeth 1912, pp. 178—179.

tion von dieser Beziehung würden die Begriffe der Ausdehnung und ihrer Modi (Gestalt, räumliche Begrenzung) zu entia rationis, die zur Bildung wahrer Aussagen über die Wirklichkeit ungeeignet sind. Wenn daher, wie oben bereits gesagt, Anschauungsverhältnisse nicht getrennt von ihrem „Subjekt", nämlich dem ausgedehnten Ding, in Form „wahrer Ideen" gedacht werden können, und wenn zugleich angenommen wird, daß Ausdehnungsverhältnisse das unmittelbare Objekt geometrischer Sätze bilden, dann folgt, daß geometrische Sätze als „wahre" stets Sätze über materielle Substanzen sind. Sie implizieren zwar nicht deren aktuale, immerhin aber deren mögliche Existenz. Die Cartesianische Physik ist die „wahre" Geometrie [121]. Mit Descartes' eigenen Worten: „que toute ma physique n'est autre chose que géométrie" (AT II, 268.13—14).

2. Die Grenzen des anschaulichen Denkens

Nach Descartes' Sprachgebrauch ist „Anschauung" ein engerer Begriff als „Erfahrung", da es Erfahrung sowohl von materiellen, als auch von immateriellen Gegenständen geben kann (wobei hier von der spezifischen Bedeutung des Wortes im Sinne von Intuition abgesehen wird), Anschauung dagegen nur von Ausdehnungsverhältnissen und Bewegungen (d. h. von Veränderungen der räumlichen Beziehungen, in denen ein Ding zu den als ruhend betrachteten Dingen seiner Umgebung steht); es gibt daher unter diesen Voraussetzungen weder Anschauung von zeitlichen Verhältnissen als solchen, noch intellektuelle Anschauung, obwohl es rein intellektuelle Erfahrung, nämlich Intuition, gibt [122]. Auf Grund der Cartesianischen Definition der Anschauung gibt es also von den hauptsächlichen Objekten der Metaphysik, nämlich vom denkenden Subjekt, den allgemeinsten Prinzipien des Erkennens und Werdens (insb. „Ursache" und „Wirkung"), von Gott usw. keine Anschauung, d. h. die Metaphysik ist eine im angenommenen Sinn unanschauliche Disziplin.

Die Möglichkeit einer Wissenschaft von unanschaulichen Verhältnissen hat Descartes schon in den *Regulae* angedeutet, jedoch nicht zu realisieren versucht, da er 1628/29 seine Aufgabe ausdrücklich auf die Analyse des durch Anschauung bedingten Erkennens beschränkte [123].

a. Der Begriff der Substanz

Der Übergang vom anschaulichen zum unanschaulichen Denken ergibt sich ohne weiteres, wenn die im ersten Abschnitt dieses Kapitels angestellten Überlegungen

[121] Cf. H. Heimsoeth 1912, p. 187.

[122] Hier und im folgenden wird mit „Anschauung" der Cartesianische Terminus „imaginatio" wiedergegeben, der nicht nur den Anschauungsakt, sondern auch das Vermögen der Anschauung bezeichnet, die bei Descartes bald „imaginatio", bald „phantasia", bald „imaginandi facultas" heißt.

[123] Reg. XIV; AT X, 443.11—12: „nihil deinceps sine imaginationis auxilio sumus acturi."

um einen Schritt weiter geführt werden. Oben wurde festgestellt, daß „Ausdehnung" nur dann im Sinne einer „wahren Idee" gedacht wird, wenn man hierunter entweder ein Synonym für „ausgedehnte Substanz" oder ein Attribut der ausgedehnten Substanz versteht. Es liegt daher nahe zu fragen, ob unter Descartes' Voraussetzungen „Substanz" ohne Berücksichtigung der Beziehung zu einem Attribut eine wahre Idee (in der früher präzisierten Bedeutung) sein kann. Diese Frage läßt sich nicht ohne weiteres beantworten, da Descartes „Substanz" bald so definiert hat, daß sie nicht ohne ihre Attribute gedacht werden kann, mithin nur „ausgedehnte Substanz" oder „denkende Substanz", nicht aber „Substanz schlechthin" „wahre Ideen" sein können, bald aber so, daß die Beziehung auf Attribute nicht in die Definition eingeht.

Das letztere ist der Fall, wenn „Substanz" definiert wird als „ein Ding, das so existiert, daß es nur seiner selbst bedarf, um zu existieren" (Princ. I, 51). Hier scheint es sich um einen anschauungsunabhängigen Begriff zu handeln, der mithin möglicherweise ein ens rationis ist. Das erstere ist dagegen der Fall, wenn Descartes folgende Definition von „Substanz" vorträgt:

„Jede Sache, der unmittelbar, als in ihrem Subjekte, etwas innewohnt, oder durch die etwas existiert, was wir erfassen, d. h. irgend eine Eigenschaft oder Beschaffenheit oder Attribut, wovon wir in uns die reale Idee haben, heißt *Substanz*." (II. Resp.; AT VII, 161.14—17)

Dieser Definition gemäß wäre „Substanz" unter Absehung von dem jeweiligen Wesensattribut keine „wahre Idee". Wenn nämlich „Substanz" nicht anders gedacht werden kann als „etwas, dem ein von uns vorgestelltes Attribut zukommt" (cf. 161.17—21), dann steht fest, daß Substanzen nicht direkt, sondern immer nur auf Grund der Perzeption ihrer Attribute erkannt werden (IV. Resp.; AT VII, 222.5—7). Man könnte versucht sein, Descartes' Auffassung so zu interpretieren, als würde die Existenz einer Substanz ausgehend von der Feststellung, daß bestimmte Eigenschaften vorliegen, mit Hilfe des Grundsatzes der Inhärenz erschlossen, demzufolge Attribute notwendig an einer Substanz sind (Descartes sagt „inesse") [124]. Diese Deutung ist jedoch unangemessen. Nach Descartes sind vielmehr „ausgedehnte Substanz" und „denkende Substanz" ursprüngliche Begriffe, die intuitiv erfaßt werden.

Da die zweite der erwähnten Auffassungen weitaus besser belegt ist, darf man als Descartes' eigentliche Ansicht annehmen, daß jede (endliche) Substanz nur in Verbindung mit ihrem Wesensattribut (praecipuum attributum, praecipua proprietas, attribut principal) klar und deutlich begriffen werden kann. Mithin ist die Erkenntnis materieller Dinge, deren Hauptattribut die Ausdehnung ist (Princ. I, 53), stets anschauungsbedingt, da die Idee der Ausdehnung, wie oben festgestellt, nicht ohne Anschauung gebildet werden kann. Die Erkenntnis der denkenden

[124] IV. Resp.; AT VII, 222.7—9. Cf. II. Resp.; Appendix; AT VII, 161.21—23: „naturali lumine notum est, nullum esse posse nihili reale attributum." Cf. Princ. I, 11, wo Descartes erklärt, „daß das Nichts keine Zustände oder Eigenschaften hat."

Substanz kann zwar auf Grund der Definition von „Anschauung" nicht anschauungsbedingt sein, wohl aber ist sie erfahrungsbedingt. Descartes erklärte ausdrücklich, daß der Begriff einer endlichen denkenden Substanz deshalb gebildet werden kann, weil das denkende Ich selbst eine solche Substanz ist (Med. III; AT VII, 45.19—22). Auch für die unendliche Substanz gilt, obwohl sie weder angeschaut noch erfahren werden kann, daß sie nur in Verbindung mit ihrem Wesensattribut begriffen wird. Ihr adäquater Begriff muß neben der Bestimmung „Etwas, dessen Existenz von keinem anderen Ding abhängt" auch das Merkmal „Bewußtsein" (cogitatio) enthalten.

Descartes charakterisierte das Verhältnis von Substanz und Attribut gelegentlich im Sinne der scholastischen Distinctio rationis, woraus folgt, daß eine klare und deutliche Idee der Substanz als distinkt von ihren Attributen unmöglich ist [125]. Somit kann z. B. im Fall materieller Substanzen nicht vom Attribut „Ausdehnung" abstrahiert und eine Idee der Substanz schlechthin gebildet werden, da man sich hierbei entweder in konfuser Weise etwas Immaterielles, oder aber — gar nichts denkt (Princ. II, 9).

Es muß nicht nur als Abschwächung, sondern als inkonsequente Preisgabe dieses Resultats bezeichnet werden, wenn Descartes dennoch die Möglichkeit behauptete, einen Begriff der Substanz schlechthin zu bilden [126]. Das Eingeständnis, daß hierbei eine „gewisse Schwierigkeit" zu überwinden sei, da die Begriffe „ausgedehnte Substanz" und „denkende Substanz" ihm gegenüber den Vorzug der leichteren Begreiflichkeit hätten, ist ungenügend, da hierdurch die Legitimität einer von den Ideen ihrer Attribute prinzipiell unabhängigen Idee der Substanz zugestanden wird, während doch aus den früher angeführten Äußerungen gefolgert werden mußte, daß „Substanz schlechthin" keine „wahre Idee" sei.

b. Die Metaphysik als unanschauliche Disziplin

Die Unanschaulichkeit ist per definitionem das Charakteristikum metaphysischer Begriffe, wie auch Descartes die für seine Erste Philosophie grundlegenden Begriffe „Erkenntnis", „Zweifel", „Unwissenheit" bzw. die ihnen entsprechenden einfachen Naturen ausdrücklich als rein intellektuell bezeichnet hat: Ihre Perzeption erfolgt mithin ohne Mitwirkung abbildartiger Ideen der Imagination (Phantasmata) [127]. Prinzipiell unanschaulich ist ferner die Idee Gottes [128], von der Descartes erklärt hat, sie sei leichter als alle anderen Ideen zu perzipieren, wenn man sie nur von allen akzidentell mit ihr verbundenen anschaulichen Vorstellungen trenne (Med. V; AT VII, 69.4—7).

[125] Princ. I, 62: „distinctio rationis est inter substantiam et aliquod ejus attributum, sine quo ipsa intelligi non potest."

[126] Princ. I, 63: „substantiam solam, omisso eo quod cogitet vel sit extensa."

[127] Reg. XII; AT X, 419.10—11: „absque ullius imaginis corporeae adjumento ab intellectu cognoscuntur."

[128] Cf. an Morus, 5. 2. 1649; AT V, 272.10.

Hieraus folgt, daß die Metaphysik auf keinen Fall eine Wissenschaft von Ordnung und Maß sein kann. Sie ist somit sowohl von der reinen Mathematik als auch von der Physik wesentlich unterschieden. Selbst wenn man annimmt, daß die Cartesianische Algebra eine Wissenschaft von der Ordnung als solcher ist, bleibt sie insofern wesentlich von der Metaphysik unterschieden, als die ihr Objekt bildenden Beziehungen nach Descartes stets unmittelbar anschaulich ausdrückbar sind, während die in der Ersten Philosophie zu erforschenden Zusammenhänge grundsätzlich nicht auf anschauliche Gegebenheiten bezogen werden können. Diese Tatsache liegt Descartes' Unterscheidung von mathematischer und metaphysischer Begabung zugrunde, wie sie in der Feststellung des Philosophen zum Ausdruck kommt, daß weniger Menschen für metaphysische als für geometrische Studien geeignet seien (Med., Ded.; AT VII, 4.30—31). Diese Differenz zwischen Mathematik und Metaphysik hat zur Folge, daß die Übertragung der in den *Regulae* primär für Mathematik und mathematische Physik entwickelten Methode auf die Metaphysik problematisch ist. Möglicherweise war sich Descartes dieser Tatsache bewußt, als er seine Methode in Disc. II in so allgemeiner Weise charakterisierte, daß der Unterschied von anschauungsbedingter und prinzipiell unanschaulicher Erkenntnis keine Rolle mehr zu spielen scheint.

Descartes' Postulat der Methodeneinheit und in Abhängigkeit von diesem das Ideal einer Einheitswissenschaft fanden schon in der Erkenntnismetaphysik der *Regulae* ihren Niederschlag. Dort führte nämlich Descartes ungeachtet der Differenz des anschauungsbedingten und des unanschaulichen Erkennens eine Reihe von diesen beiden Erkenntnisbereichen gemeinsamen Begriffen und Grundsätzen an, näherhin erstens solche einfachen Naturen, die materiellen und immateriellen Erscheinungen gleicherweise zugrunde liegen, wie z. B. „Existenz", „Einheit" und „Dauer", und zweitens Prinzipien wie „Dinge, die einem Dritten gleich sind, sind untereinander gleich" oder „Dinge, die nicht in derselben Beziehung zu einem Dritten stehen, sind untereinander verschieden" (Reg. XII; AT X, 419.20—29). Daß diese Grundsätze für keinen der beiden genannten Erkenntnisbereiche spezifisch sind, geht daraus hervor, daß sie nach Descartes bald vom reinen Intellekt, bald anschaulich perzipiert werden [129]. Sofern die Gemeinbegriffe im engeren Sinne (oder Axiome) wie diejenigen im weiteren Sinn (d. h. die den Gegensatz von materieller und immaterieller Wirklichkeit übergreifenden einfachen Naturen) Objekte der Ersten Philosophie, gleichzeitig aber für die Grundlegung der Physik und teilweise auch der Mathematik wesentlich sind, bilden sie das erkenntnismetaphysische Fundament der Anwendbarkeit metaphysischer Prinzipien auf Mathematik und mathematische Naturwissenschaften bzw. Naturphilosophie. Unter dieser Voraussetzung glaubte Descartes von der Einheit der Wissenschaft sprechen zu können (Reg. I; AT X, 360.7—10), die seiner Ansicht nach durch die Einheit der Erkenntnismethode bedingt ist. Bestünde dagegen vollständige Diskrepanz von ma-

[129] Reg. XII; AT X, 419.30—420.2: „possunt vel ab intellectu puro cognosci, vel ab eodem imagines rerum materialium intuente."

thematisch-naturwissenschaftlicher und metaphysischer Methode, so wäre die Preisgabe des Ideals einer Universalwissenschaft (scientia universalis) die unausweichliche Konsequenz. Da aber der Philosoph dieses früh konzipierte Ideal niemals aufgegeben hat und sich vielmehr bei seinen systematischen Bemühungen stets von ihm leiten ließ, versuchte er, die Kluft von mathematisch-physikalischer und metaphysischer Methode mit den Mitteln seiner Erkenntnismetaphysik zu überbrücken, die mithin auch seiner Idee einer Einheitswissenschaft als undiskutierte Voraussetzung zugrunde liegt.

II. Teil

DIE ERSTE PHILOSOPHIE ALS ANWENDUNGSFALL DER ANALYTISCHEN METHODE

XI. Die resolutiv-kompositive Methode der Ersten Philosophie in den „Regulae ad directionem ingenii"

Während die Resolution in der Physik von der Erfahrung bestimmter Phänomene ausgeht, ist der Ausgangspunkt der Ersten Philosophie die Erfahrung überhaupt, und zwar nicht als Inbegriff der erfahrenen oder erfahrbaren Gegenstände, sondern als die Tatsache, daß überhaupt Gegenstände erfahren bzw. erkannt werden. Die resolutive Zurückführung dieser Tatsache auf die sie konstituierenden einfachen Naturen (d. h. auf ihre Möglichkeitsbedingungen), erfolgt explizit zwar erst in den *Meditationen,* sie wird aber im Ansatz schon in den *Regulae* vorweggenommen.

Nach Descartes setzt die Erfahrungstheorie, als die er die Erste Philosophie versteht, als einfache Elemente der Erfahrung voraus: das Bewußtsein (eines Subjekts), das erfahrene bzw. erkannte Objekt und die zwischen beiden bestehende Beziehung.

Ansätze einer analytischen Erfahrungstheorie enthalten vor allem die Regeln VIII und XII. Zu beachten sind Äußerungen wie die folgenden:

> „Zur Erkenntnis der Dinge braucht man nur zweierlei in Betracht zu ziehen, nämlich uns, die wir erkennen, und die Dinge selbst, die es zu erkennen gilt." (Reg. XII; AT X, 411.3—4)

Die Beziehung zwischen Objekt und Subjekt deutete Descartes als Verhältnis der Abhängigkeit des Erkenntnisgegenstands vom Erkenntnissubjekt, so wenn er z. B. erklärt,

> „ . . . daß sich nichts eher erkennen läßt als der Verstand selbst, da von ihm die Erkenntnis aller anderen Dinge abhängt und nicht umgekehrt." (Reg. VIII; AT X, 395.22—24)

Um die Frage beantworten zu können, was Erkenntnis sei und wie weit sie sich erstrecke (397.27—28), muß alles zu ihr Gehörige durch Enumeration derart geordnet werden (398.14—20), daß es entweder auf das der Erkenntnis fähige Subjekt oder auf die erkennbaren Gegenstände bezogen wird (398.23—24). Die weitere Resolution erfolgt demgemäß in zwei Richtungen: In Richtung aufs erkennende Subjekt und in Richtung auf die Erkenntnisgegenstände.

Im Subjekt der Erfahrung lassen sich nach Descartes vier Aspekte der einheitlichen Erkenntniskraft unterscheiden, nämlich Sinne, Einbildungskraft (Phantasie, Imagination), Gedächtnis und reiner Verstand [1]. Wie diese Erkenntnisfähigkeiten bei der Bildung anschaulicher Ideen zusammenwirken, ist in Reg. XII dargestellt. Wichtig ist in diesem Zusammenhang, daß sich eine weitere Differenzierung durch die Frage ergibt, von welchen psychischen Inhalten „Wahrheit" oder „Falschheit" ausgesagt werden kann. Das ist nach Descartes bekanntlich im weiten Sinne von „wahr" zwar auch bei Ideen der Fall, im engeren Sinne aber nur bei Urteilen: Sofern der Verstand, wie es in den *Regulae* geschieht, als Fähigkeit des Urteilens betrachtet wird, kann nur in bezug auf rational erfaßte Inhalte von Erkenntnis gesprochen werden, d. h. von Urteilen, die die Eigenschaft haben, wahr zu sein.

Ein anderes Einteilungsprinzip der Erkenntnisfähigkeiten läßt sich dem Charakter der erkannten Gegenstände entnehmen: Durch Sinne und Einbildungskraft werden nämlich immer nur partikuläre Sachverhalte erfaßt, während der Intellekt allgemeine Beziehungen perzipieren kann. Entsprechend diesen beiden Arten von Erkenntnis werden die Ideen im Sinne von Phantasmen (d. i. von materiellen Engrammen im Sensorium bzw. in der Phantasie und im physiologischen Gedächtnis) von den Ideen im Sinne von universalen Begriffen unterschieden und die ersteren als Funktionen des Organismus, die letzteren als Funktionen des reinen Intellekts erklärt. Die intellektuelle Perzeption allgemeiner Beziehungen ist davon unabhängig, ob die eingesehenen Beziehungen in konkreten Objekten realisiert sind oder nicht: Daher sind mathematische Sätze unabhängig von Existenzvoraussetzungen. In Disc. IV (AT VI, 39.13—17) wird das in der Form ausgedrückt, daß die Wahrheit von Beziehungseinsichten von der Antwort auf die Frage unberührt bleibe, ob sie nur geträumt oder im Wachbewußtsein erfaßt würden. Aus demselben Grund werden in Med. I die mathematischen Sätze als immun gegen den auf empirischen Gründen beruhenden Zweifel erkannt: Da sie unabhängig davon eingesehen werden, ob gewisse reale Dinge existieren oder nicht, hängt ihre Evidenz nicht von irgendwelchen Annahmen über die Existenz oder Nichtexistenz konkreter materieller Dinge ab (AT VII, 20.23—31).

In bezug auf die erfahrenen Objekte, die nur soweit der Resolution unterworfen werden, als sie der Erfahrung zugänglich sind, führt die Dekomposition der Sachverhalte bzw. der sie ausdrückenden Propositionen zu einfachen Sätzen und Begriffen, die Descartes in den *Regulae* als Notionen einfacher Naturen bezeichnet. Hierbei ergibt sich die bekannte Einteilung in rein geistige, rein materielle, der geistigen und der materiellen Wirklichkeit gemeinsame einfache Naturen sowie in Axiome, die der Verknüpfung der anderen einfachen Naturen zugrunde liegen (Cf. Reg. XII; AT X, 419.6—29).

[1] Die Parallelität dieser und der stoischen (namentlich von Chrysipp vertretenen) Auffassung des Verhältnisses von Zentralorgan (hegemonikón) und Denken, Urteilen, Fühlen, Vorstellen fällt in die Augen. Darüber hinaus läßt sich auch die Annahme der Materialität der Phantasmata bereits in der Stoa (Zenon, Kleanthes) nachweisen. Cf. M. Pohlenz, Die Stoa, I, 2. Aufl. 1959, p. 61.

Die als eine der Grundfragen der Cartesianischen Erkenntnismetaphysik anzusehende Frage, was unter „einfachen Naturen" zu verstehen sei, wird in den *Regulae* ausführlicher erörtert als in den *Meditationen*. Trotzdem läßt sich auch dem Frühwerk nicht mit der wünschenswerten Klarheit entnehmen, wie sich die einfachen Naturen zum Denken einerseits, den konkreten Erkenntnisgegenständen andererseits verhalten. Fest steht jedoch, daß sie Descartes als Erkenntnisobjekte auffaßte, wie schon die Terminologie zeigt: Sie heißen häufig „objecta" oder „res". Zum Unterschied von partikulären Dingen sind sie universale Momente der Objekte und insofern ideale Gegenstände bzw. Sachverhalte, die jedoch nicht an sich, sondern nur in den partikulären Dingen realisiert sind. Als isolierte einfache Naturen werden sie nur erfaßt, wenn sie in der Resolution verselbständigt werden. Deshalb betonte Descartes in den *Regulae*, er beziehe sich auf Objekte nur insofern, als sie Gegenstände des Erkennens seien; nur unter dieser Voraussetzung kann davon die Rede sein, daß Dinge aus einfachen Naturen *zusammengesetzt* seien, während sie an sich nicht ein Aggregat solcher Naturen sind, sondern diese nur als Momente ihres Wesens enthalten (cf. Reg. XII; AT X, 418.13—17). So ist z. B. „Natur des Lichts" eine durch Resolution der Ideen optischer Erscheinungen isolierte einfache Natur und als solche kein realer Bestandteil des fraglichen physikalischen Phänomens, sondern Element der wissenschaftlichen Erkenntnis desselben.

Aussagen über die „Natur des Lichts" lassen sich als gesetzesartige Voraussetzungen wissenschaftlicher Erkenntnis optischer Phänomene interpretieren, und analog Aussagen über „Naturkraft" als Prämissen wissenschaftlicher Erklärungen physikalischer Erscheinungen überhaupt. Die den einfachen Naturen und ihren notwendigen Verknüpfungen entsprechenden Propositionen sind somit insofern in den Begriffen von Phänomenen „enthalten", als sie die Prämissen wissenschaftlicher Erklärungen der Phänomene darstellen. In diesem Sinne gehören Aussagen über einfache Naturen der Begründungsordnung, nicht der Ordnung der Sachen an.

Hieraus kann jedoch nicht gefolgert werden, daß die Isolation einfacher Naturen nicht ein Fundament im entsprechenden Sachverhalt habe; ihnen entsprechen vielmehr Aspekte des Wesens der Dinge selbst bzw. Momente der Sachverhaltsordnung. Der von Descartes betonte Unterschied der Betrachtung der Dinge im Hinblick auf ihre Erkenntnis gegenüber der Betrachtung ihrer denkunabhängigen Realität betrifft nur den Umstand, daß die einfachen Naturen in der ersten Betrachtungsweise durch isolierte Begriffe erfaßt werden, während sie gemäß der zweiten unselbständige Momente der Sachverhaltsstruktur sind. Während der Sachverhalt eine strukturierte Einheit ist, führt die Resolution im Prozeß der rationalen Begründung zunächst zur Isolation einfacher Naturen, die erst in den folgenden Gedankenschritten „zusammenzusetzen" sind. Das geschieht, wie früher ausgeführt, nicht willkürlich, sondern gemäß den notwendigen Verknüpfungen der einfachen Naturen, d. h. gemäß der Sachverhaltsstruktur, deren Einsichtigkeit mithin vorausgesetzt wird. Zwischen der Begründungsordnung und der Sachverhaltsordnung besteht zwar ein Unterschied, jedoch kein Gegensatz: Aussagen über Beziehungen einfacher Naturen sind wahr, wenn sie Strukturen der Wirklichkeit selbst „abbilden".

Wenn es zutrifft, daß die Erste Philosophie ein Anwendungsfall der analytischen Methode ist, dann muß sie, da sie mit der Resolution der Erfahrung überhaupt beginnt, zunächst die in der „Natur der Erfahrung" als Momente enthaltenen einfachen Elemente isolieren, um sie sodann gemäß der Struktur des Erfahrungsaktes zu verknüpfen. Auf diese Weise isolierte Descartes die einfachen Naturen „Bewußtsein" bzw. „Denken" und „Gegenstandsein" bzw. „Realität" (im Sinne jener Gegenständlichkeit, die er „objektive Realität" nannte) und behauptete das Bestehen einer notwendigen Verknüpfung dieser Naturen. Streng genommen ist diese notwendige Verknüpfung zwischen Bewußtsein und Gegenstandsein die grundlegende einfache Natur der Ersten Philosophie, die in ihr verbundenen Momente sind ihr gegenüber unselbständig. Die Beziehungsaussage, in der diese notwendige Verknüpfung formuliert wird, hat innerhalb der Cartesianischen Ersten Philosophie die Funktion des obersten Grundsatzes. Der Satz „Ich denke etwas Gegenständliches, und sofern ich dieses als real setze, bin ich selbst wirklich" darf aber nur darum als oberster philosophischer Grundsatz gelten, weil er die Struktur der Erfahrungserkenntnis überhaupt „abbildet". Wie früher im Zusammenhang der physikalischen Erkenntnis ist festzuhalten, daß „Denken" und „objektive Realität" nicht an sich, sondern nur innerhalb der Erkenntnis selbständige „einfache Naturen" sind.

Die Elemente der Ersten Philosophie sind somit bereits in den *Regulae* in Ansätzen vorhanden, wenn auch ihre Explikation den *Meditationen* vorbehalten blieb [2]. Was soeben im Hinblick auf das ältere Werk über das Verhältnis zwischen der Ordnung einfacher Naturen und der Natur der Sachverhalte gesagt wurde, findet sich im jüngeren Werk dahingehend ausgedrückt, daß „wahre Ideen" Abbilder wahrhafter und unveränderlicher Naturen seien (So bzgl. der Idee Gottes: Med. V; AT VII, 68.12). In diesem Sinne erklärte Descartes, die unveränderlichen und ewigen Wahrheiten der Geometrie seien notwendig der gottgeschaffenen Natur der Dinge konform (AT VII, 381.14—15).

Dasselbe gilt für die Wahrheiten der Ersten Philosophie, insbesondere für deren erstes Prinzip, das die für die Erfahrung überhaupt konstitutive notwendige Verknüpfung der einfachen Naturen „Bewußtsein" und „Objekt" ausdrückt. Der in dem Satz „Ich denke, also bin ich" mitgemeinte Vorrang der Erkenntnis des Subjekts gegenüber der Erkenntnis der Objekte ist ein Vorrang innerhalb der durch die Methode bestimmten Erkenntnisordnung, nicht ein ontologischer Primat des Subjekts gegenüber der objektiven Wirklichkeit. Das ist bei allen jenen Äußerungen zu berücksichtigen, in denen Descartes den Primat der Erkenntnis des Sub-

[2] Cf. H. Heimsoeth 1912, pp. 133—134, wo in den *Regulae* neben den als vorherrschend angesehenen „idealistischen" Elementen das Vorhandensein einer erst in den *Meditationen* voll entfalteten Ontologie konstatiert wird.

jekts vor den erkannten Dingen behauptet, so z. B. bei der Feststellung, „daß sich nichts eher erkennen läßt als der Verstand selbst, da von ihm die Erkenntnis aller anderen Dinge abhängt und nicht umgekehrt" (Reg. VIII; AT X, 395.23—24).

Die Komposition kann in der Ersten Philosophie weder in Form der „geometrischen" Synthesis in der im Anhang zu den „Zweiten Erwiderungen" angedeuteten Art erfolgen, da die synthetische Beweisform „für die metaphysischen Gegenstände nicht so recht passen dürfte" (II. Resp.; AT VII, 156.25—26), noch in Form der hypothetisch-deduktiven Ableitung. Ihr liegt vielmehr die durch Resolution vorbereitete Einsicht in gewisse Strukturen der Wirklichkeit selbst zugrunde, d. h. eine Art Wesensschau, durch die Descartes die Bedingungen gewinnen zu können hoffte, auf Grund deren aus dem ersten Prinzip andere Erkenntnisse ableitbar sein sollen, indem Sätze so miteinander verknüpft werden, daß in ihnen die Beziehungen der intuitiv erfaßten einfachen Naturen der Wirklichkeit zum Ausdruck gelangen. Die Explikation dieser Gedanken ist Aufgabe der *Meditationen,* die im folgenden vor allem zu berücksichtigen sind.

XII. Die Bedeutung von „Erfahrung"

1. Mehrdeutigkeit des Ausdrucks „Erfahrung"

Im folgenden wird nicht der engere Begriff „Erkenntnis", sondern der weitere „Erfahrung" untersucht, sofern er den Ausgangspunkt der Resolution in der Ersten Philosophie bezeichnet. Obwohl nämlich die Theorie der wissenschaftlichen Erkenntnis in der Ersten Philosophie eine wichtige Rolle spielt, entwickelte Descartes die Lehre von den Prinzipien des wissenschaftlichen Erkennens innerhalb einer Theorie der gegenständlichen Erfahrung im allgemeinen, während wissenschaftliche Erkenntnis seiner Ansicht nach als Spezialfall von Erfahrung zu gelten hat.

Wenn die Interpretation der Cartesianischen Ersten Philosophie auf die These gestützt wird, daß ihr Ausgangspunkt die Tatsache ist, daß es Erfahrung von gegenständlichen Inhalten überhaupt gibt, dann bedarf vor allem der Begriff „Erfahrung" der Klärung. Ein Vergleich der Äußerungen, in denen dieser Ausdruck vorkommt, zeigt, daß er in verschiedenen Bedeutungen gebraucht wird, von denen sich die folgenden ohne weiteres unterscheiden lassen:

(1) Erfahrung im ausgezeichneten Sinne („sichere Erfahrung") gibt es nur von einfachen Naturen [3]. „Erfahrung" in diesem Sinn ist gleichbedeutend mit „Intuition".

[3] Reg. VIII; AT X, 394.12—13: „de rebus tantum pure simplicibus et absolutis experientiam certam haberi posse."

(2) Erfahrung im weiteren Sinne haben wir sowohl von Gegenständen der (äußeren oder inneren) Wahrnehmung, als auch von erinnerten oder in der Phantasie vorgestellten Objekten sowie von Gegenständen der rein intellektuellen Einsicht. Diesen weitesten Sinn des Ausdrucks legt Descartes zugrunde, wenn er erklärt:

„Wir haben ‚Erfahrung' von allem, was wir durch die Sinne erfassen, was wir von anderen hören, und ganz allgemein von allem, was an unseren Verstand herangelangt, sei es anderswoher oder auch aus der reflexiven Betrachtung seiner selbst." (Reg. XII; AT X, 422.25—423.1)

Erfahrung im Sinne (1) besteht weder im Urteilen, noch enthält sie Urteilsakte. Descartes unterscheidet nämlich ausdrücklich zwischen der Fähigkeit des Geistes, Sachverhalte intuitiv zu erfassen, und der Fähigkeit, bejahende und verneinende Urteile zu fällen [4]. Diese Unterscheidung von Perzipieren und Urteilen, die in der Klassifikation der Bewußtseinsphänomene (cogitationes) in Med. III (AT VII, 37.3—13) als Unterscheidung von Idee und Urteil wiederkehrt, betrifft in den *Regulae* noch die Differenz zweier intellektueller Fähigkeiten, während in den *Meditationen* und mit voller Klarheit in den *Prinzipien* ausgesprochen wird, daß Urteilen ein Akt des Willens sei.

„Erkennen" ist in der Cartesianischen Terminologie ein weiterer Begriff als „Erfahrung". „Erkenntnis" bedeutet nämlich nicht nur die Perzeption erfahrungsmäßig gegebener, sondern auch solcher Gegenstände, die vom denkenden Subjekt „zusammengesetzt" werden (Reg. XII; AT X, 422.23—25), d. h. — da es von Fiktionen, die ebenfalls durch „Zusammensetzung" entstehen, keine Erkenntnis geben kann —, erschlossener Objekte.

„Erfahrung" bedeutet bei Descartes in jedem Fall „Abbildung von etwas Wirklichem", sei dieses nun einfach oder komplex, ein idealer oder ein realer Sachverhalt. Hieraus folgt, daß es Erfahrung in dieser Bedeutung nicht geben kann von fiktiven Entitäten. Als Beleg bietet sich folgende Stelle an:

„Wir setzen ... selbst die Dinge, die wir einsehen, zusammen, so oft wir in ihnen etwas als vorhanden annehmen, was unser Geist durch keine Erfahrung jemals unmittelbar erfaßt hat." (423.20—23)

In Descartes' späteren Werken erfolgte eine in den *Regulae* noch nicht feststellbare Präzisierung dieses Erfahrungsbegriffs im Sinne der Repräsentationstheorie, derzufolge gilt:

Erfahrung von Objekten ist immer Erfahrung von Ideen von Objekten (Objektrepräsentation), jedoch vermittelt nicht jede Idee Erfahrung. Wahre Aussagen über die Dinge an sich sind daher als Resultat von Schlüssen aufzufassen.

[4] Reg. XII; AT X, 420.16—18: „distinguamus illam facultatem intellectus, per quam res intuetur et cognoscit, ab ea qua judicat affirmando vel negando."

2. Erfahrung als Objektrepräsentation

In der Auseinandersetzung mit Hobbes betonte Descartes, er verwende den Ausdruck „idea" zur Bezeichnung alles dessen, was unmittelbar vom Geist perzipiert werde [5]. Dabei bezog er sich ausdrücklich auch auf Bewußtseinsakte als Objekte der inneren Erfahrung, während er in einem Brief aus dem Jahre 1642 an Gibieuf speziell die Erfahrung äußerer Objekte als Repräsentation der Objekte durch Ideen charakterisierte [6]. In der entwickelten Cartesianischen Erkenntnistheorie wird daher nicht von der Annahme ausgegangen, daß es bewußtseinsunabhängige Dinge gibt, sondern von der Annahme, daß nur die „objektive Realität", d. h. die intentionalen Gegenstände von Ideen, unmittelbar erfahren werden [7]. Mit dem Ausdruck „objektives Sein" bezeichnet Descartes nämlich die Art, in der Objekte im Bewußtsein gegeben sind. Diese Feststellung ist selbstverständlich keine explizite Definition, sondern nur eine Umschreibung der angedeuteten erkenntnistheoretischen Annahme. Offensichtlich genügt es zur Vermittlung der Bedeutung von „objektiver Realität" nicht, auf die Art hinzuweisen, in der gegenständliche Inhalte erfahren werden, denn die Deutung des unmittelbar gegenwärtigen Inhalts als „realitas objectiva" setzt bereits die Annahme voraus, daß inhaltliche Erfahrung immer Objektrepräsentation ist.

Die als „objektive Realität" bezeichnete Seinsweise (essendi modus) ist nach Descartes zwar gegenüber der formalen Realität der Dinge als solcher unvollkommen, trotzdem aber als Realität dem Kausalgesetz unterworfen, mit dessen Hilfe daher, wie Descartes überzeugt ist, ausgehend von bestimmten Klassen von Ideen das Vorhandensein von Dingen, die jene Ideen hervorrufen, erschlossen werden kann (Cf. Med. III; AT VII, 41.20—29).

Wenn aber die Frage, ob gewisse Ideen ein (reales oder ideales) Objekt repräsentieren, nur mit Hilfe eines diskursiven Arguments, das abstrakte Grundsätze enthält, beantwortet werden kann, dann gibt es Erfahrung nur von der objektiven Realität, während die formale Realität der Dinge nur erkannt werden kann (gemäß der oben erwähnten Bedeutung von „Erkenntnis" im Sinne von „Perzeption vom Subjekt ‚zusammengesetzter' Gegenstände").

Unter den erkenntnismetaphysischen Voraussetzungen der *Meditationen* würde dieses Resultat für jede Erfahrung bzw. Erkenntnis gegenständlicher Inhalte gelten (Wesenserkenntnis), d. h. sowohl in bezug auf die Natur realer Dinge, als auch in bezug auf die wahrhaften und unveränderlichen Naturen im Bereich der Mathe-

[5] III. Resp.; AT VII, 181.6—8: „me nomen ideae sumere pro omni eo quod immediate a mente percipitur."

[6] An Gibieuf, 19. 1. 1642; AT III, 474.13—15: „je ne puis avoir aucune connaissance de ce qui est hors de moi, que par l'entremise des idées que j'en ai eu en moi."

[7] I. Resp.; AT VII, 102.12—13: „me . . . loqui de idea, quae nunquam est extra intellectum." Cf. die parallele Feststellung bei Hobbes, *De corpore* II, 7.1 bzgl. der Aufgabe der Ersten Philosophie, die als Vergleichung nicht der Dinge, sondern ihrer Vorstellungen bestimmt wird.

matik, als auch in bezug auf die Natur des denkenden Subjekts oder Gottes. In den *Regulae* war diese Position noch nicht voll ausgebildet, da in diesem Werk insbesondere die „einfachen Naturen" als unmittelbare Objekte der intellektuellen Einsicht aufgefaßt sind. Descartes betrachtete auf dieser Stufe seiner Denkentwicklung die Unmittelbarkeit der Erfahrung (im Sinn von „Intuition"), in der einfache Naturen perzipiert werden, als Garantie der Wahrheit intuitiver Einsichten. In den *Meditationen* ist dagegen von einer solchen unmittelbaren Perzeption nicht mehr die Rede, sondern die Existenz „wahrhafter und unveränderlichen Naturen" (Med. V; AT VII, 64.11) wird, ausgehend vom Vorhandensein klarer und deutlicher Ideen, mit Hilfe des Prinzips der Korrespondenz von Idee und Ideat in Form des folgenden Syllogismus erschlossen, dessen Bestandteile sich Med. V. entnehmen lassen:

„Offenbar ist alles, was wahr ist, auch etwas" (65.4—5); „alles das ist wahr, was ich klar erkenne" (65. 5—6); also: Alles, was ich klar erkenne ist *etwas* (d. h. eine wahrhafte Natur).

Nicht jede Idee repräsentiert aber ein Objekt, sondern es gibt auch Fiktionen, d. h. Ideen, denen weder ein reales, noch ein ideales Objekt korrespondiert. Fiktionen sind mithin nicht wie die „wahren" Ideen Abbilder entweder realer Dinge oder idealer Sachverhalte (Med. V; AT VII, 68.7—12). Klare und deutliche Ideen sind niemals Fiktionen, auch wenn sie in gewisser Weise willkürlich zusammengesetzt sind. Selbst jene Elemente von Fiktionen („Chimären"), die klar und deutlich perzipiert werden, repräsentieren wahre und unveränderliche Wesenheiten (Cf. *Entretien avec Burman;* AT V, 160.12—14).

3. Existenzerfahrung

In der Entwicklung von den *Regulae* zu den *Meditationen* ist Descartes von der These abgerückt, daß Strukturen der Wirklichkeit selbst unmittelbar erfahren werden können. Unter den Voraussetzungen seiner späteren Werke gilt für jede Erkenntnis des Wesens denkunabhängiger Dinge, daß sie durch eine das Ding repräsentierende Idee vermittelt ist.

Von der Wesenserkenntnis vermittels repräsentierender Ideen wird schon in den *Regulae* die unmittelbare Existenzerfahrung unterschieden, die es nach Descartes' Standpunkt von 1629 in gewissen Bereichen gibt, nämlich

(a) von der Existenz des Denksubjekts;

(b) von der Existenz gegenständlicher Erscheinungen;

(c) von der Existenz einfacher Naturen.

(a) An der Feststellung der *Regulae,* daß ein jeder intuitiv erfahre, daß er existiere (Reg. III; AT X, 368.22), hielt Descartes stets fest, wie daraus hervorgeht, daß er für die Grundfragen der Metaphysik, zu denen die Frage nach dem Ich gehört, den Vorrang der Daß-Gewißheit vor der Was-Erkenntnis annahm, während im Bereich der Wissenschaft zunächst festgestellt werden muß, was etwas sei, bevor untersucht werden kann, ob etwas derartiges existiere. Der Annahme des Primats der Existenzerfahrung in bezug auf das Ich steht die Tatsache nicht entgegen, daß im Falle der Erkenntnis des Wesens des denkenden Subjekts Erkenntnis in Form der Objektrepräsentation vorliegen soll [8]. Deshalb scheint es auch unnötig, einen Übergang von der Idee des denkenden Subjekts zur Behauptung seiner Existenz nach Art des im ontologischen Argument gemäß dessen gewöhnlicher Interpretation vollzogenen Schrittes vom Inhalt eines Begriffs zur Behauptung der Existenz eines entsprechenden Seienden zu postulieren, zumal, wie später zu zeigen sein wird, auch Descartes' ontologischer Gottesbeweis ungeachtet der vordergründigen Metabasis von der Gottesidee zur Behauptung der Existenz Gottes als Kern die Anerkennung der unmittelbaren Erfahrung der Wirklichkeit überhaupt enthält.

Es soll nicht verschwiegen werden, daß durch die Einführung der Annahme einer unmittelbaren Erfahrung der Existenz des denkenden Subjekts (und Entsprechendes gilt für die Erfahrung der Wirklichkeit überhaupt) schwierige interpretatorische Fragen aufgeworfen werden, die nicht in wenigen Sätzen, sondern nur durch den Kontext der vorliegenden Interpretation zu beantworten versucht werden können. Insbesondere erhebt sich die Schwierigkeit, erklären zu müssen, weshalb Descartes, wenn er eine derartige unmittelbare Existenzerfahrung annahm, nichtsdestoweniger die Sätze „ego sum, ego existo" bzw. „deus est" als Resultate diskursiver Räsonnements einführte und sich nicht mit dem bloßen Hinweis auf die Unmittelbarkeit der fraglichen Erfahrung begnügte. Hierzu ist zunächst zu sagen, daß die gemeinte Existenzerfahrung nicht isoliert, sondern als Moment im Kontext inhaltlich bestimmter Erkenntnisse auftritt. Dieser Kontext ist diskursiv zu entfalten, damit jenes Moment resolutiv isoliert werden kann. Wenn das Bild erlaubt ist, daß die Gesamtheit der Ideen, die Objekte repräsentieren, einem Schleier gleicht, auf dem sich Schattenrisse der hinter dem Schleier liegenden Dinge abzeichnen, dann könnte im Sinne dieses Bildes gesagt werden, daß in gewissen Fällen Seiende den Schleier berühren und damit ihre Gegenwart nicht mehr nur durch ihr Abbild erschließen, sondern durch die im Kontakt hervorgerufenen Veränderungen der Oberfläche des Schleiers erfahren lassen. Die Annahme einer nicht durch Ideenrepräsentation vermittelten Existenzerfahrung läßt sich nicht nur durch Analyse von Texten stützen, sondern sie ist darüber hinaus dadurch nahegelegt, daß mit ihrer Hilfe der gegen das Cartesianische System gerichtete und andernfalls fatale Vorwurf des circulus vitiosus in der metaphysischen Begründung der objektiven Gültigkeit klarer und deutlicher Einsichten entkräftet werden kann. Hierin ist ein starkes Motiv zugunsten der Annahme der hier angedeuteten Interpretation zu erblicken.

[8] Cf. Med. III; AT VII, 42.29—30, wo Descartes von der Idee spricht, „quae me ipsum mihi exhibet."

Da nämlich Existenzerfahrung nicht durch Ideen vermittelt sein soll, kann auch das Kriterium der Klarheit und Deutlichkeit nicht zur Feststellung der Wahrheit von Aussagen dienen, die jene Erfahrung ausdrücken. Wenn in den obersten Grundsätzen der Cartesianischen Ersten Philosophie Wesenseinsichten artikuliert werden, in denen als Momente Existenzerfahrungen enthalten sind, dann braucht für sie nicht jenes Wahrheitskriterium vorausgesetzt zu werden, das erst mit ihrer Hilfe formuliert werden kann. Verhielte es sich nämlich nicht so, dann würde der Aufbau der Ersten Philosophie in Form eines circulus vitiosus verlaufen, der sie als ganze hinfällig werden ließe, da das Kriterium der Klarheit und Deutlichkeit, das durch Analyse des ersten Prinzips gewonnen werden soll, für dessen Formulierung bereits vorausgesetzt werden müßte. Analoges gilt für die Inanspruchnahme der Wahrheitsgarantie durch Berufung auf die göttliche Wahrhaftigkeit.

(b) Zum Bereich der Existenzerfahrung gehört ferner das Gegebensein objektiver Erscheinungen als solcher, auf das sich Descartes z. B. in der Feststellung bezieht,

> „daß der Verstand niemals durch Erfahrung getäuscht werden kann, wenn er nur den sich ihm darbietenden Gegenstand, so wie er ihn, sei es in sich selbst oder in der sinnlichen Anschauung, besitzt, genau bloß intuitiv erfaßt." (Reg. XII; AT X, 423.1—4)

Die Erfahrung gegenständlicher Erscheinungen hinsichtlich ihrer Gegenwärtigkeit steht in den *Regulae* unter dem Gesichtspunkt der Unmittelbarkeit, mit der sie perzipiert werden, auf derselben Stufe wie die „Erfahrung" einfacher Naturen:

> „Es ist . . . klar, daß die Intuition des Geistes sich sowohl auf diese einfachen Naturen ausdehnt, wie darauf, ihre notwendigen Verknüpfungen mit einander zu erkennen, wie schließlich auch auf alles übrige, wovon der Verstand die untrügliche Erfahrung macht, daß es in ihm selbst oder in der Phantasie vorhanden ist." (425.14—18)

Die Erfahrung des Gegenwärtigseins gegenständlicher Erscheinungen bildet den Ausgangspunkt der Cartesianischen Ersten Philosophie. Ihre Resolution soll deutlich machen, daß in ihr die Erfahrung notwendig enthalten ist, daß ein denkendes Subjekt existiert, und zwar nicht so, als würde das „Ich bin" lediglich erschlossen, sondern so, daß in der unmittelbaren Erfahrung gegenständlicher Inhalte zunächst auch das „Ich bin" unmittelbar erfahren, sodann aber eingesehen wird, daß Objekt- und Ich-Erfahrung unmittelbar verknüpft sind.

(c) Die für die *Regulae* charakteristische Annahme unmittelbarer Erfahrbarkeit einfacher Naturen findet sich in den *Meditationen* und später nicht mehr, wie oben schon gezeigt und worauf am Ende von Kap. XIV nochmals zurückzukommen sein wird. Hier ist zunächst nur die Tatsache festzustellen, daß Descartes' Auffassung die genannte Modifikation erfuhr, derzufolge es konsequent war, von „Ideen der Naturen" zu sprechen (II. Resp., App.; AT VII, 163.8).

XIII. Das Problem der Voraussetzungslosigkeit der Ersten Philosophie

1. Die Erste Philosophie als Prinzipienlehre

Wenn es Aufgabe der Ersten Philosophie ist, durch Resolution der Erfahrung zur Aufstellung von Prinzipien zu führen, aus denen sich alle anderen Sätze des philosophischen Systems ableiten lassen sollen, dann ist hierdurch der Anspruch erhoben, daß diese Prinzipien nicht von anderen philosophischen Sätzen abhängen dürfen, da sie sonst nicht den Charakter oberster Prinzipien hätten. Im folgenden wird zu prüfen sein, ob Descartes' Erste Philosophie tatsächlich eine voraussetzungslose Disziplin ist. Zu diesem Zweck ist auch kurz auf ihren systematischen Charakter einzugehen, der merkwürdigerweise gelegentlich in Zweifel gezogen wurde.

Die maßgebliche Darstellung der Cartesianischen Ersten Philosophie findet sich bekanntlich in den *Meditationen,* deren vollständiger Titel sie ausdrücklich als solche deklariert. Die Interpretation wird daher in erster Linie auf die Gedankengänge dieses Werkes gestützt werden müssen, zumal Descartes selbst im Vorwort der *Prinzipien* die Analysen der *Meditationen* als die authentische Darstellung seiner Metaphysik bezeichnet hat. Die in diesem Werk angewendete inventive Methode ist gemäß der Feststellung des Philosophen in II. Resp. allein der Ersten Philosophie angemessen, wogegen die „geometrische" Form der Deduktion aus Definitionen, Axiomen und Postulaten Descartes' ausdrücklicher Aussage zufolge ihrem Wesen inadäquat ist. Der *Discours de la Méthode* kommt für die Interpretation der Ersten Philosophie nach Descartes' eigener Feststellung deshalb erst in zweiter Linie in Betracht, weil er exoterischen Charakter hat.

In einem Punkt allerdings genügen auch die *Meditationen* nicht als Grundlage der Deutung: Da in diesem Werk das System, dessen Fundament die Erste Philosophie zu bilden bestimmt ist, nicht als bekannt vorausgesetzt werden darf, konnte in ihm auch die systematische Funktion der Ersten Philosophie nicht deutlich bestimmt werden. Das war erst nach dem Erscheinen der *Prinzipien* möglich, da Descartes den älteren systematischen Entwurf *Le Monde* (der übrigens nicht auf Grundsätzen der Ersten Philosophie aufbaut) nicht veröffentlicht und in den *Meteoren* wie in der *Dioptrik* nur Proben (specimina) der Anwendung seiner Methode in Teilbereichen der Physik zu geben beabsichtigt hatte. In diesen Werken unterließ er infolgedessen auch jeden Versuch, ihre Voraussetzungen aus den Prinzipien der Metaphysik abzuleiten; er bezeichnete sie ausdrücklich als „suppositions", um ihren im jeweiligen Zusammenhang provisorischen Charakter hervorzuheben [9].

Obwohl sich Descartes im Vorwort der *Meditationen* auf eine Bestimmung der Aufgabe dieses Werkes beschränkte, bei der von der Funktion der Ersten Philo-

[9] Cf. an P. Vatier, 22. 2. 38; AT I, 563.3—19; sowie an Mersenne, 27. 5. 38; AT II, 141.22—142.2.

sophie innerhalb des Systems abgesehen wurde — er erklärte, er wolle „auf die Fragen über Gott und die menschliche Seele eingehen und zugleich die Grundlagen der gesamten Ersten Philosophie behandeln" (AT VII, 9.20—22) —, geht doch aus brieflichen Äußerungen klar hervor, daß er schon hier den Aufbau einer philosophischen Prinzipienlehre vor Augen hatte [10].

Aber erst im Vorwort der *Prinzipien der Philosophie* entwickelte Descartes den Grundriß seines Systems im Hinblick auf die Stellung der Ersten Philosophie in demselben: Als ersten Teil der „wahren" Philosophie bezeichnete er hier die Metaphysik, die die Prinzipien der Erkenntnis enthalten soll (*Principes*, Préf.; AT IX B, 14.9: „les principes de la connaissance"). Als Prinzipien führte er Sätze über Gott und seine Attribute, die menschliche Seele und die klaren und einfachen, dem menschlichen Geist innewohnenden Notionen an. In einem berühmten, übrigens schon von Fr. Bacon [11] verwendeten Bild verglich er die Metaphysik oder Erste Philosophie mit dem Stamm des Baums der Wissenschaften, um den fundamentalen Charakter der Prinzipienlehre zu veranschaulichen. Auf diese folgt nach der Ordnung des Systems die Physik, die (im Sinne von Naturphilosophie) die Zusammensetzung des Universums erklären soll. Hierzu bedarf es der Kenntnis der Prinzipien der materiellen Wirklichkeit im allgemeinen und mithin der Einsicht in die Struktur des Anschauungsraumes. Die auf Anschauung beruhende Erkenntnis der physikalischen Prinzipien gehört aber nicht mehr zur Ersten Philosophie, sondern zur Naturphilosophie. Wenn dennoch bereits in den *Meditationen* Prinzipien der materiellen Wirklichkeit bzw. Wirklichkeitserkenntnis erörtert werden, dann bedeutet das, daß — vor allem in Med. VI — schon in diesem Werk die Grenze zwischen der Lehre von den Prinzipien der Welterklärung und der Welterklärung selbst überschritten wird [12]. Die Erste Philosophie ist Lehre von den Prinzipien der Erkenntnis und sonst nichts (*Principes*, Préf.; AT IX B, 16.14—16). Sie geht daher als erster Teil den der Naturerklärung gewidmeten Teilen der *Prinzipien der Philosophie* voran, freilich in Form eines Résumés, das noch dazu nicht analytisch, sondern synthetisch, mithin dem Wesen der Ersten Philosophie nicht angemessen ist. Um diesen ersten Teil von Descartes' systematischem Hauptwerk voll verstehen zu können, ist daher die Berücksichtigung der *Meditationen* unerläßlich. Die Vorrede der französischen Ausgabe der *Prinzipien* ergänzt aber auch insofern die Ausführungen der *Meditationen*, als sie eine Aufzählung der Grundsätze enthält, die in der Ersten Philosophie aufgestellt werden. Es sind die folgenden:

1. Das denkende Subjekt existiert;
2. das denkende Subjekt ist eine immaterielle Substanz;

[10] Z. B. an Mersenne, 28. 1. 41; AT III, 297.31—298.2: „je vous dirai, entre nous, que ces six Méditations contiennent tous les fondements de ma physique."

[11] Fr. Bacon, *De dignitate et augmentis scientiarum*, III, cap. 1.

[12] In den *Principes* wird der Beweis der denkunabhängigen Existenz materieller Dinge nicht im ersten, den allgemeinen metaphysischen Grundsätzen gewidmeten, sondern erst zu Beginn des zweiten Teils geführt.

3. Gott existiert;
4. Gott ist der Schöpfer alles übrigen, das es gibt;
5. Gott hat insbesondere den menschlichen Intellekt so geschaffen, daß er nicht irrt, wenn er nur über klar und deutlich eingesehene Sachverhalte urteilt.

Diese Aufzählung hat Descartes ausdrücklich als vollständig bezeichnet [13]. Hinzu kommen noch die Prinzipien der Physik, die Descartes als „erste Gesetze oder Prinzipien der Natur" (16.20—21) bezeichnete. Im vorliegenden Zusammenhang behauptete er zwar, sie seien aus metaphysischen Grundsätzen allein deduzierbar, doch wurde oben gezeigt, daß sie nach Descartes' eigenen Voraussetzungen die Einbildungskraft, näherhin die deutliche Idee der „körperlichen Natur" in der Einbildungskraft, voraussetzen.

Die Idee der Ersten Philosophie hängt eng mit Descartes' Ideal einer Universalwissenschaft zusammen, das alle seine systematischen Bemühungen geleitet hat. Dieses Ideal begründete er mit Hilfe der metaphysischen Voraussetzung einer universalen, einheitlichen Vernunft. In dieser allgemeinmenschlichen Vernunft, dem „natürlichen Licht", erkennt man leicht den Logos der Stoiker wieder, zumal die Redeweise, derzufolge es im Geist „Samenkörner der Wahrheit" gibt, deutlich an den Terminus „logoi spermatikoi" angelehnt ist. Die Einheit des erkennenden Intellekts findet ihren Ausdruck in „eingeborenen Prinzipien der Methode", die die Einheit der wissenschaftlichen Erkenntnis begründen [14]. Am klarsten tritt dieser Gedanke in folgender Äußerung zutage:

„Denn da alle Wissenschaften insgesamt nichts anderes sind als die menschliche Vernunft, die stets eine und dieselbe bleibt, mag man sie auf noch so viele Gegenstände anwenden, und die von diesen keine größere Verschiedenheit empfängt als das Licht der Sonne von der Mannigfaltigkeit der von ihr beleuchteten Dinge, so liegt kein Grund vor, den menschlichen Geist durch irgendwelche Schranken einzuengen." (Reg. I; AT X, 360.7—13)

Der Geist, der über die „universalis sapientia" (360.19—20) verfügt, wird zur „bona mens". Da die Universalwissenschaft nicht die Universalmathematik ist, die nur quantitative Verhältnisse zum Gegenstand hat, muß angenommen werden, daß sie, deren Objekt die Einheit der Erkenntnis ist, jenes Ziel bezeichnet, das in der Ersten Philosophie erreicht werden soll, nämlich die Begründung einer Prinzipienlehre der Erkenntnis. Es liegt nahe, bei Descartes eine kontinuierliche Entwicklung der Idee einer Ersten Philosophie anzunehmen, beginnend mit dem Entwurf *Studium bonae mentis* (1620—23?; cf. AT X, 191), über die Andeutungen in den *Regulae* [15] und dem verlorenen *Traité de Métaphysique* (1629) bis zu Disc. IV, den „Meditationen" und zu Princ. I bzw. der Vorrede zur französischen Ausgabe der *Prinzipien der Philosophie*.

[13] *Principes* Préf.; AT IX B, 10.12—13: „Ce sont là tous les principes dont je me sers touchant les choses immatérielles."

[14] Cf. P. Natorp 1897.

[15] Reg. I; AT X, 360.7—26. Reg. VIII; AT X, 395.17—400.11. Reg. XII; AT X, 415.13—417.15.

Wenn aber das Ideal eines umfassenden philosophischen Systems auf der Voraussetzung einer Einheitsmethode, diese Voraussetzung aber ihrerseits auf der metaphysischen Annahme der Einen Vernunft, der die Keime aller Erkenntnisse innewohnen, beruht, dann ist die Erste Philosophie keine voraussetzungslose Disziplin.

Diese vorerst nur sehr allgemein gefaßte Feststellung wird im folgenden zu präzisieren sein.

2. Der formale Charakter metaphysischer Probleme

Da Descartes forderte, die für die mathematisch-naturwissenschaftliche Erkenntnis gültigen Regeln auch auf die Probleme der Metaphysik anzuwenden, ist es möglich, den Charakter dieser Probleme mit Hilfe der Begriffe der Cartesianischen Methodologie zu bestimmen. Hierbei wird zweckmäßigerweise von der Einteilung der Elemente von Wissenschaften in Sätze und Probleme (Reg. XII; AT X, 428.22—23) sowie der letzteren in vollkommen und in unvollkommen einsichtige Probleme ausgegangen. Probleme sind im Gegensatz zu einfachen Propositionen dadurch gekennzeichnet, daß in ihnen mindestens eine unbekannte Größe vorkommt (Reg. XIII; AT X, 430.17—18).

In den *Regulae* werden zwei Arten von Problemen unterschieden:

a. Vollkommen einsehbare Probleme (Reg. XII; AT X, 429.4—5), d. h. Probleme, die die folgenden drei Bedingungen erfüllen: 1. Das quaesitum muß eindeutig bezeichnet sein; 2. das quaesitum ist durch Beziehungen auf das cognitum hinreichend determiniert, um aus diesem abgeleitet werden zu können; 3. zwischen quaesitum und cognitum besteht eine solche Beziehung, daß sie in Form einer Funktion ausgedrückt werden kann [16].

Probleme dieser Art gehören zum Aufgabenbereich der Mathematik. Descartes erörterte die Methode ihrer Auflösung im zweiten Teil der *Regulae* (Reg. XIII bis zum Ende des fragmentarischen Werkes; der dritte Teil, in dem die unvollkommen einsichtigen Probleme erörtert werden sollten, fehlt).

b. Unvollkommen einsehbare Probleme, d. h. Probleme, bei denen die oben angeführten Bedingungen nicht oder nur zum Teil erfüllt sind. Probleme dieser Art lassen sich also nicht mathematisch ausdrücken und mithin auch nicht durch die Auflösung von Gleichungen bewältigen. Descartes verfolgte zwar, wie schon angedeutet, ursprünglich das Ziel, alle Probleme auf solche der ersten Art zurückzuführen, doch blieb dieses Ziel für ihn selbst im Bereich der Physik unerreichbar, was er später ausdrücklich eingeräumt hat.

[16] Reg. XII; AT X, 429.13—19: „inter quaestiones quae perfecte intelliguntur, nos illas tantum ponere, in quibus tria distincte percipimus: nempe, quibus signis id quod quaeritur possit cognosci, cum occurret; quid sit praecise, ex quo illud deducere debeamus; et quomodo probandum sit, illa ab invicem ita pendere, ut unum nulla ratione possit mutari, alio immutato."

Wenn nun die Erste Philosophie überhaupt unter diese Einteilung der wissenschaftlichen Probleme fällt (was unter den Voraussetzungen der *Regulae* allerdings der Fall ist, da die Theorie der Erfahrung in Reg. VIII auf derselben Ebene erörtert wird wie die Theorie der Lichtbrechung), dann gehört sie offensichtlich zu den Problemen der zweiten Art, da die metaphysischen Probleme nicht nur nicht mathematisiert, sondern prinzipiell nicht mathematisierbar sind. Dennoch kommt den Problemen der Ersten Philosophie nach Descartes nicht nur ein Vorrang unter dem Gesichtspunkt der Bedeutsamkeit, sondern eventuell sogar unter demjenigen der Evidenz gegenüber den mathematisch-naturwissenschaftlichen Problemen zu. Zum mindesten nahm er für die Metaphysik in Anspruch, daß ihre Prinzipien nicht weniger evident und ihre Begründung nicht weniger stringent seien als diejenigen der Mathematik.

Ausdrücklich beanspruchte Descartes für die Argumente der Ersten Philosophie zwingenden Charakter (Med., Ded.; AT VII, 4.5—8), wogegen er die Sätze der herkömmlichen Metaphysik ausnahmslos für diskutabel hielt. In den *Meditationen* soll der Weg „zur sicheren und klaren Erkenntnis der Wahrheit" (Med., Praef.; AT VII, 10.10—11) dadurch gebahnt werden, daß in ihnen dieselbe Methode angewandt wird, die Descartes schon zur Lösung wichtiger spezieller Probleme im mathematisch-naturwissenschaftlichen Bereich geführt hatte (Med., Ded.; AT VII, 3.22—28). Das heißt: Die zur Lösung von Problemen der Ersten Philosophie anzuwendende Methode ist die analytische, näherhin die resolutiv-kompositive, die im ersten Teil dieser Untersuchung dargestellt worden ist. Tatsächlich hatte Descartes schon in den *Regulae* im Hinblick auf die dort flüchtig skizzierte Erste Philosophie als Erfahrungstheorie gefordert, sie mit Hilfe der in diesem Werk entwickelten Methodenregeln aufzubauen [17].

3. Negative Charakteristik der Ersten Philosophie

Wenn Objekt und Methode der Ersten Philosophie bekannt sind, dann läßt sich die Erste Philosophie durch Negation dessen, was sie nicht ist, folgendermaßen vorläufig charakterisieren:

1. Die Erste Philosophie ist nicht Methodologie, deren Ergebnisse sie vielmehr voraussetzt, um durch die Analyse der Erfahrung zur Aufstellung allgemeiner Prinzipien der Erkenntnis zu gelangen.

2. Die Erste Philosophie ist keine Wissenschaft von den Prinzipien spezieller Erkenntnisbereiche, sondern sie ist die Lehre von den Prinzipien der Erkenntnis im allgemeinen. Infolgedessen ist sie insbesondere nicht Psychologie, weshalb z. B. das Problem der Zuverlässigkeit des Gedächtnisses, das Descartes wiederholt erörtert hat, nicht zur Ersten Philosophie gehört. Dasselbe gilt für die teleologische Erklärung der Lust- und Unlustempfindungen.

[17] Reg. VIII; AT X, 395.22: „per regulas datas."

Die Erste Philosophie ist aber auch nicht natürliche Theologie, obwohl theologische Vorstellungen selbst in den *Meditationen* eine große Rolle spielen, so vor allem im Zusammenhang mit den Gottesbeweisen, der Irrtumstheorie (die eine Theodizee ist) und dem objektiven Wahrheitskriterium (der veracitas Dei). Alle diese Elemente und generell alle personalen Attribute Gottes werden daher aus der revidierten Cartesianischen Ersten Philosophie auszuschließen sein.

4. Die Frage der Voraussetzungslosigkeit im einzelnen

Um die Frage beantworten zu können, ob die Cartesianische Erste Philosophie wirklich voraussetzungslos ist, muß man berücksichtigen, daß Descartes zwei Arten von Prinzipien unterschied:

A. Existentielle Prinzipien wie „Ich bin", „Die Seele existiert", „Gott existiert".

Prinzipien dieser Art ergeben sich in der Ersten Philosophie als Resultat der Erfahrungsanalyse; sie werden mithin nicht als Voraussetzungen der Ersten Philosophie anzusehen sein.

B. Formale Prinzipien, die nochmals zu unterteilen sind in logische Prinzipien wie z. B. das Widerspruchsprinzip und in ontologische Prinzipien wie das Kausalprinzip oder das Prinzip „Non entis nulla sunt attributa".

a. Descartes hat (neben der Kenntnis der provisorischen Moral) die Kenntnis der (inventiven, nicht syllogistischen) Logik zur Bedingung der Beschäftigung mit der „wahren Philosophie" erklärt [18], so daß sich die Frage stellt, ob nicht die logischen Prinzipien Voraussetzungen der Ersten Philosophie, insbesondere des ersten Prinzips, sind. Anhaltspunkte für eine Antwort bieten vor allem Descartes' Andeutungen hinsichtlich des Satzes vom ausgeschlossenen Widerspruch; sie lassen sich als Vorwegnahme des später von Fichte angestellten Versuchs auffassen, den Satz vom Widerspruch (der hier die logischen Grundsätze im allgemeinen vertritt) auf die im ersten Prinzip ausgedrückte Einsicht zu stützen. Da nämlich Descartes die Ansicht vertrat, daß der Satz „impossibile est idem esse et non esse", wie die allgemeinen Grundsätze überhaupt, nicht in seiner abstrakten Form, sondern in Verbindung mit der Erkenntnis individueller Sachverhalte eingesehen wird, kann angenommen werden, daß er unter den einzusehenden individuellen Sachverhalten dem Bewußtsein, das für ihn stets Bewußtsein einer denkenden Substanz war, eine ausgezeichnete Stellung zuerkannte. Das scheint daraus hervorzugehen, daß er betonte, daß wir das Widerspruchsprinzip *in uns* erfassen. Im konkreten Sachverhalt erkannt, ist es nach Descartes schlechthin unbezweifelbar (*Entretien avec Burman*; AT V, 146.19—26). Als eine von der im ersten Prinzip ausgedrückten

[18] *Principes*, Préf.; AT IX B, 13.23—14.1: „ . . . il doit aussi étudier la logique . . . qui apprend à bien conduire sa raison pour découvrir les vérités qu'on ignore."

Einsicht abhängige Erkenntnis partizipiert die Erkenntnis des Widerspruchsprinzips an der Gewißheit des ersten Prinzips, das infolgedessen nicht vom Widerspruchsprinzip abhängig sein kann.

Das läßt sich auch durch eine andere Überlegung zeigen: Während mindestens das erste Prinzip in der in Med. II verwendeten Form „Ich bin, ich existiere" selbst unter der Voraussetzung unzweifelhaft gewiß ist, daß ein allmächtiger Betrüger mich in allen jenen Fällen täuscht, in denen prinzipiell Täuschung möglich ist, ist der für sich gedachte (d. h. gegenüber dem ersten Prinzip isolierte) Satz vom Widerspruch grundsätzlich bezweifelbar, was auch darin zum Ausdruck kommt, daß er zu jenen „Wahrheiten" gerechnet wird, die von Gottes Willen abhängen und mithin auch anders hätten geschaffen worden sein können. Descartes hätte daher argumentieren können, daß eine Einsicht (nämlich die im ersten Prinzip ausgedrückte), die vom Willen Gottes unabhängig ist, nicht eine Einsicht zur Voraussetzung haben kann, die von diesem Willen abhängt.

Entspricht diese Deutung Descartes' Auffassung, dann hat er tatsächlich die Voraussetzungslosigkeit der Ersten Philosophie im Hinblick auf die formale Logik behauptet, da das soeben vom Satz des ausgeschlossenen Widerspruchs Gesagte ohne weiteres auf die anderen Grundsätze der Logik übertragen werden kann. Descartes hat zu dieser Frage nicht expressis verbis Stellung genommen, weil er die „Dialektik" bestenfalls als ein Mittel der Explikation betrachtete, das bei der Auffindung der ersten Prinzipien keine Rolle spiele. Diese ist vielmehr seiner Ansicht nach möglich „ohne Logik, ohne Regel, ohne eine Formel der Argumentation, allein vermöge des Lichtes der Vernunft und des gesunden Menschenverstandes" (*Recherche de la vérité;* AT X, 521.19—21). Es genügt, daß der Verstand in der richtigen Weise gelenkt werde (521.16), d. h. gemäß den Regeln der analytischen Methode. Hierauf wird unter (c) zurückzukommen sein.

b. Ob die Cartesianische Erste Philosophie hinsichtlich der ontologischen Prinzipien als voraussetzungslos bezeichnet werden kann, ist kontrovers. Ein Teil der Descartes-Forscher nimmt an, daß sie auf Grund der Universalität des radikalen Zweifels in Med. I nicht auf Prinzipien dieser Art gestützt werden könne, da diese prinzipiell in Zweifel gezogen werden und daher bei der Aufstellung der existentiellen Prinzipien innerhalb der Erfahrungsanalyse keine Rolle spielen dürfen. Ein anderer Teil insistiert jedoch auf Descartes' Äußerungen in Princ. I, 10, denen zufolge Grundsätze wie „Um zu denken, muß man sein" vom Zweifel nicht berührt werden, da sie keine Erkenntnis existierender Dinge ausdrücken; sie kommen daher als Voraussetzungen der Ersten Philosophie auch angesichts des methodischen Zweifels in Betracht. Im folgenden wird die Auffassung vertreten, daß diese Deutung unhaltbar ist.

Descartes hat nämlich die Voraussetzungslosigkeit des ersten Prinzips in bezug auf ontologische Grundsätze ausdrücklich behauptet. Nur wenn man an die Stelle der analytischen die der Ersten Philosophie inadäquate synthetische Darstellungsform setzt, erscheint „Ich denke, also bin ich" als abhängig von einer allgemeinen

Prämisse, die zu formulieren wäre: „Alles, was denkt, ist" oder „Um zu denken, muß man sein". Nun werden Grundsätze dieser Art ebenso wie das Widerspruchsprinzip primär stets in individuellen Sachverhalten erfaßt (*Entretien avec Burman;* AT V, 147.20—21), im vorliegenden Fall in dem durch den Satz „Ich denke, also bin ich" ausgedrückten Sachverhalt. Nur wenn das erste Prinzip eingesehen wurde, kann sekundär behauptet werden, daß man, um denken zu können, sein müsse, bzw. daß alles, was denkt, auch existiert. Allgemeine Grundsätze dieser Art sind daher nicht Voraussetzungen des ersten Prinzips und mithin der Ersten Philosophie.

c. Schließlich ist zu überlegen, ob nicht wenigstens die Regeln der analytischen Methode als „Voraussetzungen" der Ersten Philosophie gelten müssen. Nun wären Voraussetzungen dieser Art im Hinblick auf das Ideal der Voraussetzungslosigkeit der Ersten Philosophie gänzlich unbedenklich, wenn die Regeln der Methode ausschließlich als praktische Anweisungen verstanden würden, die als solche nicht wahr oder falsch sein können. In diesem Fall würde es sich nämlich offenbar nicht um Voraussetzungen im eigentlichen Wortsinn handeln. Descartes erblickte jedoch in den Methodenregeln Einsichten in die „Natur" des Erkennens, weshalb sich ihm in bezug auf sie die Frage stellte, wie sie sich zu den Grundsätzen der Ersten Philosophie verhielten. Wiederum nahm er an, die Grundsätze der Methodenlehre würden zugleich mit der Einsicht in die Prinzipien der Erkenntnis gefunden, die auf der Intuition in das „Wesen" der Erfahrung beruhen sollen. Deshalb konnte er in bezug auf die Frage nach dem Wesen und der Reichweite der Erkenntnis feststellen: „In der Erforschung dieser Frage ist das wahre Werkzeug alles Wissens und die ganze Methode enthalten." (Reg. VIII; AT X, 398.4—5) Die Methodologie gleicht daher jenen handwerklichen Fähigkeiten, die nicht nur die Herstellung spezifischer Werkstücke, sondern auch der zu ihrer Ausübung erforderlichen Werkzeuge ermöglichen, sofern nur irgendwelche natürlicherweise vorhandenen Dinge, die sich als primitive Instrumente gebrauchen lassen, verfügbar sind (397.4—23). Angewandt auf das Erkennen heißt das, daß es nicht nur der Erfassung objektiver Sachverhalte dient, sondern auch der Klärung seiner eigenen Verfahrensweise, die sich nachträglich in Form von Methodenregeln bestimmen läßt. Das ist jedoch nach Descartes nur möglich, weil es gewisse eingeborene Prinzipien der Vernunft gibt, die die Rolle natürlich vorhandener, nicht künstlich geschaffener Instrumente spielen [19]. Da die Eine Vernunft Bedingung der Einheit des wissenschaftlichen bzw. des rationalen Erkennens im allgemeinen ist, werden die erwähnten eingeborenen Vorschriften dahingehend verstanden, daß sie die Funktion haben, diese Einheit unter den Bedingungen des jeweiligen Erkenntnisbereichs herzustellen. In diesem Sinne ist Descartes' Feststellung zu verstehen, die Erste Philosophie schaffe sich ihre Werkzeuge, d. h. die Regeln der

[19] Nach Descartes gibt es unabhängig von jeder Kunstlehre „unserem Geiste eingeborene Vorschriften" (Reg. VIII; AT X, 397.17—18) bzw. „eingeborene Prinzipien der Methode" (Reg. IV; AT X, 373.19).

Methode, selbst, indem sie im Prozeß der Erfahrungsanalyse die „Samenkörner der dem menschlichen Geiste von Natur angebornen Wahrheiten" zur Entwicklung bringe [20]. Ohne Bild: Die Einheit des Intellekts wird in der Analyse der Erfahrung als Bedingung jeder beliebigen Erfahrung erfaßt. Diese Einsicht bildet die Grundlage der Cartesianischen Methodologie, deren Regeln Anweisungen sind, die Einheit des jeweils zu erkennenden Gegenstandsbereichs durchsichtig zu machen, indem er in einfache Elemente aufgelöst und aus diesen und den zwischen ihnen bestehenden intuitiv einsichtigen Beziehungen zusammengesetzt wird.

Descartes begnügte sich aber nicht mit der Feststellung der formalen Einheit des Bewußtseins, sondern er verband sie mit einer inhaltlich bestimmten Metaphysik der Vernunft. Daher kann die Cartesianische Erste Philosophie nicht als voraussetzungslos gelten, wie auch im Verlauf dieser Untersuchung immer wieder auf die ihr zugrunde liegenden speziellen erkenntnismetaphysischen Voraussetzungen hingewiesen wird. Indem Descartes diese Voraussetzungen dem methodischen Zweifel entzog, d. h. indem er sie unkritisch wie erwiesene Wahrheiten behandelte und Einfluß auf den Aufbau der Ersten Philosophie gewinnen ließ, entrichtete er jenen Tribut an „die Zeit", den selbst die größten Geister immer noch entrichtet haben.

XIV. Der methodische Zweifel als Mittel der Erfahrungsanalyse

1. Die Aufgabe des methodischen Zweifels im allgemeinen

In der Synopsis der *Meditationen* nannte Descartes als Ziel der ersten Meditation den Zweifel an allen (insbesondere den materiellen) Dingen und bestimmte seinen Zweck im Sinne

a) der Korrektur von Vorurteilen durch Ausschaltung aller nur wahrscheinlichen Überzeugungen;

b) der scharfen Trennung von intellektueller Einsicht und Sinneswahrnehmung;

c) der Vorbereitung unbezweifelbarer Erkenntnis.

Vergegenwärtigt man sich die wesentlichen Textstellen, so scheint zunächst der Zweifel ein subtraktives Verfahren zu sein, das die Funktion hat, durch Elimination nicht nur aller falschen, sondern auch aller zweifelhaften Sätze zur Auffindung unbezweifelbarer Propositionen zu führen, die sich als Restbestand ergeben. Tatsächlich hat Descartes in allen seinen wichtigen Schriften philosophi-

[20] Reg. IV; AT X, 376.12—13. Cf. Princ. II, 3, wo Descartes von den „ersten Samenkörnern der Wahrheiten . . ., die wir zu erkennen vermögen" spricht. Cf. Disc. VI; AT VI, 64.4—5.

schen Charakters Formulierungen gewählt, die diese Auffassung nahelegen [21]. Dieses subtraktive Verfahren begegnet auch bei Descartes' Versuch, die wesentlichen Attribute des denkenden Subjekts dadurch zu isolieren, daß von allen jenen Bestimmungen abgesehen wird, deren Verbindung mit dem Subjekt zweifelhaft gemacht werden kann. Descartes erklärt, er wolle von dem, was er früher zu sein glaubte,

„alles das abziehen, was durch die oben beigebrachten Gründe auch nur im geringsten hat erschüttert werden können, so daß schließlich genau nur das übrig bleibt, was von unerschütterlicher Gewißheit ist." (Med. II; AT VII, 25.19—24)

Die Funktion des methodischen Zweifels erschöpft sich jedoch nicht in diesem subtraktiven Verfahren zur Auffindung unbezweifelbarer wahrer Sätze, sondern der Zweifel ist für Descartes spätestens seit den *Meditationen* das ausgezeichnete Mittel der Erfahrungsanalyse, sofern er eine Methode nicht nur der Epoché ist, sondern zugleich auch der Ordnung von Sätzen, mit dem Ziel, jene „absoluten" Elemente der Erfahrung resolutiv zu isolieren, aus denen sich kompositiv Theorien zum Zweck der Wirklichkeitserklärung aufbauen lassen. In diesem Sinne ist der methodische Zweifel der erste Schritt beim Aufbau der analytischen Ersten Philosophie.

„Zweifeln" wird von Descartes offensichtlich in einer vom gewöhnlichen Sprachgebrauch abweichenden Bedeutung verwendet, sofern nämlich zum methodischen Zweifel gehört, daß man

1. anerkennt, daß sich unter den gegebenen Bedingungen nicht entscheiden läßt, ob Sätze wahr oder falsch sind;

2. die bezweifelten Sätze beim Aufbau des wissenschaftlichen Systems unberücksichtigt läßt, d. h. sie so behandelt, als wären sie erwiesenermaßen falsch. Diese Epoché trifft alle bloß wahrscheinlichen Aussagen, da sie dem Postulat absoluter Gewißheit nicht genügen [22].

3. die bezweifelten Sätze nach den zugrunde liegenden Zweifelsgründen so ordnet, daß sich die letztlich als unbezweifelbar erkannten Sätze zugleich als Prinzipien der zunächst der Epoché verfallenden Wahrnehmungs- und Vernunfterkenntnis erweisen.

[21] Reg. II; AT X, 362.13—16. Disc. IV; AT VI, 31.26—30: „ . . . que je rejetasse, comme absolument faux, tout ce en quoi je pourrais imaginer le moindre doute, afin de voir s'il ne resterait point, après cela, quelque chose en ma créance, qui fût entièrement indubitable." Princ., Préf.; AT IX B, 9. 24.—28: „. . . en rejetant toutes les choses auxquelles je pouvais rencontrer la moindre occasion de douter; car il est certain que celles qui n'ont pu en cette façon être rejetées, lorsqu'on s'est appliqué à les considérer, sont les plus évidentes et les plus claires . . .". Cf. Princ. I, 2 und die besonders deutliche Anmerkung zu VII. Obj; AT VII, 481.1—19, mit der Pointe: „singulas [opiniones] ordine perlustrantes, eas solas resumant, quas veras et indubitatas esse cognoscent" (481.18—19).

[22] Zum Gewißheitspostulat cf. Reg. II. Ferner Disc. IV; AT VI, 31.24—28. Med. I; AT VII, 18.6.—10. Princ. I, 2.

2. Klassifikation der Zweifelsgründe

A. Bekanntlich führte Descartes zunächst eine Reihe von Gründen an, die die naive Annahme erschüttern sollen, daß Wahrnehmungsideen sichere Erkenntnisse der wahrgenommenen Dinge vermitteln, d. h. er suchte zu zeigen, daß sich mit Hilfe der durch Sinnesreize hervorgerufenen Vorstellungen keine dem Gewißheitspostulat genügenden Urteile über die Dinge selbst fällen lassen. Der Zweifel betrifft also das Urteil, daß zwischen Wahrnehmungsideen und wahrgenommenen Objekten Übereinstimmung in dem Sinne bestehe, daß die Objekte in der Wahrnehmung korrekt „abgebildet" würden. In diesem Sinne hatte Descartes schon in den *Regulae* festgestellt, die Möglichkeit des Irrtums sei im fraglichen Zusammenhang nur gegeben, wenn man urteile, daß zwischen Ideen und ihren Gegenständen Übereinstimmung bestehe, d. h. wenn man behaupte, die Dinge seien so, wie sie erscheinen (Reg. XII; AT X, 423.4—8). Urteile, die das Verhältnis von Wahrnehmungsideen und Dingen betreffen, sind also im oben angegebenen Sinne zu bezweifeln, d. h. sie sind beim Aufbau der Ersten Philosophie ebenso unberücksichtigt zu lassen, als wären sie erwiesenermaßen falsch.

Die Annahme der „Übereinstimmung" zwischen Vorstellung und Ding kann sich nun erstens auf qualitative, zweitens auf quantitative Bestimmungen der Dinge und drittens auf das Vorhandensein von Dingen überhaupt beziehen. Bezweifelt man, daß es überhaupt den Wahrnehmungsideen entsprechende Dinge gibt, so stellt man den Charakter der Objektrepräsentation von Ideen der Wahrnehmung generell in Frage, d. h. man räumt die Möglichkeit ein, daß sie „Fiktionen" bzw. „Chimären" seien. Wenn daher auch die Annahme, daß es den Wahrnehmungsideen zuzuordnende materielle Dinge, d. h. eine Außenwelt, gibt, bezweifelt wird, und nicht nur die Annahme, daß die Wahrnehmungsideen die Eigenschaften oder bestimmte Eigenschaften von Außenweltsobjekten korrekt abbilden, dann sind alle empirischen Erkenntnisse beim Aufbau der Ersten Philosophie unberücksichtigt zu lassen. Die hier in Frage stehende Art des Zweifels ist daher geeignet, „unseren Geist von den Sinnen abzulenken" (Med., Syn.; AT VII, 12.7—8). Das aber ist nach Descartes notwendig, weil seiner Ansicht nach metaphysische Einsichten prinzipiell von den materiellen Phantasmen, die auf sensoriellen Reizen beruhen, unabhängig sind.

B. Parallel zum Zweifel an der Wahrnehmungserkenntnis unterwirft Descartes auch die rein intellektuelle Erkenntnis dem Zweifel, d. h. er stellt das Verhältnis von Vernunftideen und deren Objekten in Frage. Hierbei ist unter „Idee" nicht mehr das materielle Phantasma zu verstehen, dessen Objekt ein materielles Ding ist, sondern ein Begriff, dem „wahrhafte Naturen" (d. h. ideale Sachverhalte) entsprechen sollen.

In diesem Zusammenhang sah sich die Interpretation immer der Schwierigkeit konfrontiert, erklären zu müssen, wie Descartes die Bezweifelbarkeit auch einfachster mathematischer Sätze wie $1 + 1 = 2$ behaupten konnte (cf. Med. I; AT VII,

21.9—11). Offensichtlich dehnte Descartes den Zweifel auch auf die Sätze der Universalmathematik aus, denn er sprach im vorliegenden Zusammenhang nicht nur von Aussagen der Arithmetik und Geometrie, sondern auch von den Sätzen jener Wissenschaften, „die nur von den allereinfachsten und allgemeinsten Gegenständen handeln" (20.24—25). Wie aus den in Med. I angeführten Beispielen hervorgeht, richtete sich der Zweifel keineswegs, wie einige Interpreten meinten, lediglich gegen komplexe mathematische Sätze, deren Wahrheit nur durch Deduktion eingesehen werden kann, in welchem Falle das Zweifelsargument in dem Aufweis der fehlenden Evidenz von Erinnerungsurteilen bestehen könnte. Descartes hat zwar später selbst seinen Kritikern auszuweichen gesucht, indem er sich auf diesen Standpunkt zurückzog; in Med. I handelt es sich aber zweifellos um einfache Propositionen, deren Wahrheit in Frage gestellt werden soll.

Der Zweifel an der Wahrheit intuitiv einsichtiger mathematischer Sätze ist aber unter den Voraussetzungen der Cartesianischen Erkenntnismetaphysik keineswegs unsinnig, weshalb es weder nötig, noch angebracht ist, ihn wegzuinterpretieren. Die Voraussetzung, die den Zweifel dieser Art als sinnvoll erscheinen läßt, besteht in der Annahme, daß trotz unaufhebbarer subjektiver Evidenz den fraglichen einfachen Sätzen möglicherweise entweder keine oder eine andere als die vermutete Ordnung „wahrhafter Naturen" entspricht.

Nur um dieser Annahme eine gewisse Plausibilität und Palpabilität auf seiten des im spekulativen Denken weniger geübten Lesers zu verleihen, kleidete sie Descartes in das Gewand der Metapher eines allmächtigen Betrügers, der das menschliche Erkenntnisvermögen so eingerichtet haben könnte, daß trotz unaufhebbarer Evidenz Irrtum möglich ist. Dabei kann „Irrtum" nur bedeuten, daß zwischen klaren und deutlichen Ideen und den ihnen zugeordneten Sachverhalten keine Übereinstimmung besteht bzw. daß die angenommenen Sachverhalte überhaupt nicht existieren, obwohl Übereinstimmung mit subsistierenden idealen Sachverhalten angenommen wird.

Dagegen muß die Behauptung, daß auch subjektiv evidente Sätze falsch sein können, unverständlich bleiben, wenn man nicht die erkenntnismetaphysische Annahme idealer Sachverhalte berücksichtigt. Die wiederholten Versuche von Descartes-Forschern, den hyperbolischen Zweifel an der Wahrheit einfacher, evidenter Propositionen wegzuerklären, lassen also auf mangelndes Verständnis der erkenntnismetaphysischen Voraussetzungen der Cartesianischen Philosophie schließen.

Dem Zweifel an der Übereinstimmung von Wahrnehmungsideen und materiellen Dingen entspricht auf der Ebene der intellektuellen Erkenntnis der Zweifel an der Übereinstimmung von klaren und deutlichen Begriffen und idealen Sachverhalten. Entsprechend der Klassifikation der auf die Wahrnehmungsideen gerichteten Zweifelsgründe könnten auch bei dem „metaphysisch" genannten Zweifel bzgl. der Wahrheit subjektiv evidenter Ideen des reinen Verstandes zwei Möglichkeiten unterschieden werden: Der Zweifel könnte sich entweder auf die Annahme der Nichtübereinstimmung von klaren und deutlichen Begriffen und Sachverhalten oder auf die Annahme des Nichtvorhandenseins solcher Sachverhalte stützen. In beiden Fällen wären die klaren und deutlichen Ideen trotz subjektiver Evidenz keine „wahren" Ideen, sondern Fiktionen bzw. Chimären. Die Vorstellung eines Betrüger-Gottes veranschaulicht die abstrakte These, daß unter den Voraussetzungen, die der Argumentation in Med. I zugrundeliegen, die Annahme widerspruchsfrei ist, daß alle klaren und deutlichen Ideen „Fiktionen" sind. Aufgabe der Med. III ist es dann, ausgehend von erweiterten Bedingungen nachzuweisen, daß die Annahme eines Betrüger-Gottes selbst eine Fiktion ist. Mit der Aufhebung dieser Annahme ist die Metaphysik der „wahrhaften Naturen" wieder in ihre ursprünglichen Rechte eingesetzt. Der Hinweis auf die göttliche Wahrhaftigkeit dient daher weniger dem direkten Beweis der Übereinstimmung von klaren und deutlichen Ideen und jenen „Naturen", als vielmehr der Erledigung der Zweifelsgründe, die Descartes in die Metapher des Betrüger-Gottes gekleidet hatte.

3. Die Universalität des Zweifels

Die Repräsentationstheorie des Erkennens in Verbindung mit der Annahme idealer Sachverhalte als Objekte klarer und deutlicher Begriffe bildet also eine unentbehrliche Voraussetzung des methodischen Zweifels, insbesondere sofern er universaler Zweifel ist. Er muß aber universal sein, um die ihm zugedachte Funktion erfüllen zu können, eine vollständige Resolution der Erfahrung herbeizuführen [23].

Weil der methodische Zweifel universal ist, kann er nicht als bloßes Mittel der Unterscheidung von ungesicherten und sicheren Erkenntnissen aufgefaßt werden. Wäre er das nämlich für Descartes in erster Linie gewesen, dann hätte der Philosoph nicht die mathematischen Aussagen durch Einführung einer Annahme, die er in Med. III ausdrücklich als fiktiv zurücknahm, in Zweifel zu ziehen brauchen, obwohl er selbst an ihnen offenbar keinen Augenblick faktisch zweifelte. Denn wenn er auch im Hinblick auf die Bedingungen, unter denen der methodische Zweifel einsetzt, erklären konnte, dieser beruhe auf wohlerwogenen Gründen (Med. I; AT VII, 21.30), so bezeichnete er später, nämlich unter den durch Berücksichtigung der Gottesidee veränderten Bedingungen in Med. III, den metaphysischen Zweifel als schwach (Med. III; AT VII, 36.24) und gegen Ende der *Meditationen* sogar als lächerlich (Med. VI; AT VII, 89.20).

Die Radikalisierung des Zweifels muß daher eine bestimmte Funktion bei der Grundlegung der Ersten Philosophie haben: Tatsächlich mußte Descartes in universaler Weise zweifeln, um alle Aussagen über (materielle oder ideale) Ob-

[23] Da Descartes in den *Regulae* noch an die Möglichkeit unmittelbarer Perzeption „einfacher Naturen" glaubte, d. h. ihre Erkenntnis nicht im Sinne der Repräsentationstheorie auffaßte, erklärt sich ohne weiteres, weshalb der methodische Zweifel in diesem Werk noch nicht auftreten konnte.

jekte ausnahmslos in Zweifel ziehen zu können, weil er nur so die Reflexion auf das denkende Subjekt und die ihm unmittelbar gegenwärtigen Inhalte erzwingen konnte. Wenn nämlich die Beziehung der Ideen im allgemeinen auf denkunabhängige Objekte zweifelhaft gemacht werden kann, dann muß zwar von dem ihnen ursprünglich zugeschriebenen Repräsentationscharakter abgesehen werden; trotzdem sind aber diese Ideen als Vorstellungsinhalte („realitas objectiva") nach wie vor präsent, so wie auch die eventuell an sie geknüpfte subjektive Evidenz als Erlebnischarakter vom hyperbolischen Zweifel nicht berührt wird. Man könnte das auch so ausdrücken, daß man sagte: Wenn Zweifel nur in bezug auf Urteile möglich ist, in denen etwas behauptet wird und die mithin wahr oder falsch sein können, dann kann die Präsenz gegenständlicher Erscheinungen nicht bezweifelt werden, da sie in urteilsfreier Intuition erfaßt wird. Der Zweifel ist also nur in dem Sinne universal, daß er *alle* Annahmen über das Verhältnis von Ideen und denkunabhängigen Objekten *ausnahmslos* in Frage stellt. Auf Grund dieser Universalität erzwingt er den Rückgang auf das, was unmittelbar präsent ist: die gegenständlichen Erscheinungen als solche und das sie perzipierende Subjekt.

Da nach Descartes Bewußtsein von irgend etwas ohne „Applikation" der Erkenntniskraft, d. h. ohne vorstellendes Subjekt, unmöglich ist, die Tatsache aber, daß es gegenständliche Erscheinungen gibt, nicht bezweifelt werden kann, kann auch die Existenz des denkenden Subjekts nicht bezweifelt werden. Mit einem Wort: Es gibt gegenständliche Erscheinungen, also bin ich; oder in einer der Cartesianischen Ausdrucksweise näherkommenden Formulierung: Ich denke (erfahre) etwas, also bin ich.

4. Zweifel und Erfahrungsanalyse

Die Funktion des methodischen Zweifels im Hinblick auf die Dekomposition der Erfahrung läßt sich zusammenfassend folgendermaßen charakterisieren:

Wenn festgestellt wird, daß der erste Schritt beim Aufbau der Ersten Philosophie die Resolution der Erfahrung durch den methodischen Zweifel ist, dann bedeutet „Erfahrung" nicht den psychischen Akt, in dem etwas erfahren wird, und ebensowenig den Inbegriff der erfahrenen oder erfahrbaren Dinge, sondern die Tatsache, daß Gegenstände überhaupt erfahren werden, — *tò phaínesthai*, wie Th. Hobbes sagte. Daß Descartes von der Tatsache des Erscheinens selbst und nicht von irgendwelchen abstrakten Prinzipien ausging, ist nicht zu verkennen, wenn man sich die in Med. I herangezogenen Beispiele vergegenwärtigt; es geht aber auch aus seinen Äußerungen gegenüber Burman hervor, dem er erklärte, er setze zu Beginn der *Meditationen* einen Menschen voraus, der eben zu philosophieren beginne und nur auf das achte, wovon er sich bewußt ist, Kenntnis zu haben. Dazu gehören nicht die allgemeinen Grundsätze wie „Es ist unmöglich, daß dasselbe zugleich ist und nicht ist" (*Entretien avec Burman*; AT V, 146.17—22).

Dieser Analyse von Erfahrung überlagert sich bei Descartes eine Analyse des Erfahrenen, das gewöhnlich als naiv erfahren ausgegeben, tatsächlich aber von unkritisch eingeführten theoretischen Annahmen abhängt, die im 17. Jh. gang und gäbe waren, ersichtlich aber dem aristotelisch-scholastischen Weltbild entstammen. Um die reine Erfahrung fassen zu können, versuchte Descartes jene unkritischen Pseudo-Erfahrungen als solche kenntlich zu machen und dadurch zu eliminieren.

Diesem im Grunde materialistischen Weltbild zufolge gehört zunächst alles, was mittels der Sinne wahrgenommen wird, einer Art Erfahrung an, die als Rezeption physikalischer Eindrücke durch die Seele gedeutet wird. Der menschliche Körper wird hierbei als „Gliedermaschine" aufgefaßt (Med. II; AT VII, 26.4), die (im Unterschied vom Leichnam) beseelt ist, wobei „Seele" aristotelisch-scholastisch als Prinzip des vegetativen, animalisch-sensitiven und geistigen Lebens aufgefaßt wird. Sie wird darüber hinaus als subtiler Stoff, der mit dem Körper in Wechselwirkung steht, vorgestellt (26.6—8). Der menschliche Organismus ist einerseits Körper unter Körpern, denn unter den Begriff des Körpers fällt „alles, was durch irgendeine Figur begrenzt, was örtlich umschrieben werden kann und einen Raum so erfüllt, daß es aus ihm jeden anderen Körper ausschließt; was durch Gefühl, Gesicht, Gehör, Geschmack oder Geruch wahrgenommen oder auch auf mannigfache Art bewegt werden kann, zwar nicht durch sich selbst, wohl aber durch irgend etwas anderes, durch das es berührt wird" (26.14—19). Andererseits ist der menschliche Körper aber dadurch von anorganischen Körpern unterschieden, daß er von der Seele bewegt wird, die ihrerseits selbst zu einer Art von Körpern gehört, sofern sie quasi-materiell vorgestellt wird, allerdings zu einer von den physikalischen Körpern durch bestimmte Eigenschaften (z. B. ihre „Subtilität") unterschiedenen Art von Körpern.

Für diesen Standpunkt ist also auch das Ich nur ein Teil der materiellen Wirklichkeit, wenn auch die Seele nicht aus sinnlich wahrnehmbarer, sondern aus „subtiler" Materie bestehen soll. Wenn daher die Existenz der gesamten körperlichen Wirklichkeit bezweifelt werden kann, dann bleibt innerhalb der hier charakterisierten Auffassung nichts übrig, das als der von Descartes gesuchte „feste und unbewegliche Punkt" (24.9—10) gelten dürfte, von dem eine kritisch gesicherte Philosophie ausgehen könnte. Das heißt: Wenn es den gesuchten Punkt geben, wenn also ein schlechthin unbezweifelbares Prinzip aufgestellt werden soll, dann ist das nur von einem vom soeben skizzierten verschiedenen Standpunkt aus möglich.

Um das skizzierte naiv-materialistische Weltbild zu erschüttern, genügt es, sich zu vergegenwärtigen, daß es von der unbewiesenen Annahme der Zuverlässigkeit der Wahrnehmungserkenntnis ausgeht. Diese Art Erkenntnis ist aber durch den methodischen Zweifel bereits ausgeschaltet, indem durch den Hinweis auf die Möglichkeit von Sinnestäuschungen und auf die prinzipielle Nichtunterscheidbarkeit von Wach- und Traumerlebnissen klar gemacht wurde, daß keine Idee mit völliger Sicherheit als korrekte Abbildung eines denkunabhängigen Objekts angenommen werden kann.

Angesichts der niemals völlig auszuschließenden Möglichkeit von Sinnestäuschungen und der Unmöglichkeit, Phantasievorstellungen zuverlässig von Wahrnehmungen zu unterscheiden, kann die naive Annahme der direkten Erkennbarkeit der Außenweltsdinge nicht aufrechterhalten werden. Descartes ersetzte sie daher durch die Annahme, daß Außenweltserfahrung immer indirekte, nämlich durch Ideen vermittelte Erfahrung ist.

Vergleichsweise schnell entledigt sich Descartes der Kritik der intellektuellen „Erfahrung" einfacher Naturen, die den nächsten Schritt in der Erfahrungsanalyse bildet. In den *Meditationen* stehen die konstitutiven Elemente jener Erscheinungen im Vordergrund, als die nach der soeben angedeuteten Wende von der direkten zur indirekten Erkennbarkeit der Dinge die gegenständlichen Inhalte nunmehr aufgefaßt werden. Die Resolution richtet sich demgemäß auf die „objektive Realität" der Dinge, d. h. auf die Dinge, sofern sie vom Subjekt erfahren werden, beziehungsweise sofern sie intentionale Gegenstände von Vorstellungen sind. Als Ergebnis ihrer Resolution erhält man „Universalien", die den Begriff materieller Dinge konstituieren, nämlich Ausdehnung und Gestalt, Größe, Ort und Zeit. Die Begriffe räumlicher Objekte bzw. — wie Descartes sagt — ihre „Bilder", „die wir in unserem Bewußtsein (in cogitatione) haben" (Med. I; AT VII, 20.13—14), sollen aus jenen Universalien ähnlich zusammengesetzt sein wie die Bilder der Maler aus den Farben. Mögen auch die „Bilder" der materiellen Objekte, als die Descartes die Ideen bezeichnet, „falsch" sein, d. h. keine realen Objekte repräsentieren, so sind doch jene „einfacheren und allgemeineren Dinge" oder Universalien notwendig etwas Wirkliches. Wie auf Grund des früher Gesagten klar sein dürfte, handelt es sich bei diesen Universalien nicht um abstrakte Allgemeinbegriffe, da diese von der Perzeption konkreter Objekte abhängen und daher nicht Konstituentien ihrer Ideen sein können. Das ist auch deshalb ausgeschlossen, weil nach Descartes abstrakte Begriffe verworrener sind als Ideen von Einzeldingen (cf. Med. II; AT VII, 30.6—7). Die Universalien, von denen in den *Meditationen* gesprochen wird, sind vielmehr mit dem identisch, was in den *Regulae* „einfache Naturen" heißt. Descartes' Sprachgebrauch in Med. I läßt freilich deutlicher als die Terminologie der *Regulae* erkennen, daß der Philosoph die einfachen Naturen hier im Sinne der Universalia in rebus auffaßte oder wenigstens dieser Auffassung nahekam. Demgemäß heißen die Universalien (vgl. z. B. AT VII, 20. 11) auch gelegentlich „Wesenheiten" (V. Resp.; AT VII, 380.14—20); sie sind mithin nicht mit den Universalien im Sinne von Gattung, Art, spezifischer Differenz usw. gleichzusetzen, von denen Descartes ebenfalls gelegentlich spricht (Princ. I, 59).

Den Andeutungen in Med. I läßt sich entnehmen, daß Descartes in bezug auf die Erkenntnis der genannten „Naturen" ähnlich wie in bezug auf die Erkenntnis materieller Dinge argumentieren wollte: Da es unter den Voraussetzungen von Med. I denkbar ist, daß es solche „Naturen" wie Ausdehnung, Gestalt, Größe nicht gibt, „und daß dennoch dies alles [scil. die in Frage stehenden Phänomene] genau wie jetzt mir da zu sein scheint" (Med. I; AT VII, 21.4—7), ist es möglich, die Ideen der Ausdehnung, der Figur, der Größe für „Fiktionen" zu halten und mithin alle auf sie bezüglichen Aussagen zu bezweifeln. Wie schon gesagt, veranschaulichte

Descartes diese Möglichkeit durch die Metapher des Betrüger-Gottes [24]. Parallel zur Argumentation in bezug auf die Erkenntnis materieller Dinge wird auch hier geschlossen, daß die einfachen Naturen nicht direkt erfahrbar sein können, sondern nur mittelbar, nämlich mit Hilfe von Ideen, perzipiert werden. Daß aber klare und deutliche Ideen „wahrhafte Naturen" repräsentieren, ist nicht selbstevident und muß daher in der Ersten Philosophie bewiesen werden.

Als Resultat des methodischen Zweifels ist also festzuhalten, daß es weder von materiellen, noch von idealen Objekten unmittelbare Erfahrung gibt. Unmittelbar präsent ist immer nur die „objektive Realität" der Erkenntnisgegenstände, der aber im Normalfall nicht zu entnehmen ist, ob es sich um „Abbilder" sei es räumlich ausgedehnter Dinge, sei es „wahrer und unveränderlicher Naturen" handelt. Da dem methodischen Zweifel das Postulat zugrunde liegt, alles nicht unbedingt Gesicherte und Unbezweifelbare so zu behandeln, als wäre es erwiesenermaßen falsch, muß bei den folgenden Schritten der Erfahrungsanalyse vorerst vom Repräsentationsbezug von Ideen konsequent abgesehen werden. Den Gegenstand der Analyse bilden mithin die Vorstellungsinhalte, sofern sie bestimmte Bewußtseinsweisen, modi cogitandi (was nicht Bewußtseins„akte" bedeutet), sind. Wie aber in Kap. XII, Abschn. 3 angedeutet, nahm Descartes in gewissen Bereichen die Möglichkeit unmittelbarer Existenzerfahrung an, wobei „Existenz" nicht als selbständiger Inhalt, sondern als ein Moment existierender Dinge gilt, das nur gedanklich gegenüber dem Wesen der Dinge isoliert werden kann [25].

XV. Das erste Prinzip

1. Zwei Wege zur Formulierung des ersten Prinzips

Descartes unterschied zwei Arten von Erfahrungsinhalten: solche, die auf Grund äußerer Reize, und solche, die durch Reflexion des Intellekts auf sich selbst gebildet werden. Von beiden Arten von Inhalten kann die Resolution ihren Ausgang nehmen [26].

(a) Obwohl Descartes annahm, daß die ersten Begriffe der Metaphysik mindestens ebenso einsichtig sind wie die der Mathematik, wenn sie nur hinreichend scharf gegenüber anschaulichen Vorstellungen abgegrenzt werden, glaubte er doch, daß sie bei abstrakter Darstellung von jemandem, dem es auf Kritik um jeden Preis ankäme, in Frage gestellt werden könnten (II. Resp.; AT VII, 157.6—16). Vermutlich deshalb ging er bei der Formulierung des ersten Prinzips an mehreren Stellen seiner Werke bevorzugt von der Analyse der anschaulichen Erfahrung aus,

[24] Auf die Entbehrlichkeit dieser Metapher wies Descartes selbst hin: Med. I; AT VII, 21.17—26.

[25] Cf. *Entretien avec Burman*; AT V, 164.26—31.

[26] Reg. XII; AT X, 422.25—423.1: „Experimur ... quaecumque ad intellectum nostrum vel aliunde perveniunt, vel ex sui ipsius contemplatione reflexa."

wie z. B. in Med. II, wo er im Zusammenhang mit der Analyse des Körperbegriffs (veranschaulicht durch die Vorstellung eines Wachsstückchens) zum Ergebnis gelangte:

„Es ist offenbar unmöglich, daß, während ich sehe, oder — was ich für jetzt nicht unterscheide — während ich das Bewußtsein habe zu sehen, ich selbst, der ich dies Bewußtsein habe, nicht irgend etwas bin." (Med. II; AT VII, 33.11—14)

Dieselbe Bevorzugung der anschaulichen Erfahrung zeigt die Argumentation am Beginn der Med. II, die zur Formulierung des ersten Prinzips führt:

„Ich setze also voraus, daß alles, was ich sehe, falsch ist, ich glaube, daß niemals etwas von dem allen existiert hat, was das trügerische Gedächtnis mir darstellt; ich habe überhaupt keine Sinne; Körper, Gestalt, Größe, Bewegung und Ort sind nichts als Chimären." (Med. II; AT VII, 24.14—17)

Liest man die weiteren Sätze der zum ersten Prinzip führenden Argumentation, dann sieht man, daß in ihr die Gewißheit, daß es anschauliche Vorstellungen gibt, bevorzugt herangezogen wird, um zu zeigen, daß es auch ein Subjekt dieser Vorstellungen geben muß. Descartes argumentiert zunächst in einer den modernen Leser überraschenden Weise ausgehend von der Behauptung, daß Vorstellungsinhalte eine Ursache haben müßten. Als solche kommen entweder denkunabhängige Objekte oder Gott oder das denkende Subjekt in Betracht. Die ersten beiden Möglichkeiten entfallen aber wegen des radikalen Zweifels, weshalb die Annahme einer kausalen Abhängigkeit der Vorstellungsinhalte vom denkenden Ich als die allein unbezweifelbare übrig bleibt (24.21—25). Mithin ließe sich im Sinne Descartes' sagen: Es gibt Vorstellungsinhalte, also bin ich. Da sich dieses Ergebnis auch durch die Hypothese eines allmächtigen Betrügers nicht erschüttern läßt, ist es die erste vom universalen Zweifel nicht affizierte Erkenntnis und daher geeignet, als erstes Prinzip zu fungieren.

Die Annahme, daß das Kausalprinzip auf Vorstellungsinhalte (die objektive Realität von Ideen) anwendbar sei, gehört zu den Voraussetzungen der Cartesianischen Erkenntnistheorie, wie schon daraus hervorgeht, daß sie auch bei den Gottesbeweisen der Med. III eine entscheidende Rolle spielt. Im vorliegenden Zusammenhang der Med. II geht Descartes ausdrücklich von der Frage aus, ob es nicht etwas von allen durch den radikalen Zweifel als möglicherweise falsch aufgewiesenen Inhalten Verschiedenes gebe, das selbst nicht mehr bezweifelt werden könne (24.19—21), und erwägt die Möglichkeiten, daß jene Inhalte mir von Gott „eingegeben" (immittere) sein könnten oder daß ich selbst ihr „Urheber" (author) bin. Da aber die Verursachung durch denkunabhängige Objekte und durch Gott nicht angenommen werden kann — die Existenz aller Objekte unterliegt dem Zweifel —, kommt nur die Annahme in Betracht, daß sie vom denkenden Subjekt verursacht sind. Hierdurch wollte Descartes selbstverständlich nicht eine solipsistische Position einnehmen, da er dem Charakter des methodischen Zweifels entsprechend nicht ausschloß, daß die Vorstellungsinhalte auch durch vom Subjekt verschiedene Faktoren bedingt sein können; von den möglichen bedingenden Faktoren läßt sich aber zunächst nur das denkende Subjekt zweifelsfrei konstatieren.

Descartes beschränkte sich nicht auf die kausale Betrachtungsweise: In seinen Überlegungen konkurriert mit ihr eine andere, die man als modale bezeichnen könnte, da in ihr die Erfahrungsinhalte auf Erfahrungsakte bezogen und diese als Modi der denkenden Substanz aufgefaßt werden, so daß aus dem Vorhandensein von Ideen mit Hilfe des Substanz-Modus-Schemas auf die Existenz des denkenden Subjekts geschlossen werden kann. Nach Descartes

„ist soviel gewiß, daß ein Denken nicht möglich ist ohne ein denkendes Ding, wie überhaupt eine Tätigkeit (actus) oder ein Accidens nicht möglich ist ohne eine Substanz, der dies innewohnt." (III. Resp.; AT VII, 175.25—176.1)

Neben der kausalen und der modalen Betrachtungsweise steht schließlich eine dritte, bei der von der Voraussetzung ausgegangen wird, daß jede Erfahrung anschaulicher Inhalte eine „Applikation" der immateriellen Erkenntniskraft enthält.

Jeder dieser Betrachtungsweisen entspricht eine bestimmte Bedeutung des Axioms „Um zu denken, muß man sein", das daher nur in Verbindung mit den ihm jeweils zugrunde gelegten erkenntnismetaphysischen Voraussetzungen interpretiert werden kann.

Alle diese auf inadäquaten Modellen der Subjekt-Objekt-Beziehung beruhenden Deutungen verdecken aber nur den entscheidenden Sachverhalt, daß die Beziehung gegenständlicher Inhalte auf das Subjekt ein wesentliches Moment der Erfahrung ist, durch deren Resolution es isoliert werden kann.

Aus dem Gesagten ergibt sich, daß Descartes, indem er das denkende Subjekt als immaterielle Substanz, als denkendes Ding, als Geist oder Seele bestimmte, diese Bestimmung nicht etwa allein aus dem Satz „Ich denke, also bin ich" folgerte (was unmöglich ist), sondern nur eine der undiskutierten, daher auch dem methodischen Zweifel nicht unterworfenen erkenntnismetaphysischen Voraussetzungen seiner Ersten Philosophie explizierte. Die hier in Frage stehende Voraussetzung hat Descartes in den *Regulae* unmißverständlich ausgesprochen; in den *Meditationen* hat er sich dagegen stillschweigend auf sie gestützt. Die These der neukantianischen Historiker des Cartesianismus, daß der Übergang von dem angeblich transzendentalphilosophisch aufzufassenden „Ich denke, also bin ich", zu dem realistischen „Ich bin ein denkendes Ding" einen Rückfall in scholastischen Dogmatismus bedeute, ist daher nicht haltbar. Selbstverständlich trifft die Feststellung zu, daß die Bestimmung des Subjekts als Substanz nicht aus dem *Cogito, ergo sum* als solchem gefolgert werden kann; aber ebenso unbestreitbar ist, daß Descartes bei der Formulierung des ersten Prinzips von Voraussetzungen ausging, zu denen das Substanz-Akzidenz-Schema, angewandt auf das denkende Subjekt, immer schon gehörte [27].

[27] Anders verhält es sich mit den Bestimmungen affektiv-volitiver Art, die Descartes zum Wesen der res cogitans rechnete: Ihre Einführung ist weder durch die zum ersten Prinzip führenden expliziten Überlegungen, noch durch deren stillschweigende Voraussetzungen gestützt. Daher ist in diesem Punkte J. Hintikka, *Cogito, ergo sum: Inference or Performance?* in: The Philos. Review 71 (1962), pp. 28—29, zuzustimmen.

(b) Die Aufstellung des ersten Prinzips ist aber auch möglich ausgehend von der Perzeption rein intellektueller Inhalte. Obwohl zu diesem Zweck beliebige Inhalte herangezogen werden können, konzentrierte sich Descartes auf einen bestimmten Gedanken: Den Gedanken, *daß ich zweifle,* und zwar universal zweifle, d. h. annehme, daß von keiner Idee feststeht, ob sie etwas repräsentiert. Da bereits ausgeführt wurde, daß der universale Zweifel das Ergebnis der Anwendung des Postulats ist, alles, was nicht evident ist, so zu betrachten, als sei es falsch, wird jeder, der jenes Postulat akzeptiert, unausweichlich zum universalen Zweifel geführt: Zweifelnd aber kann er nicht bezweifeln, daß er zweifelt.

Hieran läßt sich nun parallel zu den Überlegungen in (a) das Argument anschließen, daß der Zweifel, dessen Vorliegen außer Zweifel steht, unmöglich ist ohne ein zweifelndes Subjekt: „Ich zweifle, also bin ich". Gegenüber der in (a) dargestellten Form der Begründung des ersten Prinzips wird hier nicht direkt an der Erfahrung gegenständlicher Inhalte angeknüpft, sondern nur noch indirekt: Auf die objektiven Inhalte richtet sich der Zweifel, und vom Zweifel wird argumentiert, daß er nicht möglich wäre ohne ein zweifelndes bzw. allgemein ein denkendes Subjekt.

Wegen dieses Zusammenhangs ist es begreiflich, daß in der *Recherche de la vérité* der universale Zweifel als „der feste und unbewegliche Punkt" bezeichnet werden konnte, aus dem die Erkenntnis Gottes, des Ichs und aller in der Welt vorhandenen Dinge abgeleitet werden soll (AT X, 515.9—11), während in den *Meditationen* als dieser archimedische Punkt die Existenz des denkenden Subjekts galt.

Da die Tatsache des Zweifels vom Zweifelnden nicht geleugnet werden kann [28] und da nicht zweifeln kann, wer nicht existiert [29], ergibt sich, daß der Satz „der Zweifelnde existiert" unzweifelhaft wahr ist [30]. Das Bewußtsein des Zweifelns ist also der Grund des Wissens, daß der Zweifelnde existiert [31]. Selbstverständlich ist im Zusammenhang dieser Argumentation nicht von der Erzeugung des Subjekts im Akt des Zweifelns bzw. Denkens die Rede, sondern nur von der Erzeugung *der Gewißheit,* daß das denkende Subjekt existiert. Im übrigen wird auch in dieser ausführlichsten Begründung des ersten Prinzips „Ich" ohne Begründung als Substanz aufgefaßt, zu deren Modi das Zweifeln gehört. Das geht daraus hervor, daß Descartes den Ausdruck verwendet „das, was in mir zweifelt" [32], und dieses zweifelnde Etwas dem Körper gegenüberstellt (521.1), ebenso wie auch allen neurophysiologischen Funktionen des Körpers, zu denen er bekanntlich Empfindungen und Eindrücke der Einbildungskraft zählt (521.2—13). Auch in der ent-

[28] AT X, 515.15: „dubitare te negare nequis."

[29] 515.19—20: „si non essem, non possem dubitare."

[30] 515.17—18: „verum ... est te, qui dubitas, esse, hocque ita etiam verum est, ut non magis de eo dubitare nequis."

[31] 515.21—22: „Es igitur, et te esse scis, et hoc exinde, quia dubitas scis."

[32] 520.41—521.1: „id, quod in me dubitat."

wickelten Form der Grundlegung, die in der *Recherche* vorliegt, bleibt mithin die erkenntnismetaphysische Voraussetzung wirksam, daß kein gedanklicher Inhalt ohne substantielles, geistiges Subjekt perzipiert werden kann.

2. Das erste Prinzip als Beziehung

Wenn die hier entwickelte Deutung angenommen wird, dann läßt sich ohne weiteres verstehen, weshalb Descartes der Frage nach der logischen Form des ersten Prinzips so geringe Bedeutung beigemessen hat und es bald als einen Satz, bald als einen Schluß oder eine Folgerung bezeichnete. Diese Frage muß nämlich in seinen Augen gegenüber dem Problem der Erfahrungsanalyse sekundär erscheinen. Descartes hatte nicht die logische Ableitung des „sum" aus dem „cogito" im Sinn, als er „Cogito ergo sum" sagte, sondern er versuchte, in dieser Formel das Ergebnis der Resolution der Erfahrung zu komprimieren. Dieses Ergebnis, nicht sein sprachlicher Ausdruck, war in seinen Augen das Entscheidende. Deshalb dürfte es auch aussichtslos sein, nach einer eindeutigen Bestimmung der logischen Form des Cartesianischen ersten Prinzips zu suchen.

Was bei der Interpretation der Form des Satzes „Ich denke, also bin ich" immer wieder irreführt, ist das „also", das auf das Vorliegen eines Enthymems hinzuweisen scheint, während doch Descartes die syllogistische Deutung des ersten Prinzips unmißverständlich zurückgewiesen hat.

Das „ergo" braucht aber nicht als Ausdruck einer syllogistischen Folgebeziehung aufgefaßt zu werden, wenn man es als Hinweis auf die durch die Resolution der Erfahrung isolierte Relation zwischen erfahrendem Subjekt und Erfahrungsinhalten versteht. Es ist dieser Deutung zufolge Ausdruck jener „notwendigen Verknüpfung", die die „Natur" der Erfahrung überhaupt ausmacht.

Diese Auffassung stimmt durchaus mit der in den *Regulae* vertretenen Ansicht überein, daß die einfachen Naturen den Charakter einfacher Relationen haben. Schon in diesem Werk hat übrigens Descartes auf den Beziehungscharakter des grundlegenden Sachverhalts, auf dessen Einsicht die Erfahrungstheorie beruht, hingewiesen, als er den Verstand mit der Begründung als Ersterkanntes bezeichnete, daß die Erkenntnis aller anderen Dinge von ihm abhänge (und nicht umgekehrt). In Med. II formulierte er dagegen die fragliche Beziehung zunächst nicht hinsichtlich der Erkenntnis im allgemeinen, sondern hinsichtlich der bestimmten Erkenntnis, daß unter dem Eindruck der in Med. I angeführten Zweifelsgründe alles früher für gewiß Gehaltene zweifelhaft geworden ist. Er argumentiert hierbei in didaktisch sehr eindrucksvoller Weise: Wie er zeigt, folgt daraus, daß ich die Überzeugung habe, die Existenz der materiellen Welt sei zweifelhaft, daß ich existiere, sofern ich diese Überzeugung habe (Med. II; AT VII, 25.2—5). Ähnlich argumentiert Descartes in bezug auf den durch die Hypothese eines allmächtigen Betrügers radikalisierten Zweifel: „Wenn er mich täuscht, so ist es also unzweifelhaft, daß ich bin." (25.7—8) Und schließlich zeigt das Scheitern des Versuchs, an der eigenen Existenz zu zweifeln, daß es unmöglich ist, daß ich nichts bin, solange ich denke, etwas zu sein (25.9—10) [33].

Die im ersten Prinzip ausgedrückte Beziehung besteht zwar in vielen Fällen zwischen dem Subjekt und anschaulichen Inhalten, sie selbst aber kann nicht anschaulich vorgestellt werden. Sie ist infolgedessen Objekt metaphysischer Erkenntnis und als solches von den Objekten aller anschauungsbedingten Wissenschaften scharf unterschieden.

Innerhalb der fraglichen Fundamentalrelation (der Intentionalität kognitiver Bewußtseinserscheinungen) bezeichnen die Ausdrücke „Ich" und „Gegenstand" unselbständige Momente, deren Verselbständigung unter Descartes' eigenen methodologischen Voraussetzungen nicht unproblematisch ist. So wie z. B. zwar „Figur" eine einfache Natur ist, nicht aber der abstrakte Begriff „Begrenzung eines ausgedehnten Dings" (der nicht eine gegenüber „Figur" noch einfachere Natur bezeichnet), so könnten möglicherweise auch „Ich" und „Gegenstand" keine einfachen Naturen, sondern Abstrakta sein, denen nichts Wirkliches entspricht.

Obwohl Descartes solche Bedenken nicht gehabt zu haben scheint und das Subjekt mit Selbstverständlichkeit als „Ding" bzw. als „Substanz" auffaßte, läßt sich das Subjekt nicht unabhängig von den Erfahrungsinhalten, auf die es bezogen ist, denken. Deshalb war Descartes zu der Behauptung gezwungen, die in der Zeit dauernde Ich-Substanz denke immer, sei es im Wachen, sei es im traumlosen Schlaf, sei es als Geist des Erwachsenen, sei es als Geist des Neugeborenen, ja selbst des Fötus. Diese außerordentlich unwahrscheinliche Konsequenz mußte er ziehen, nachdem er das Erfahrungssubjekt als Substanz und das Denken als deren Wesensattribut erklärt hatte. Da nämlich die Substanz nicht unabhängig von ihren Wesensattributen gedacht werden kann und da umgekehrt das Attribut nicht von der Substanz getrennt sein kann, sah er sich veranlaßt, dem in der Zeit dauernden denkenden Ding ein kontinuierliches Bewußtsein zuzuschreiben. Von dieser Position ist es nur noch ein kleiner Schritt zur Annahme eines unbewußten Denkens, durch die Leibniz zum Vorläufer der Psychologie des Unbewußten geworden ist.

XVI. Die Bedeutung von „Prinzip" in der Cartesianischen Philosophie

1. Die fundamentale Doppeldeutigkeit von „Prinzip"

Der Cartesianischen Terminologie gemäß heißen die einfachen Propositionen, aus denen komplexe Sätze abzuleiten sind, „Prinzipien". In diesem Sinn ist der Satz „Ich denke, also bin ich" erstes Prinzip der Cartesianischen Philosophie. Zu-

[33] Cf. Disc. IV; AT VI, 32.28—31: „ . . . de cela même que je pensais à douter de la vérité des autres choses, il suivait très évidemment et très certainement que j'étais." Die Wendung „ego cogitans existo" muß als zusammenfassender Ausdruck dieses Gedankengangs gelten; cf. VII. Resp.; AT VII, 481.20—22: „nihil certius evidentiusque a me cognosci quam quod ego cogitans existerem."

gleich aber gelten auch die einfachen Naturen als „Prinzipien" der durch sie konstituierten komplexen Sachverhalte. In diesem zweiten Sinn ist die denkende Substanz das Prinzip der Erfahrung. Der durch diese Doppeldeutigkeit charakterisierte Sprachgebrauch ist für den modernen Leser befremdlich; er bedarf der Erläuterung, da ohne seine Berücksichtigung das Verständnis der Cartesianischen Metaphysik nicht möglich ist.

Historisch ist vorauszuschicken, daß seit Aristoteles „Prinzip" (*arché*) sowohl Seins-, als auch Erkenntnisprinzip bedeutete. „Erstes Prinzip" [34] in der ersten Bedeutung heißt bei Aristoteles die Substanz; in der zweiten bezeichnet der Ausdruck die obersten Grundsätze des Schließens, insbesondere das Widerspruchsprinzip [35]. Diese Einteilung der Prinzipien in principia essendi und principia cognoscendi wurde in der aristotelischen Tradition bewahrt; sie findet sich auch in den Schriften von Fr. Suarez [36], die auf Descartes großen Einfluß hatten. Suarez spricht von den Erkenntnisprinzipien als „principia complexa" und nimmt an, daß sie von den Seinsprinzipien (oder principia incomplexa) abhängig seien. Als Prämissen der wissenschaftlichen Erkenntnis kommen aber ausschließlich die zusammengesetzten Prinzipien in Betracht [37].

„Prinzip" im allgemeinen heißt nach Suarez alles, was einem anderen in irgendeiner Weise vorausgeht; in engerer Bedeutung heißt so nur dasjenige, woraus auf Grund einer bestimmten Beziehung etwas anderes hervorgeht [38]. Da die zeitliche Folge zur Definition von „Prinzip" in der engeren Bedeutung nicht ausreicht, muß die Idee einer Verknüpfung (connexio) bzw. des Auseinanderfolgens (consecutio unius ab alio) hinzutreten [39]. Durch die Erweiterung der Bedeutung von „consecutio" über die Kausalbeziehung hinaus erhält dieser Ausdruck dieselbe Doppeldeutigkeit wie bei Descartes, nämlich als kausale und als logische Folge.

Ganz im Sinne der traditionellen Doppelbedeutung von „Prinzip" unterschied auch Descartes Prinzipien in der Bedeutung von Axiomen oder Gemeinbegriffen (notiones communes, zu denen z. B. der Satz vom ausgeschlossenen Widerspruch gehört) und Prinzipien in der Bedeutung von Ursachen oder allgemein von Seinsprinzipien. „Prinzip" in dieser zweiten Bedeutung ist „ein Seiendes, dessen Existenz uns bekannter ist als die Existenz aller anderen Seienden, sofern jenes als Prinzip der Erkenntnis dieser dienen kann" (an Clerselier, Juni/Juli 1646; AT IV, 444.9—12). In diesem Sinne bezeichnet Descartes als erstes Prinzip die Existenz der menschlichen Seele [40].

[34] Met. X, 7; 1064 b 1.
[35] Met. III, 3; 1005 b.
[36] *Disputationes metaphysicae,* Disp. XII, sec. I, art. 3 (Opera omnia, ed Berton, t. 25: 1861, pp. 373—374).
[37] Ibid.: „Quamquam ... principia cognoscendi frequenter desumantur ex principiis rei, proxime tamen non sunt principia scientiae nisi prout ex eis fiunt principia complexa."
[38] Disp. XII, sec. I, art. 5.
[39] Disp. XII, sect. I, art. 11.
[40] An Clerselier, Juni/Juli 1646; AT IV, 444.23—24: „que notre âme existe."

Der Cartesianische Sprachgebrauch ist so lange unbedenklich, als in jedem Fall kenntlich gemacht wird, welche der beiden Bedeutungen des Ausdrucks „Prinzip" jeweils vorliegt. Descartes' Terminologie ist aber dadurch gekennzeichnet, daß es keine konsequente Trennung der genannten Verwendungsweisen von „Prinzip" gibt: Bald bedeutet dieser Terminus einen Grundsatz, bald eine „Ursache", wobei dieser Ausdruck wiederum einen Doppelsinn aufweist, indem er bald eine Wirkursache, bald eine einfache Natur bedeutet.

Für diesen Sprachgebrauch lassen sich zahlreiche Belege anführen. So spricht Descartes von „Prinzipien oder ersten Ursachen alles dessen, was ist oder sein kann" (Disc. VI; AT VI, 64.1—2). Im Vorwort der *Prinzipien der Philosophie* identifiziert er ohne Bedenken „erste Prinzipien" und „erste Ursachen" (AT IX B, 2.18). Die kausale Bedeutungskomponente des Ausdrucks kommt zur Geltung, wenn Descartes die Ursache der Schwere als ihr Prinzip bezeichnet (8.10), wogegen die logische Komponente allein gemeint ist, wenn er behauptet, alle spezielleren wissenschaftlichen Grundsätze seien aus den obersten Prinzipien ableitbar (10.12—19). Gelegentlich bezeichnet er sogar die Naturgesetze, mit deren Hilfe Bewegungsvorgänge erklärt werden können, als „Ursachen" dieser Vorgänge (Princ. II, 37). Im übrigen war dieser durch eine heute schwer verständliche Ungenauigkeit belastete Sprachgebrauch im 17. Jh. gang und gäbe: In der holländischen Übersetzung der *Regulae* von 1684 wird der Ausdruck „prima rationis humanae rudimenta" mit „eerste beginselen van de menschelijke reden" wiedergegeben und in den Marginalnoten durch „principia" erläutert [41]. Gassend wies dem Syllogismus bzw. der Demonstration im allgemeinen die Aufgabe zu, die Ursache (causa) des in der Konklusion ausgedrückten Sachverhalts anzugeben [42]. Ähnlich identifiziert Spinoza durchgehend „ratio" und „causa".

Im Hinblick auf Descartes' Erste Philosophie ist vor allem wichtig, daß die erwähnte Doppeldeutigkeit auch in bezug auf das erste Prinzip konstatiert werden kann. Deshalb bezeichnete Descartes bald den Satz „Ich denke, also bin ich", bald die Existenz des Bewußtseins als erstes Prinzip [43]. Wenn auch an anderer Stelle der Existential*satz* „Unsere Seele existiert" diese Funktion zugewiesen erhält (an Clerselier, Juni/Juli 1646; AT IV, 444.23—24), so ist doch die Auffassung von „Prinzip" sowohl im Sinne von Grund*satz,* als auch im Sinne von Grund*tatsache* ein wesentliches Charakteristikum des Cartesianischen Denkens.

Demgemäß hat Descartes auch „erstes Prinzip" bald im Sinne von „oberstem Grundsatz", bald im Sinn von „grundlegender einfacher Natur" verstanden.

[41] *Regulae ad directionem ingenii,* ed. Crapulli (Intern. Archives of the History of Ideas), den Haag 1966, pp. 12—12*.

[42] *Exercitationes paradoxicae,* lib. II, ex. V, art. 6.

[43] *Principes,* Préf.; AT IX B, 10.4—5: „l'être ou l'existence de ... [notre] pensée."

Diese Auffassung steht im Gegensatz zu der von H. Scholz [44] vertretenen Deutung des ersten Prinzips. Unter Berufung vor allem auf Disc. IV; AT VI, 32.18 ff. und Princ. I, 7; AT VIII, 7.7 f. urteilte Scholz: „Descartes ist ein schöpferischer Mathematiker gewesen. Folglich hat er gewußt, daß zu Prinzipien Sätze existieren müssen, die aus diesen Prinzipien abgeleitet sind ... Ich habe diese Sätze vergeblich gesucht" [45]. Das ist vollkommen richtig, solange man „Prinzip" nur im Sinne von „Grundsatz" und „ableiten" bzw. „folgen" nur im Sinne logischer Deduktion versteht. Diese engere Bedeutung wurde aber von Descartes, wie aus dem Gesagten hervorgeht, nicht immer, ja nicht einmal in der Mehrzahl der Fälle zugrunde gelegt.

Scholz hat die Ansicht vertreten, daß als Prämisse der Ableitung in der Cartesianischen Philosophie nicht „Ich denke, also bin ich", sondern allenfalls „Die menschliche Seele existiert" in Betracht kommen könne, da Descartes immer nur den zweiten dieser Sätze erwähnte, wenn er die Möglichkeit behauptete, aus ihm Folgesätze abzuleiten. Aber wenn sich auch zugunsten dieser Ansicht gewisse Äußerungen im Vorwort der *Prinzipien der Philosophie* und im oben erwähnten Brief an Clerselier anführen lassen, und wenn es selbstverständlich auch Stellen in Descartes' Schriften gibt, in denen der Philosoph den Ausdruck „Prinzip" in der von Scholz ausschließlich berücksichtigten Bedeutung von „Grundsatz" verwendete [46], so sind doch die Belege dafür, daß Descartes „Prinzip" nicht nur im logischen, sondern ebenso auch im ontologischen Sinn verstand, zu zahlreich, als daß es zulässig wäre, der Interpretation ausschließlich den engeren Sinn von „Prinzip" zugrunde zu legen.

2. Existenzprinzipien und formale Axiome

Ein oft wiederholtes kritisches Bedenken besagt, daß der Satz „Ich denke, also bin ich" nicht erstes Prinzip sein könne, da nach Descartes dieser Satz von gewissen Voraussetzungen abhänge. Wie kann aber, so wird gefragt, „Ich denke, also bin ich" der erste und gewisseste Satz sein, der sich dem ordnungsgemäß Philosophierenden darbietet (Princ. I, 10), wenn er von Voraussetzungen abhängt, wie von der „höchst einfachen Einsicht" (simplicissima notio), daß, was denkt, unmöglich inexistent sein kann (Princ. I, 10), bezw. daß man, um zu denken, existieren muß (Disc. IV; AT VI, 33.19).

Dieser Einwand läßt sich entkräften, wenn man sich vergegenwärtigt, daß „Cogito, ergo sum" nicht Prinzip im Sinn eines formalen Axioms, sondern eines Existentialsatzes ist und „*erstes* Prinzip" im Hinblick auf seine Unabhängigkeit von Existentialsätzen, nicht von Sätzen überhaupt heißt. Während oben zwischen „Prinzip" im Sinne von „Seinsprinzip" und „Prinzip" im Sinne von „Grundsatz"

[44] *Mathesis Universalis. Abhandlungen zur Philosophie als strenger Wissenschaft;* Basel/Stuttgart 1961, pp. 76—77.

[45] Ibid., p. 76.

[46] Cf. Princ. I, 5: Man könne zweifeln „même des démonstrations de mathématique et de ses principes."

unterschieden wurde, betrifft die hier erforderliche Unterscheidung zwei Bedeutungen von „Grundsatz". Tatsächlich hat Descartes das erste Prinzip klar von den Axiomen wie „Um zu denken, muß man sein" oder „Ein Nichtseiendes hat keine Attribute" getrennt:

1. Im ersten Prinzip wird die Existenz des denkenden Ichs behauptet, während der generelle Satz „Alles, was denkt, ist" (*Entretien avec Burman*; AT V, 147.19—20) keine Existenzbehauptung enthält. Dasselbe gilt vom Verhältnis des ersten Prinzips zum Satz „Um zu denken, muß man sein".

2. Das erste Prinzip „Ich denke, also bin ich" ist eine Erkenntnis; die Prinzipien im Sinne von Axiomen drücken dagegen nur Kenntnisse aus.

Ausdrücklich hat Descartes erklärt, die Kenntnis (notitia) der allgemeinsten Grundsätze oder Axiome werde nicht Erkenntnis (scientia) genannt (II. Resp.; AT VII, 140.16—18). „Notitia" bedeutet übrigens auch Begriff im allgemeinen, so daß der Begriff des denkenden Subjekts ebenfalls „notitia" heißt (Med. II; AT VII, 27.30), allerdings nur sofern das Wesen, nicht sofern die Existenz des Subjekts gemeint ist. Dagegen nannte er das Urteil „Ich denke, also bin ich" eine Erkenntnis (cognitio) (Princ. I, 7). Im Gegensatz zu Erkenntnissen ist allen Kenntnissen — seien es solche des Wesens einer Sache, seien es solche von allgemeinen Axiomen — gemeinsam, daß sie sich nicht auf die Existenz von etwas beziehen. Deshalb ist es vollkommen gerechtfertigt, das erste Prinzip, d. h. das Urteil, daß das denkende Subjekt existiert, als erste Erkenntnis innerhalb der Ordnung der systematischen Philosophie zu bezeichnen.

Descartes' erstes Prinzip eignet sich besser als jeder andere Satz der Cartesianischen Philosophie zur Veranschaulichung der in diesem Kapitel vorgenommenen Präzisierungen: „Ich denke, also bin ich" ist Prinzip erstens im Sinne eines Grundsatzes, näherhin eines existenzbehauptenden, nicht eines formalen Grundsatzes; in diesem Sinne ist es erstes Prinzip, weil es von keinem anderen Existentialsatz der Ersten Philosophie abhängig ist, sondern allen anderen existenzbehauptenden Prinzipien systematisch vorausgeht. Durch den Satz „Ich denke, also bin ich" wird aber zweitens auch auf die „Natur" der Erfahrung hingewiesen, d. h. auf die die Erfahrung im allgemeinen konstituierende Fundamentalbeziehung, von der bereits die Rede war. Um die Funktion des ersten Prinzips in der Cartesianischen Philosophie richtig zu verstehen, muß man also einerseits anerkennen, daß „Prinzip" die Bedeutung „Grundsatz" und „einfache Natur" ungeschieden enthält, andererseits muß man sich vergegenwärtigen, daß es Grundsatz nur im Sinne eines existenzbehauptenden Grundsatzes ist.

XVII. Die denkende Substanz

1. Die notwendige Verknüpfung von Ich und Bewußtsein

In der die Natur der Erfahrung ausmachenden Fundamentalrelation, die der Satz „Ich denke, also bin ich" ausdrückt, sind die Momente „Bewußtsein" (cogitatio) und „Gegenstand" verknüpft. Diese Momente lassen sich durch Resolution isolieren, was insbesondere hinsichtlich des Moments des Selbstbewußtseins wichtig ist, das nach Descartes, wie oben bereits im Zusammenhang mit der Erörterung der in den *Regulae* enthaltenen Ansätze einer Ersten Philosophie erwähnt, gegenüber dem gegenständlichen Moment der Erfahrung den Primat zu beanspruchen hat. Wie jedoch allgemein in der Resolution der notwendige Zusammenhang der „Naturen" nicht negiert werden darf, so bedeutet auch die Isolation des „Ich denke" nicht die Negation der notwendigen Verknüpfung von Bewußtsein und Gegenstand. Von ihr wird lediglich vorübergehend abgesehen, wenn die Existenz des Bewußtseins (cf. *Principes,* Préf.; AT IX B, 10.4—5) als erstes Prinzip der Erfahrung bezeichnet wird. „Existenz des Bewußtseins", „Existenz des denkenden Subjekts" und „Existenz der denkenden Substanz" sind hierbei für Descartes gleichbedeutend. Insbesondere schien ihm der später so oft als Grundfehler der Cartesianischen Erkenntnistheorie kritisierte Übergang von „Ich denke" zu „Ich bin ein denkendes Ding" gänzlich unproblematisch zu sein. Der Grund hierfür ist in seiner Annahme zu erblicken, daß nicht nur zwischen „Bewußtsein" und „Gegenstand", sondern ebenso auch zwischen „Bewußtsein" und „denkender Substanz" eine (im Sinn der in Teil I gegebenen Erläuterungen) notwendige Verknüpfung besteht.

Unter Descartes' Voraussetzungen ist der Übergang von der Existenz des Denkens zur Existenz eines denkenden Subjekts deshalb legitim, weil „Denken" sowohl als Attribut der denkenden Substanz, als auch als Synonym für „res cogitans" aufgefaßt, eine „wahre Idee" ist, andernfalls aber eine „Chimäre", so wie „Ausdehnung" entweder als Attribut der res extensa oder als Synonym für „ausgedehnte Substanz" aufgefaßt werden muß, um eine „wahre Idee" zu bezeichnen. Und so wie die natura corporea als reale Ausdehnung aufzufassen sein soll, so die natura intellectualis als reales Bewußtsein oder als denkende Substanz.

„Denken" und „denkendes Subjekt" dürfen hierbei nicht als Abstraktionsbegriffe gedacht werden, wie ganz allgemein die Analyse weder von abstrakten Begriffen ausgehen, noch solche Begriffe zum Resultat haben kann. Demgemäß lehnte es Descartes ab, der Analyse der körperlichen Natur den Gattungsbegriff „Körper" zugrunde zu legen, da er konfuser sei als die Idee eines bestimmten materiellen Dinges (Med. II; AT VII, 30.5—7), und analog wies er den als „vernünftiges Lebewesen" bestimmten Begriff des Menschen zurück (25.25—31). In gleicher Weise faßte er auch „cogitatio" nicht als Abstraktum, sondern als einfache Natur auf, die durch Intuition, nicht durch Abstraktion erfaßt wird.

Die gemäß dem Satz „Ich denke, also bin ich" verknüpften „Naturen" werden in der Liste der „naturae simplices" in Reg. XII teils explizit, teils implizit erwähnt, da dort neben „Existenz" auch „Erkennen" und „Zweifeln" angeführt sind, und man die beiden letzteren, wie es in den *Meditationen* geschieht, als Fälle von Cogitationes auffassen kann. Legt man für das erste Prinzip die Formulierung „Ich zweifle, also bin ich" zugrunde, dann braucht man nur ausdrücklich in Reg. XII angeführte „einfache Naturen" zu berücksichtigen.

Anders als Kant behauptete Descartes, indem er „ego sum, ego existo" sagte, nicht die Existenz eines bloßen *x* ohne inhaltliche Bestimmungen, sondern die Existenz der „natura intellectualis" (Med., Syn.; AT VII, 12.15) bzw. einer Substanz, deren Wesensattribut die Intellektualität ist. Wie schon in bezug auf das Verhältnis der Ideen „materielles Ding" und „Ausdehnung" festgestellt, kann auch im Fall des denkenden Dings die Substanz nicht klar und deutlich gedacht werden, wenn sie nicht als durch ihr Wesensattribut, das Bewußtsein (cogitatio, pensée), bestimmt gedacht wird. Umgekehrt kann „Bewußtsein" bzw. „Denken" ebensowenig wie „Ausdehnung" als selbständige Entität begriffen werden: Nur als Attribut der denkenden Substanz begriffen, ist „cogitatio" eine klare und deutliche Idee.

Daß das Bewußtsein das Wesen des Subjekts ausmacht, beweist Descartes, indem er zeigt, daß die Verknüpfung von „Ich" und „Denken" auch durch den radikalen Zweifel nicht aufgehoben werden kann, also prinzipiell unaufhebbar und mithin eine notwendige Verknüpfung ist. Während die Beziehung zwischen dem Ich und allen Bestimmungen, durch die das Subjekt als Teil der materiellen Wirklichkeit, d. i. als empirische Person, charakterisiert wird, im methodischen Zweifel aufgehoben gedacht werden kann, erweist sich die Bestimmung des Bewußtseins als unabtrennbar von der Idee des Ichs: „Das Denken ... allein kann von mir nicht getrennt werden" (Med. II; AT VII, 27.8). Über dieses Ergebnis kann in Med. II nicht hinausgegangen werden, da Descartes gemäß der Forderung, nur so viel und nur so Einfaches auf einmal geistig erfassen zu wollen, als distinkt begriffen werden kann (Reg. IX; AT X, 401.27—402.1), nur notwendig wahre Einsichten über das Verhältnis von Ich und Körper berücksichtigt [47].

Wohl aber ist es, da „Denken" als einfache Natur keiner weiteren Resolution zugänglich ist, statthaft, weitere Klärungen durch Enumeration der Bewußtseinsweisen anzustreben. Als Modi cogitandi ergeben sich bekanntlich: Zweifeln, Einsehen, Urteilen, Wollen, Imaginieren, Empfinden. Demgemäß läßt sich „denkendes Ding" näher bestimmen als „ein Ding, das zweifelt, einsieht, bejaht, verneint, will, nicht will und das auch Einbildung und Empfindung hat" (Med. II; AT VII, 28.21—22). In Med. III werden die Bewußtseinsweisen in die bekannten drei Klassen der Ideen, Urteile und voluntativ-affektiven Bewußtseinsphänomene zusammengefaßt, wobei Descartes nicht etwa einen Beitrag zur deskriptiven Psycho-

[47] Cf. Med. II; AT VII, 27.12—13: „Nihil nunc admitto nisi quod necessario sit verum."

logie leisten wollte — deshalb ist auch auf diesen Punkt hier nicht genauer einzugehen —, sondern die unter psychologischen Gesichtspunkten getroffene Einteilung auf Fragestellungen der Ersten Philosophie bezog. Namentlich bezweckte er mit der angedeuteten Einteilung die Aussonderung jener „cogitationes", in bezug auf die die Unterscheidung von Wahr und Falsch sinnvoll möglich ist. Diese Feststellung wiederum ist für Descartes' Irrtumstheorie relevant. Indem er außerdem die Ideen in eingeborene, durch äußeren Reiz hervorgerufene (ideae adventitiae) und willkürlich gebildete (ideae factitiae) einteilte, bereitete er den Gottesbeweis der Med. III vor. Auf die Gottesbeweise soll im nächsten, auf die Problematik von Wahrheit und Irrtum im übernächsten Kapitel eingegangen werden: Beide Themenkreise sind innerhalb der Ersten Philosophie wesentlich; ihre Vorbereitung mit den Mitteln der deskriptiven Psychologie ist innerhalb der Ersten Metaphysik dagegen nur insofern von Belang, als sie den Boden, auf dem der systematische Aufbau erfolgen soll, freilegt.

2. Die Erkenntnis der intellektuellen Natur im Verhältnis zur Erkenntnis der körperlichen Natur

Der Nachweis, daß die Ausdehnung das Wesensattribut materieller Körper ist, verläuft parallel zum Nachweis, daß das Wesen des Subjekts ausschließlich im Denken besteht: In beiden Fällen erfolgt die Dekomposition der Ausgangserfahrung durch den methodischen Zweifel; in beiden Fällen ergibt sich die Unaufhebbarkeit des Zusammenhangs von Substanz und Wesensattribut. Aber während die Aussagen über die körperliche Natur, zu denen Descartes auf Grund seiner analytischen Betrachtungen gelangt, reine Wesensaussagen, d. h. Aussagen sind, die keine Behauptungen über die Existenz von Dingen enthalten, führt die Resolution der Erfahrung zur Aufstellung eines Existentialsatzes, der die Grundlage für die Formulierung weiterer existentieller Prinzipien bildet.

Wie bei der Bestimmung des Wesensattributs der denkenden Substanz tritt die subtraktive Natur des methodischen Zweifels als Instrument der Dekomposition deutlich zutage, wenn Descartes im Zusammenhang mit der Analyse des Materiebegriffs — in Med. II durch die Idee eines Wachsstückchens repräsentiert — fordert: „Entfernen wir alles, was nicht zu dem Wachse gehört, und sehen wir zu, was übrig bleibt". Die durch dieses subtraktive Verfahren bewirkte Elimination aller Bestimmungen, deren Verbindung mit dem Begriff des materiellen Dings nicht notwendig ist, führt zum Resultat, daß das Wesensattribut physikalischer Körper die Ausdehnung sei und daß keine anderen als quantitative Begriffe geeignet sind, das Wesen des Körpers zu erfassen.

Trotz diesem Methodenparallelismus bestehen zwischen der Erkenntnis des Wesens des Ichs und der Erkenntnis des Wesens materieller Dinge unübersehbare Unterschiede: Während die Ausdehnung als Wesen des physikalischen Körpers erkannt werden kann, ohne daß man wissen müßte, ob den Ideen ausgedehnter

Dinge etwas denkunabhängig Reales entspricht, setzt die Beantwortung der Frage, *was* das denkende Ding sei, die Beantwortung der Frage voraus, *ob* es existiert. Die fundamentalen Sätze der Ersten Philosophie sind nämlich Existentialsätze, wie z. B. daß es gegenständliche Erscheinungen gibt, daß es ein denkendes Subjekt gibt, daß Gott existiert. Die fundamentalen Sätze der Physik sind dagegen Aussagen über das „Wesen" materieller Dinge, unabhängig von der Frage, ob sie existieren. Da in der Cartesianischen Physik aber stets vorausgesetzt wird, daß ausgedehnte Dinge existieren, kann die Richtigkeit dieser Voraussetzung nicht innerhalb der Physik, sondern nur innerhalb der Ersten Philosophie erwiesen werden: Die Cartesianische Physik hängt von der Ersten Philosophie ab.

Ein weiterer, oben bereits erwähnter Unterschied zwischen Aussagen über die körperliche Natur und Aussagen über die intellektuelle Natur besteht darin, daß die ersteren Anschauung voraussetzen, die letzteren dagegen nicht. Die Unanschaulichkeit der Idee der natura intellectualis ergibt sich ohne weiteres aus Descartes' Definition der Anschauung. Das hatte Gassend übersehen, als er darauf insistierte, daß es eine anschauliche Idee des Geistes gebe [48].

Infolge der Unanschaulichkeit der Idee der res cogitans kann diese auch nicht „Ding" in derselben Weise wie materielle Dinge sein. „Ding", vom denkenden Subjekt ausgesagt, ist ein bloßer Verlegenheitsausdruck, der ein substantielles Etwas bezeichnen, nicht aber eine Kategorie der räumlich ausgedehnten Wirklichkeit auf das Subjekt übertragen soll, wie immer wieder gegen Descartes vorgebracht worden ist.

Erkenntnis der intellektuellen Natur und Erkenntnis der körperlichen Natur sind aber vor allem darum innerhalb der Ersten Philosophie nicht von gleichem Rang, weil die natura intellectualis notwendige Bedingung der Perzeption der Ausdehnung ist, die im Zusammenhang mit dem Beispiel vom Wachsstückchen als Einsicht des reinen Intellekts (solius mentis inspectio) erwiesen wird. Hieraus schloß Descartes, daß der Selbsterkenntnis zwar nicht genetisch, wohl aber systematisch der Primat gegenüber der Erkenntnis materieller Dinge zukomme [49]. Die Cartesianische Metaphysik ist in diesem Sinne spiritualistisch.

[48] Inst. II zur VI. Obj. gegen Med. II; ed. Rochot, p. 175: „Quaestio fuerat, an res, seu substantia, quae cogitat, diciturque Mens, clare, distincteque, et citra ullius, etiam tenuissimi corporis imaginem, atque adeo sine imaginatione perciperetur. Tu asserueras, ego negaram."

[49] Med. II; AT VII, 34.1—6: „ . . . cum mihi nunc notum sit ipsamet corpora non proprie a sensibus, vel ab imaginandi facultate, sed a solo intellectu percipi, nec ex eo percipi quod tangantur aut videantur, sed tantum ex eo quod intelligantur, aperte cognosco nihil facilius aut evidentius mea mente posse a me percipi." Man beachte, daß bei Descartes die „Leichtigkeit" der Perzeption stets mit der Evidenz gegeben ist und nicht primär die Mühelosigkeit der Erkenntnisgewinnung bedeutet!

XVIII. Die Funktion der Gottesbeweise in der Ersten Philosophie

1. Das Verhältnis von endlichem und unendlichem Sein

Die Resolution der Erfahrung läßt sich über das erreichte Resultat hinaus fortsetzen, und zwar sowohl ausgehend von der Wirklichkeit des Subjekts, als auch ausgehend von der Wirklichkeit gegenständlicher Erscheinungen, namentlich solcher von ausgedehnten Dingen.

a. Die intellektuelle Natur des denkenden Subjekts ist die Natur eines endlichen „Dings", dem gegenständliche Erscheinungen gegenwärtig sind. Von diesen steht zwar fest, daß sie wenigstens partiell vom Subjekt abhängen, ohne daß jedoch auf Grund der bisher erreichten Ergebnisse erkannt werden könnte, ob sie auch von denkunabhängigen Dingen abhängig wären. Da die Tatsache, daß gewisse Vorstellungsinhalte nicht willkürlich modifizierbar sind, als Indiz für das Vorhandensein einer Bedingtheit derselben a parte rei gelten kann, dieses Indiz jedoch nicht ausreicht, um die Existenz denkunabhängiger materieller oder idealer Sachverhalte zu beweisen, suchte Descartes die Endlichkeit des Ichs auf andere Weise darzutun: Die Endlichkeit des denkenden Subjekts zeigt sich seiner Ansicht nach klar im Zweifeln und Begehren, da nur zweifeln kann, wer die Wahrheit nicht besitzt, und nur begehren, wem etwas mangelt (Med. III; AT VII, 48.7—10).

Ist das Ich als endliches Seiendes erkannt, dann läßt sich die Idee des Unendlichen durch Resolution der Idee des Ichs gewinnen, in der sie als Moment enthalten ist. Descartes geht nämlich davon aus, „daß ... der Begriff des Unendlichen dem des Endlichen ... in gewisser Weise vorhergeht" (45.28—29). Wenn also ein Ding als endlich gedacht wird, dann muß auch die Idee des Unendlichen wenigstens implizit gedacht gewesen sein. Es genügt daher, von den einschränkenden Bestimmungen der natura intellectualis, sofern sie die intellektuelle Natur eines endlichen Wesens ist, abzusehen, um zur Idee einer unendlichen solchen Natur, d. h. zur Natur Gottes, zu gelangen. Der Zusammenhang zwischen dem mit Hilfe des methodischen Zweifels gewonnenen ersten Prinzip, der Bestimmung des Wesens des Subjekts und der Perzeption der Idee der unendlichen Natur Gottes, mit deren Hilfe Descartes die Existenz des absolut vollkommenen Wesens zu beweisen suchte, ist deutlich: Es ist der durch die Analyse der Erfahrung gebahnte Weg [50]. Erfahrung von beliebigen Gegenständen, so läßt sich sagen, enthält unter anderem als

[50] Das kommt besonders klar in einem Brief an einen nicht bestimmbaren Adressaten vom März (nach Aliquié: Ende Mai) 1637 zum Ausdruck; AT I, 353.14—25: „ ... celui qui doute ... de tout ce qui est matériel, ne peut aucunement pour cela douter de sa propre existence; d'où il suit que celui-là, c'est-à-dire l'âme, est un être, ou une substance qui n'est point du tout corporelle, et que sa nature n'est que de penser ... en s'arrêtant assez longtemps sur cette méditation, on acquiert peu à peu une connaissances très claire, et si j'ose ainsi parler intuitive, de la nature intellectuelle en général, l'idée de laquelle, étant considérée sans limitations, est celle qui nous représente Dieu ...".

Moment die eventuell zunächst konfuse Idee des Unendlichen; sie explizit zu machen, ist Aufgabe der Ersten Philosophie.

Die Idee des Unendlichen bzw. Gottes muß näherhin als „Bedingung der Möglichkeit" gelten, eine Idee des endlichen denkenden Dings zu bilden [51]. Wenn aber, wie bereits als erwiesen gilt, die Existenz der denkenden Substanz unbezweifelbar gewiß ist, dann ist auch die Existenz Gottes als des einzigen unendlichen Wesens gewiß: Das denkende Subjekt könnte nicht existieren, wenn das unendliche Wesen nicht existierte. Die Identifikation von ratio cognoscendi und ratio essendi tritt in dieser Argumentation besonders deutlich zutage.

b. Das hier für die Erkenntnis des denkenden Subjekts bzw. für die intellektuelle Natur Festgestellte gilt für die Erkenntnis endlicher Dinge im allgemeinen, d. h. auch die Erkenntnis vom Subjekt gedachter endlicher Objekte, abgesehen von der Frage, ob sie denkunabhängig real sind oder nicht, bedarf der Idee des Unendlichen als Bedingung ihrer Möglichkeit. Wiederum wird vorausgesetzt, daß „endlich" eine Privation anzeigt, wogegen „unendlich", unbeschadet der sprachlichen Form, nicht durch Negation von „endlich" gebildet sein, sondern eine selbständige positive Idee ausdrücken soll. Etwas Wirkliches („un être") ohne inhaltliche Bestimmungen denken, heißt daher nach Descartes, die unendliche Wirklichkeit denken, gemäß der berühmten, hier in etwas freierer Übersetzung wiedergegebenen Äußerung:

> „Indem ich das Sein, d. h. das, was ist, begreife, ohne daran zu denken, ob es endlich oder unendlich ist, begreife ich das unendliche Sein; um aber ein endliches Sein begreifen zu können, muß ich jenen allgemeinen Begriff des Seins einschränken, der folglich der primäre ist." [52]

Descartes identifizierte im Anschluß an die Tradition der christlichen Philosophie die Idee des Unendlichen mit der Idee eines persönlichen Gottes, eines unendlichen bzw. unendlich vollkommenen Individuums, dessen Unendlichkeit nicht im Sinne des Indefiniten, sondern des Infiniten, also als positive Unendlichkeit verstanden werden soll. Obwohl er gelegentlich Formulierungen gebrauchte, die Kants Ideal der reinen Vernunft zu antizipieren scheinen — so z. B. wenn er von der Gottesidee feststellt: „alles, was ich als real, wahr und eine gewisse Vollkommenheit einschließend in klarer und deutlicher Weise erfasse", sei in ihr enthalten (Med. III; AT VII, 46.16—18) —, lehnte er doch die Auffassung ausdrücklich ab, der Inbegriff aller Vollkommenheit könne anders als in einem persönlichen Wesen realisiert sein.

[51] Med. III; AT VII, 45.30—46.4: „Qua enim ratione intelligerem me dubitare, me cupere, hoc est, aliquid me deesse, et me non esse omnino perfectum, si nulla idea entis perfectioris in me esset, ex cujus comparatione defectus meos agnoscerem?"

[52] An Clerselier, 23. 4. 1649; AT V, 356.9—14: „de cela seul que je conçois l'être, ou ce qui est, sans penser s'il est fini ou infini, c 'est l'être infini que je conçois; mais afin que je puisse concevoir un être fini il faut que je retranche quelque chose de cette notion générale de l'être laquelle par conséquence doit précéder."

Im folgenden soll argumentiert werden, daß die Vorstellung eines persönlichen Gottes und die auf sie bezogenen Daseinsbeweise (insb. in Med. III und Med. V) für die Erreichnung des Ziels der Ersten Philosophie nicht wesentlich sind und daß es genügt, die Idee der Wirklichkeit im allgemeinen („l'être ou ce qui est") zu berücksichtigen, um den durch den Zweifel in Med. I erzeugten methodischen Solipsismus zu überwinden. Infolgedessen werden die Cartesianischen Gottesbeweise, die ohnedies hinreichend bekannt sind, hier weder referiert noch kritisiert. Ihre Vernachlässigung läßt sich um so leichter rechtfertigen, als sie auf Grund ihrer Form als Fremdkörper in der analytischen Ersten Philosophie zu erkennen sind: Da es sich bei ihnen um syllogistische Beweise handelt, ist klar, daß ihre Resultate nicht auf der Anwendung der resolutiv-kompositiven Methode beruhen. Nur diese ist aber nach Descartes der Ersten Philosophie angemessen.

2. Idee des Seins und objektive Gültigkeit des Erkennens

Innerhalb der revidierten Ersten Philosophie muß von einer Reihe von Bestimmungen abgesehen werden, die Descartes in die Definition Gottes aufgenommen hat:

a. Die Bestimmung der unendlichen Vollkommenheit, derzufolge Gott als Wesen zu denken ist, dem alle möglichen positiven Eigenschaften zukommen, ist mindestens entbehrlich, wenn nicht widerspruchsvoll. Man wird sich daher mit der Idee der Wirklichkeit überhaupt zu begnügen haben, ohne mit Descartes anzunehmen, daß die ohne nähere Bestimmung gedachte Wirklichkeit mit dem unendlichen Wesen oder Gott identisch ist.

b. Entbehrlich ist ferner die Bestimmung der Substantialität Gottes, zumal Descartes' Argumentation, derzufolge Gott als unendliche denkende Substanz gedacht werden soll, fragwürdig ist. Er nahm nämlich an, daß die Idee der Substanz nur gebildet werden könne, weil das denkende Subjekt eine Substanz sei (Med. III; AT VII, 45.19—20), und daß „Substanz" ohne Determination immer schon „unendliche Substanz" bedeute (Princ. I, 51). In diesem Sinn kann seiner Ansicht nach die Idee des Unendlichen als dem Ich eingeboren (Med. III; AT VII, 51.12—14) und daher als vom Ich nicht realiter verschieden angesehen werden (51.15—19). Da Descartes die Annahme der Substantialität des Ichs lediglich auf das fragwürdige, von ihm jedoch nicht in Frage gestellte Substanz-Modus-Schema stützte, muß die Argumentation zugunsten der Substantialität des Unendlichen, als auf jener Annahme beruhend, erst recht als fragwürdig gelten.

c. Abzusehen ist schließlich von den anthropomorphen Bestimmungen des Bewußtseins und der Wahlfreiheit. Die erstere legt Descartes dem unendlich vollkommenen Wesen bei, weil er dessen Idee durch Negation der einschränkenden Determinationen der endlichen intellektuellen Natur bilden zu können meinte; die letztere ist bereits im Menschen „unendlich", d. h. die menschliche Freiheit des

Zustimmens und Ablehnens ist keinen einschränkenden Bedingungen unterworfen. Hinter dem Analogieschluß von menschlichen auf göttliche Attribute steht ausdrücklich die Vorstellung, daß der Mensch ein Abbild Gottes sei und mithin zwischen seinem und dem Wesen Gottes ein Verhältnis der Analogie bestehe. Gemäß der thomistischen Lehre von der analogia entis kann aber keine Eigenschaft endlicher Wesen direkt auf das Unendliche übertragen werden, nicht einmal die der „unendlichen" Freiheit, da sie sich unter dem Gesichtspunkt der Determination des Wollens durch Erkenntnis und Macht in Gott als wesentlich größer erweist als in endlichen freien Wesen (Med. IV; AT VII, 57. 15—18).

Die Cartesianischen Gottesbeweise haben die Funktion, mindestens von einer Idee (die nicht die Idee des denkenden Subjekts ist) zu zeigen, daß sie etwas Wirkliches repräsentiert. Als diese Idee wählte Descartes die Idee eines unendlich vollkommenen Wesens, d. h. eines Wesens, das alle „Vollkommenheiten" besitzt. „Vollkommenheit" bezeichnet hier selbstverständlich nicht eine moralische Qualität, sondern eine positive Eigenschaft oder „Realität" (im Gegensatz zu Negationen und Privationen). Deshalb kann kein Seiendes schlechthin unvollkommen sein, sondern es ist, wie nach Descartes auch der Mensch (Med. IV; AT VII, 54.17), ein Mittleres zwischen Gott und Nichts, d. h. ein Mittleres zwischen absoluter „Vollkommenheit" und absoluter „Unvollkommenheit" [53].

Der intendierte Beweiszweck kann aber unter Descartes' eigenen Voraussetzungen unabhängig von der Bestimmung der unendlichen Vollkommenheit erreicht werden, wenn man nur von der Anerkennung der objektiven Realität im Cartesianischen Sinne und unter Einschluß der dem Begriff der objektiven Realität zugrunde liegenden erkenntnismetaphysischen Annahmen ausgeht.

„Objektive Realität" ist dasjenige, was in jeder Erfahrung unmittelbar präsent ist; auf sie ist das denkende Subjekt in der Fundamentalrelation gerichtet, die im Satz „Ich denke (etwas), also bin ich" gemeint ist; infolgedessen ist sie ebenso wie „Ich denke" ein Moment der Erfahrung und dieser durch Resolution zu entnehmen. Nun hat aber, wie oben gezeigt, Descartes den Begriff der objektiven Realität im methodischen Zweifel dadurch gewonnen, daß er die Annahme der direkten Erkennbarkeit von Dingen an sich zurückwies und durch die Annahme ersetzte, daß nur Vorstellungsinhalte unmittelbar dem Subjekt präsent seien. Durch den Zweifel wird somit der Repräsentationsbezug zwischen Ideen (im Sinne der objektiven Realität) und den denkunabhängigen Dingen eingeklammert, d. h. das Urteil über das Vorliegen oder Nicht-Vorliegen des Repräsentationsbezugs suspendiert. Das gilt lediglich für den faktischen, nicht aber für den möglichen Repräsentationsbezug, der vielmehr im Begriff der objektiven Realität stets mitgedacht ist.

[53] Deshalb kann man nicht, wie es R. Haller, *Das Cartesische Dilemma*; in: Ztschr. f. phil. Forschung 18 (1964), p. 382, zumZweck der Konstruktion eines umgekehrten ontologischen Arguments tut, unter dem genius malignus summe potens et callidus „ein höchst unvollkommenes Wesen" verstehen, es sei denn, man faßt „unvollkommen" im moralischen Sinne, und das heißt: abweichend von der Cartesianischen Bedeutung des Ausdrucks, auf.

Das kommt besonders deutlich in folgendem „Axiom" zum Ausdruck: „In der Idee oder dem Begriff eines jeden Dinges ist das Dasein enthalten, weil wir nichts anders als unter der Form eines existierenden Dings begreifen können." (II. Resp., App., Axiom 10; AT VII, 166.14—16) Mit anderen Worten: Es gibt keine Idee, die nicht etwas zu repräsentieren scheint [54]. Im einzelnen Fall kann immer bezweifelt werden, daß eine bestimmte Idee etwas denkunabhängig Reales repräsentiert, d. h. daß diese Idee „wahr" ist [55]. Die objektive Realität im allgemeinen kann jedoch nicht ohne den Bezug zur denkunabhängigen Wirklichkeit im allgemeinen gedacht werden, d. h. da es Vorstellungsinhalte („Erscheinungen", „res quales apparent") gibt, muß es auch etwas denkunabhängig Reales überhaupt geben. Diese Argumentation entspricht offensichtlich dem Gedankengang des sogenannten ontotologischen Gottesbeweises, mit dem Unterschied, daß in diesem von der Idee eines Einzelwesens gezeigt werden soll, daß sie die Beziehung auf den repräsentierten Gegenstand impliziert, während hier vom Inbegriff der objektiven Realität und von Wirklichkeit überhaupt die Rede ist. Der in der vorliegenden Untersuchung vertretenen Auffassung gemäß würde daher dem Gottesbeweis der Med. V der Vorrang vor den kausalen Gottesbeweisen der Med. III zuzuerkennen sein, und tatsächlich hat Descartes nicht nur in den *Prinzipien der Philosophie,* sondern auch im Appendix zu II. Resp. den ontologischen Gottesbeweis an die erste Stelle gesetzt und die aposteriorischen Beweise des Daseins Gottes nur als zusätzliche Argumente mit Rücksicht auf Leser, die den apriorischen Beweis nicht einzusehen vermögen, angeführt (AT VII, 167.4—9).

Sieht man von der Einkleidung des Gedankengangs in die Form von Beweisen des Daseins eines unendlich vollkommenen, persönlichen Wesens ab, so tritt als seine Aufgabe innerhalb der Ersten Philosophie die explizite Formulierung der in der Erfahrung enthaltenen Realitätsbeziehung hervor. Diese Beziehung durch Resolution der Erfahrung zunächst zu isolieren, um sie sodann mit dem Begriff des denkenden Ichs zu verbinden, ist die eigentliche Funktion der Cartesianischen „Gottes"-beweise, wie sie Descartes schon in den *Regulae* angedeutet hatte, als er zwischen „Sum" und „Deus est" eine notwendige Verknüpfung annahm (Reg. XII; AT X, 421.29).

Descartes glaubte, den Nachweis der Unhaltbarkeit des Solipsismus erbracht zu haben, wenn er zeigte, daß die Idee des absolut vollkommenen Wesens im höchsten Grade wahr sei (Med. III; AT VII, 46.11—12), d. h. daß es undenkbar sei, daß sie nichts Reales repräsentiere (46.13—14). Sowohl die Gottesbeweise in Med. III, die vom Vorhandensein der Gottesidee im Bewußtsein ausgehen, als auch der sogenannte ontologische Gottesbeweis in Med. V sollen zur Anerkennung mindestens einer „wahren", d. h. einer etwas Reales repräsentierenden Idee führen. Hierbei wird, wie stets in den *Meditationen,* ja in der Cartesianischen Philosophie in allen

[54] Med. III; AT VI, 44.4: „nullae ideae nisi tanquam rerum esse possunt."

[55] Die materiale Falschheit besteht darin, ein Nicht-Ding wie ein Ding zu repräsentieren: Med. II; AT VII, 43.26—30.

ihren Entwicklungsstadien, die Repräsentationstheorie der Erkenntnis vorausgesetzt. Der Begriff der objektiven Realität spielt demgemäß in den Gottesbeweisen eine entscheidende Rolle. Dieser Begriff enthält aber weitreichende erkenntnismetaphysische Voraussetzungen, wie z. B. aus der Definition hervorgeht: „Unter der objektiven Realität einer Idee verstehe ich das Wesen (entitas, l'entité ou l'être) des durch die Idee repräsentierten Dings, sofern dieses in der Idee ist." (II. Resp.; AT VII, 161.4—6) Und nach der französischen Übersetzung der *Meditationen* bedeutet „objektiv in der Idee sein" dasselbe wie „durch Repräsentation in der Idee sein" (II. Resp.; AT IX A, 124.30—31). Das heißt: In dem Begriff der „Erscheinung" oder der „objektiven Realität", mit dem Descartes auch bei seinem Versuch, die denkunabhängige Wirklichkeit aufzuweisen, operiert, ist der Bezug auf eine vom Subjekt verschiedene Realität immer schon mitgedacht; er kann daher auch ausgehend von diesem Begriff explizit gemacht werden.

Eine konsequente Epoché müßte allerdings einen Schritt weiter vorangetrieben werden und zur Elimination auch der möglichen Realitätsbeziehung aus dem Begriff der Erscheinung führen.

XIX. Wahrheit und Wahrheitskriterium

1. Terminologische Bemerkungen

Um die Cartesianische Wahrheitslehre, in der nicht Prinzipien wissenschaftlicher Erkenntnis, sondern deren objektive Gültigkeit begründet werden sollen, verstehen zu können, ist es nötig, gewisse terminologische Unterscheidungen einzuführen, die zum Teil nur in Ansätzen in Descartes' Denken nachweisbar sind.

a. Zunächst muß der Unterschied von Urteilswahrheit und Wahrheit der Ideen berücksichtigt werden, von dem oben schon die Rede war.

b. Sodann muß zwischen Wahrheit im psychologischen und Wahrheit im Sinne der Übereinstimmung sei es von Ideen, sei es von Urteilen mit den vorgestellten bzw. beurteilten Objekten unterschieden werden.

c. Schließlich wird später der Erkenntniswahrheit im weitesten Wortsinn (der Ideen- und Urteilswahrheit umfaßt) die Seinswahrheit gegenüberzustellen sein.

Zunächst ist das Verhältnis von psychologischem und metaphysischem (d. h. die Adäquation von Erkennen und Sein betreffendem) Wahrheitsbegriff zu erläutern. Dem ersteren zufolge heißen Urteile „wahr", wenn es unmöglich ist, sie nicht zu fällen. In diesem Sinne erklärte Descartes:

> „sobald wir meinen, etwas klar zu erfassen, so überreden wir uns ganz von selbst, daß dies wahr ist. Ist diese Überzeugung nun so fest, daß wir niemals einen Grund haben können, an dem zu zweifeln, wozu wir uns so überredet haben, so ist darüber hinaus nichts zu suchen; wir haben dann alles, was man vernünftigerweise wünschen kann." (II. Resp.; AT VII, 144.26—31)

In dieselbe Richtung weist die Versicherung, selbst die Wahrheit des Satzes „Ich zweifle an allem in der Welt, also existiere ich" beruhe auf der Tatsache, daß es nicht möglich ist, ihn nicht zu bejahen: „Nicht als ob ich von irgendeiner äußeren Macht dazu wäre gezwungen worden, sondern weil aus der großen Klarheit, die meinem Verstande aufleuchtete, eine große Neigung in meinem Willen folgte." (Med. IV; AT VII, 58.30—59.3)

Den metaphysischen Wahrheitsbegriff hat Descartes nicht ausdrücklich bestimmt, möglicherweise weil er das bei ihm als einem eingeborenen Begriff für überflüssig hielt (cf. Med. III; AT VII, 38.1—4); sicher aber rechnete er ihn zu jenen Begriffen, die durch Definitionsversuche nur dunkler gemacht werden [56]. Er setzte den metaphysischen Wahrheitsbegriff jedoch auf Schritt und Tritt voraus. Ihm gegenüber ist der psychologische Wahrheitsbegriff sekundär, da er nur einen Aspekt der Wahrheit im vollen Sinne darstellt, die als auf Einsicht in den erkannten Sachverhalt beruhende Übereinstimmung von Denken und Wirklichkeit aufzufassen ist. Die subjektive Evidenz, mit deren Hilfe der psychologische Wahrheitsbegriff definiert ist, gilt hierbei lediglich als Indiz für das Vorliegen metaphysischer Wahrheit. Wenn Descartes gelegentlich aus didaktischen Gründen den metaphysischen Wahrheitsbegriff nicht berücksichtigen will, zieht er sich auf den Begriff der Wahrheit im psychologischen Sinne zurück; doch ist diese Beschränkung auf den subjektiven Aspekt der Wahrheit stets nur provisorisch (Cf. hierzu Med. V; AT VII, 65.5—9: „Ich habe bereits ausführlich bewiesen, daß alles das wahr ist, was ich klar erkenne, und hätte ich dies auch nicht bewiesen, so ist es doch sicherlich die Natur meines Geistes, daß ich nicht umhin könnte, ihm zuzustimmen, so lange wenigstens, als ich es klar erfasse.")

Die Auffassung der Wahrheit im Sinne der Adäquationstheorie tritt in aller Deutlichkeit in der Formulierung des Prinzips der Korrespondenz von Idee und Ideat (auf das zurückzukommen sein wird) zutage:

> „Wenn wir sagen, etwas sei in der Natur oder dem Begriff einer Sache enthalten, so ist das dasselbe, wie wenn wir sagten, dies sei von der Sache wahr, oder, dies könne von ihr behauptet werden." (II. Resp.; AT VII, 162.8—10)

Dem Verhältnis von psychologischem und metaphysischem Wahrheitsbegriff entspricht das Verhältnis von subjektiver und objektiver Evidenz. Der moderne Leser neigt dazu, „Evidenz" immer als psychischen Erlebnischarakter aufzufassen; er übersieht dabei, daß bei Descartes „Evidenz" noch primär als Eigenschaft des eingesehenen Sachverhalts verstanden wird, nämlich als dessen Einsichtigkeit.

Subjektive Evidenz liegt vor, wenn eine Proposition (nach den *Regulae*) oder eine Idee klar und deutlich perzipiert wird. Die Ausdrücke „klar" und „deutlich" bzw. „distinkt" definierte Descartes weder in den *Regulae,* noch in den *Meditationen.* In dem letzteren Werk erklärte er, die Unterscheidung zwischen klaren und deutlichen Perzeptionen und dunklen und verworrenen Verstellungen lasse sich leichter anhand von Beispielen als von allgemeinen Kriterien vornehmen (II.

[56] Cf. Princ. I, 10 sowie an Mersenne, 16. 10. 1639; AT II, 597.2—3.

Resp.; AT VII, 164.5—11). Das erklärt hinreichend seinen Verzicht auf ihre explizite Definition. In den *Prinzipien der Philosophie* entschloß er sich trotzdem dazu, die genannten Ausdrücke zu definieren. Nach Princ. I, 45 soll eine Erkenntnis „klar" heißen, die einem aufmerksamen Geist gegenwärtig und offenbar ist; „deutlich" eine solche, die so präzis und von allen anderen unterschieden ist, daß sie nur manifeste Bestimmungen enthält. Hier sind Klarheit und Deutlichkeit ausschließlich als Bestimmungen von Ideen aufgefaßt; sind diese Bestimmungen vorhanden, liegt eine evidente Perzeption dieser Ideen vor (vorausgesetzt — worauf hier nicht eingegangen wird — es sind auch gewisse psychische Bedingungen erfüllt, wie hinreichende Aufmerksamkeit und Freiheit des Geistes von verworrenen Phantasmen).

2. Metaphysische Verankerung des Wahrheitskriteriums

Auf dem Standpunkt der *Regulae* begnügte sich Descartes mit der Feststellung, daß mit der Evidenz auch die Gewißheit einer Perzeption gegeben sei. Sobald er die Wahrheitslehre in den systematischen Zusammenhang der Ersten Philosophie einzubeziehen begann, sah er sich jedoch genötigt, sie mit den Grundlagen der Erfahrungstheorie in Verbindung zu bringen. Das geschah in recht oberflächlicher Weise, indem er in bezug auf den Satz „Ich denke, also bin ich" argumentierte, seine Wahrheit beruhe auf seiner Klarheit und Deutlichkeit, weshalb angenommen werden dürfe, daß alle anderen klaren und deutlichen Sätze ebenfalls unbezweifelbar wahr seien.

Diese Verallgemeinerung widerspricht zwar nicht der Methode der *Regulae*, die die Formulierung allgemeiner Sätze auf Grund der Einsicht in die „Natur" partikulärer Dinge zuläßt, wenn nur durch vollständige Enumeration der Gesamtbereich der untersuchten Gegenstände in Klassen eingeteilt und partikuläre Fälle als für eine Klasse typisch erkannt wurden. Da der methodische Zweifel ein Mittel der klassifizierenden Enumeration ist und sich mit seiner Hilfe alle Sätze in zweifelhafte und einen einzigen unbezweifelbaren Satz einteilen lassen, kann im Hinblick auf die Bedingungen, unter denen dieser zunächst einzige Satz von unerschütterlicher Wahrheit als wahr gilt, ein Kriterium aufgestellt werden, das auf alle abgeleiteten wahren Sätze anwendbar ist.

Dennoch ist dieses in Disc. IV (AT VI, 33.12—22) und Med. III (AT VII, 35.8—15) angewandte Verfahren unbefriedigend und wurde offenbar auch von Descartes so empfunden, da es z. B. nicht möglich ist, den Ausdrücken „klar" und „deutlich" im Zusammenhang mit „ich bin" einen präzisen Sinn zu geben. Deshalb ergänzte Descartes das Kriterium der Klarheit und Deutlichkeit durch das Kriterium der göttlichen Wahrhaftigkeit, sobald der Aufbau der Ersten Philosophie das zuließ.

Der Philosoph ging hierbei von der Voraussetzung aus, daß in der Gottesidee mehr objektive Realität als in jeder anderen Idee enthalten sei. Als Idee eines unendlichen Wesens enthält sie nämlich keine einschränkenden Bestimmungen, sondern ist in jeder Hinsicht real und positiv (cf. Med. IV; AT VII, 54.14). Als solche muß sie aber klar und deutlich sein: „denn alles, was ich als real, wahr und eine gewisse Vollkommenheit einschließend in klarer und deutlicher Weise erfasse, das ist ganz in ihr enthalten." (Med. III; AT VII, 46.16—18) Die Positivität der Gottesidee hängt also mit ihrer Klarheit und Deutlichkeit zusammen; beide Bestimmungen gemeinsam charakterisieren diese Idee als „wahr", d. h. als eine Idee, die etwas Reales repräsentiert (46.13—14).

Hier führt Descartes stillschweigend einen neuen Wahrheitsbegriff ein, nämlich den der Seinswahrheit: Die Idee Gottes soll die *an sich wahrste* Idee sein, weil sie ein Maximum an objektiver Realität enthält:

> „Denn da sie ... im höchsten Grade klar und deutlich ist und mehr objektive Realität als irgendeine andere enthält, so gibt es keine, die an sich wahrer, keine, die in geringerem Grade der Falschheit verdächtig wäre." (46.8—11)

„Wahrheit" wird hier offensichtlich im Sinne der ontologischen oder Seinswahrheit verstanden gemäß dem Grundsatz „omne ens est verum". Je realer daher ein Seiendes ist, desto wahrer ist es auch im Sinne dieses Wahrheitsbegriffs. Das gilt nicht nur für die „objektive Realität", sondern auch für die „formale Realität", deren (ontologische) Wahrheit nach Descartes' ausdrücklicher Erklärung ebenso im Sein, wie ihre (ontologische) Falschheit im Nicht-Sein besteht [57]. „Wahrheit" ist hier offenbar im Sinne der transzendentalen Wahrheit der scholastischen Philosophie zu verstehen, d. h. sie ist ein die Kategorien an Allgemeinheit überragender Begriff. „Wahrheit" kann gemäß Descartes' Begriff der Abstraktion wie „Ordnung" oder „Zahl" nur klar und distinkt gedacht werden, wenn sie als Modus eines wahren Dings verstanden wird. So wie Ordnung und Zahl von den geordneten und gezählten Dingen nicht real verschieden sind (Princ. I, 55), so ist „Wahrheit" von der „wahren" Sache nicht real distinkt (wobei „wahre Sache" die Substanz bedeutet). Dasselbe gilt vom Verhältnis von Vollkommenheit und vollkommenem Ding (AT V, 355.18—19).

Die Gleichung „Realität = Wahrheit" gilt nicht nur für die formale, sondern auch für die objektive Realität. Wenn daher, was für Descartes feststeht, die Idee des unendlichen Seins gebildet werden kann, dann ist sie der Inbegriff aller positiven Attribute, d. h. sie „enthält" unendlich viel objektive Realität, bzw. sie enthält alles, was es an „Wahrem" in der Wirklichkeit gibt [58]. In diesem Sinne nennt er die Gottesidee auch die wahrste aller Ideen: Die Idee des (ontologisch) wahrsten Wesens ist die „wahrste Idee". Der entscheidende Schritt der Argumentation besteht in der Vermengung dieser Bedeutung von „wahr" mit der andersartigen Bedeutung im Sinne der Ideenwahrheit, derzufolge eine Idee „wahr" heißt, wenn

[57] Cf. an Clerselier, 23. 4. 49; AT V, 356.15—16: „La vérité consiste en *l'être,* et la fausseté au *non-être* seulement."

[58] AT V, 356.17—19: „l'idée de l'infini, comprenant tout l'être, comprend tout ce qu'il y a de vrai dans les choses, et ne peut avoir en soi rien de faux."

sie einen Sachverhalt korrekt repräsentiert. Die zu Beginn dieses Abschnitts angedeutete Unterscheidung von Erkenntnis- und Seinswahrheit spielt in diesem Zusammenhang (und nur hier) eine entscheidende Rolle: Descartes unterscheidet diese beiden Arten der Wahrheit, um sie aufeinander zu beziehen: Mindestens im Fall einer Idee (d. i. der Idee des unendlichen Seins) fallen seiner Ansicht nach Wahrheit des erkannten Dings und Wahrheit der dieses Ding repräsentierenden Idee zusammen.

3. Das Prinzip der göttlichen Wahrhaftigkeit

Begriffe, die so klar sind, daß es undenkbar ist, daß sie durch noch klarere korrigiert werden könnten (II. Resp.; AT VII, 143.26—144.2), sind nach Descartes niemals falsch. Gäbe es nämlich unkorrigierbare Irrtümer, d. h. Irrtümer in bezug auf völlig klar und distinkt begriffene Sachverhalte, so würde die Annahme hinfällig, daß der Intellekt prinzipiell zur Unterscheidung von wahr und falsch fähig ist (144.9—10) [59]. Am Vorhandensein dieser Fähigkeit ist aber nicht zu zweifeln, da sie zu den Bedingungen der Möglichkeit des Zweifels gehört (cf. Reg. XII; AT X, 421.19—23). Die Annahme, daß es höchst klare und mithin unkorrigierbare, trotzdem jedoch falsche Perzeptionen geben könne, wäre mit dem Wesen der Vernunft bzw. der „natura intellectualis" unvereinbar; sie muß daher zurückgewiesen werden. Descartes hat diese Konsequenz bekanntlich in die Metapher der göttlichen Wahrhaftigkeit (veracitas divina) gekleidet (cf. Med. IV; AT VII, 62.18—19) [60]. Am deutlichsten kommt der dieser Metapher zugrunde liegende Gedanke in folgender Äußerung zum Ausdruck, die daher ausführlich wiedergegeben werden soll:

„... da Gott das höchste Sein ist, so ist er notwendig auch das höchste Gute und Wahre, und es widerstreitet daher, daß etwas von ihm stammt, das positiv zur Falschheit führte. Da aber nichts Reales in uns sein kann, was uns nicht von ihm gegeben wäre (wie zugleich mit seinem Dasein bewiesen worden), wir aber eine reale Fähigkeit haben, das Wahre zu erkennen und es vom Falschen zu unterscheiden (wie schon daraus folgt, daß uns die Ideen des Falschen und Wahren innewohnen), so würde, wenn nicht diese Fähigkeit zur Wahrheit führte, wenigstens wenn wir sie recht gebrauchen (d. h. wenn wir nur dem zustimmen, was wir klar und deutlich erfassen), da man sich ja keinen anderen richtigen Gebrauch dieser Fähigkeit ausdenken kann, mit Grund Gott, der sie uns gegeben hat, für einen Betrüger gehalten werden." (II. Resp.; AT VII, 144.3—15)

Dieser Gedankengang beruht auf der Voraussetzung, daß die Vernunft (raison, intellectus, mens, bon sens, vis cognoscens) den Unterschied von „wahr" und „falsch" erfaßt bzw. daß die Ideen der Wahrheit und Falschheit eingeboren sind. Diese Fähigkeit vorausgesetzt, läßt sich annehmen, daß ein Urteil, in dem der Re-

[59] Cf. Disc. I; AT VI, 2.5—6.

[60] Descartes deutete die Möglichkeit, die Gott beigelegten Attribute metaphorisch zu deuten, selbst an: II. Resp.; AT VII, 142.14—143.5.

präsentationscharakter einer Idee (ihre „Wahrheit") behauptet wird, nicht falsch sein kann, wenn die Bedingungen, unter denen es gefällt wird, eine Korrektur dieses Urteils undenkbar erscheinen lassen. Versucht man sich nämlich vorzustellen, daß unkorrigierbare Urteile der genannten Art falsch sein könnten, dann ließe sich wegen ihrer Unkorrigierbarkeit in keiner Weise erkennen, daß sie falsch sind, d. h. es läge ein Widerspruch zur ursprünglichen Annahme vor, daß wir prinzipiell zur Unterscheidung falscher von wahren Urteilen fähig sind.

4. Klarheit der Einsicht und Einfachheit des Eingesehenen

„Klarheit" ist bei Descartes ursprünglich ein Merkmal einsichtiger Sachverhalte und nur sekundär ein Merkmal von Vorstellungen. Zwar betrachtete der Philosoph die Klarheit von Ideen als Motiv der Bejahung oder Verneinung in den auf sie bezüglichen Urteilen, so wenn er feststellte, der Satz „Ich denke, also bin ich" sei wahr, „weil aus der großen Klarheit, die meinem Verstande aufleuchtete, eine große Neigung in meinem Willen folgte" (Med. IV; AT VII, 59.1—3); ja diese Neigung muß als unwiderstehlich gelten, denn die Zustimmung zu klar eingesehenen Perzeptionen erfolgt nicht frei, sondern „nolentes, volentes" (III. Resp.; AT VII, 192.24—25). Aber die faktische Unmöglichkeit, anders als in einer bestimmten Weise zu urteilen, ist nicht das entscheidende Wahrheitskriterium. Dieses Kriterium ist vielmehr ontologisch: es besteht in der Einfachheit und Durchsichtigkeit der perzipierten Inhalte.

In den *Regulae* hatte Descartes die Unbezweifelbarkeit der intuitiven Erkenntnis auf die Einfachheit des eingesehenen Sachverhalts zurückgeführt: Einfache Naturen können infolge ihrer Einfachheit nur entweder vollständig oder gar nicht eingesehen werden [61]. Subjektive Evidenz, Gewißheit, Leichtigkeit, Deutlichkeit des Begreifens [62] gelten unter diesem Gesichtspunkt nur als Indizien der Einfachheit des erkannten Sachverhalts, der vom reinen und aufmerksamen Geist allein vermöge des Lichts der Vernunft erfaßt werden soll. Subjektive Evidenz ist eine Folge der Evidenz im objektiven Sinne (der „Durchsichtigkeit" von Sachverhalten), d. h. eine Erkenntnis ist evident im subjektiven Sinne, wenn der Erkenntnisgegenstand durchsichtig (perspicuus) ist. Allerdings kann nicht verschwiegen werden, daß Descartes den Ausdruck „Einsichtigkeit" (perspicuitas) gelegentlich auch auf Erkenntnisse bezog (III. Resp.; AT VII, 192.20). Das hängt offenbar damit zusammen, daß er die Einsichtigkeit der Wesenheiten mit der Einsichtigkeit der

[61] Cf. H. Heimsoeth 1912, pp. 47—53. Daß die einfachen und universalen Naturen in der „einfachen Schau" der Vernunft *erstehen,* wie Heimsoeth, p. 53, meint, muß allerdings bezweifelt werden (cf. p. 94, wo sie als die „unmittelbaren Erzeugnisse des ‚bloßen Intellekts' " bezeichnet werden).

[62] All diese Ausdrücke verwendet Descartes zur Kennzeichnung des intuitiven Wissens Reg. III; AT X, 368.15—16: „facilis distinctusque conceptus"; 369.11: „evidentia et certitudo".

sie repräsentierenden Ideen derart verband, daß sie einander wechselweise vertreten können. Dasselbe gilt in bezug auf die Einfachheit: Descartes machte die Einsichtigkeit gewisser Sachverhalte von der Einfachheit der sie repräsentierenden Ideen abhängig [63].

Klarheit und Deutlichkeit werden nicht von Vorstellungs*akten*, sondern von Vorstellungs*inhalten* ausgesagt. Die Cartesianische Erkenntnistheorie beruht ja überhaupt nicht auf der Annahme von Bewußtseinsakten im Sinne der Aktpsychologie, weshalb auch der Ausdruck „modi cogitandi" nicht in diesem Sinne verstanden werden darf. Wenn Descartes gelegentlich auf die Terminologie eines Diskussionspartners (Caterus) eingeht — übrigens ohne sie zu akzeptieren —, derzufolge „objektiv im Intellekt sein" bedeutet „den Akt des Intellekts nach der Weise des Objekts begrenzen" (I. Resp.; AT VII, 102.6—8), so hatte er, wie sein Opponent, keinesfalls einen Akt im Sinne der Aktpsychologie vor Augen. Die Ideen als „Bilder" sind seiner Ansicht nach vielmehr Modi der denkenden Substanz, so wie z. B. bestimmte Figuren Modi der ausgedehnten Substanz sind.

Die Klarheit einer Idee beruht auf der Gegenwärtigkeit und Offenbarkeit ihres Inhalts für einen aufmerksamen Geist. Gegenwärtig und offenbar (Princ. I, 45: praesens et aperta) sind aber die Elemente einer Idee, wenn sie einfach sind. Begriffe heißen daher klar, wenn sie entweder einfach sind oder aus einfachen Merkmalen bestehen, die durch einfache Beziehungen untereinander verknüpft sind [64].

Leider lassen Descartes' Äußerungen nicht eindeutig erkennen, was als einfach zu gelten hat. So erklärte er einerseits, es gebe nur wenige einfache Naturen (Reg. VI; AT X, 383. 11—12) [65], und Reg. XII enthält eine Liste dieser Naturen, die offensichtlich als wenigstens annähernd vollständig aufzufassen ist. Andererseits aber betonte er, daß es einfache Naturen in wesentlich größerer Zahl gibt, als gewöhnlich angenommen werde, also wohl in sehr großer Zahl.

Darüber hinaus fällt auf, daß Descartes gewisse Naturen (wie die des Körpers) in den *Regulae* als in bezug auf den Intellekt einfach bezeichnete, wogegen er sie in den *Meditationen* als „Komplex vieler Attribute" (II. Resp.; AT VII, 163.8—9) aufgefaßt wissen wollte. So soll in der „Natur" des ausgedehnten Dings das

[63] II. Resp.; AT VII, 145.22—24: „Ex his autem quaedam sunt tam perspicua, simulque tam simplicia, ut nunquam possimus de iis cogitare, quin vera esse credamus." Urteile werden nur an einer Stelle „klar und exakt" genannt, wobei es sich offenbar um eine abkürzende Ausdrucksweise für „Urteile, die auf klare und deutliche Ideen bezogen sind", handelt, da das Urteilen in den *Meditationen* bekanntlich als eine Funktion des Willens aufgefaßt ist, mithin die genannten Merkmale nicht besitzen kann. — Daß unzusammengesetzte Begriffe irrtumsfrei erfaßt werden, lehrte schon Aristoteles. Cf. De an. III 6, 430 a 26—28.

[64] Diese Erklärung gilt nicht für Empfindungen, die Descartes als klar bezeichnet, wenn sie aktual und mit hinreichender Intensität erlebt werden; sie sind allerdings niemals distinkt: cf. Princ. I, 46.

[65] Cf. an Elisabeth, 25. 5. 1643; AT III, 665.9—13: „ . . . je considère qu'il y a en nous certaines notions primitives, qui sont comme des originaux, sur le patron desquels nous formons toutes nos autres connaissances. Et il n'y a que fort peu de telles notions . . ."

Attribut der Teilbarkeit enthalten sein (163.16—17), weshalb der Satz „Jeder Körper ist teilbar" notwendig wahr ist (Die Vorwegnahme der Kantischen Auffassung der analytischen Urteile ist deutlich). In den *Regulae* hatte Descartes dagegen die Idee des ausgedehnten Dings für irreduzibel erklärt. „Teilbares Ding" ist daher nicht einfacher als „ausgedehntes Ding". Die Auflösbarkeit einer Natur in mehrere Termini durch Abstraktion macht diese Natur nicht zu einer komplexen, da — wie oben erwähnt — Abstraktionsbegriffe nach Descartes weniger klar als die Ideen „wahrer Naturen" sind. „Einfach" heißen deshalb nur jene Dinge, deren Erkenntnis so klar und distinkt ist, daß sie nicht in klarere und distinktere Erkenntnisse aufgelöst werden kann [66]. Während ursprünglich Klarheit und Deutlichkeit von Ideen als Folgen der Einsichtigkeit und Einfachheit der entsprechenden Sachverhalte aufgefaßt wurden, erweist es sich nun, daß nichts anderes zugunsten der Annahme angeführt werden kann, daß ein Sachverhalt einfach ist, als die höchstgradige Klarheit und Deutlichkeit, mit der er perzipiert wird.

Selbst wenn angenommen wird, daß die Bedeutung von „klar" feststeht, ist es nicht unproblematisch, klare und distinkte Begriffe als solche zu definieren, deren sämtliche Merkmale einfach sind. Leibniz hat bekanntlich (im Hinblick auf die Idee des unendlich vollkommenen Wesens) darauf aufmerksam gemacht, daß nachgewiesen werden muß, daß die Verbindung einfacher Merkmale zu einer Definition widerspruchsfrei, d. h. „möglich", ist. Descartes hat zwar die Widerspruchsfreiheit des Gottesbegriffs behauptet (II. Resp.; AT VII, 150.19—151.13), was zeigt, daß er sich des hier zutage tretenden Problems bewußt war; bewiesen hat er sie jedoch nicht, sondern er begnügte sich mit der Erklärung, die „Möglichkeit" des vorausgesetzten Gottesbegriffs sei „manifest", weil er keine Bestimmungen enthalte, von denen nicht klar und deutlich eingesehen werden könne, daß sie zur Natur Gottes gehörten. Begriffe sind seiner Ansicht nach nur dann widerspruchsvoll, wenn sie dunkel und verworren sind (152.17—20). Die „Möglichkeit" von Begriffen ergibt sich somit aus ihrer Klarheit und Deutlichkeit, so daß auch unter diesem Gesichtspunkt festzustellen ist, daß „klar" und „distinkt" Merkmale sind, die nicht auf andere reduziert werden können. Da diese Merkmale eine psychologische Komponente enthalten, muß die Cartesianische Wahrheitslehre als teilweise psychologistisch bezeichnet werden.

Auch durch den Rekurs auf das Prinzip der göttlichen Wahrhaftigkeit wird die Formulierung der Bedingungen, unter denen Urteilen die göttliche Wahrheitsgarantie zugute kommt, nicht entbehrlich. Diese Bedingungen sind aber die Klarheit und Deutlichkeit der dem jeweiligen Urteil zugrunde liegenden Ideen, wie oben im Zusammenhang mit dem Begriff der Unkorrigierbarkeit von Urteilen gesagt worden ist. Descartes behauptete nicht die Unmöglichkeit des Irrtums bei beliebigem, sondern nur *beim rechten Gebrauch* der Erkenntnisfähigkeit (Med. IV;

[66] Reg. XII; AT X, 418.14—17: „illas [res] tantum simplices vocamus, quarum cognitio tam perspicua et distincta est, ut in plures magis distincte cognitas mente dividi non possint."

AT VII, 54.2: „dum eâ recte utor"). Der rechte Gebrauch des Urteilsvermögens besteht aber darin, nur in bezug auf vollkommen klare und deutliche Ideen zu urteilen, daß ihnen ein denkunabhängiger Sachverhalt korrespondiert.

Somit erweist sich die Bestimmung „klar und deutlich" als irreduzibel und folglich streng genommen als undefinierbar. Was als klar und deutlich gelten soll, kann nur anhand von Beispielen, mithin niemals völlig eindeutig angegeben werden. Wenn die Berufung auf die göttliche Wahrheitsgarantie und die Annahme der Korrespondenz von Ideen und Sachverhalten von der Feststellung der Klarheit und Deutlichkeit abhängt, dann wird der Mangel an Eindeutigkeit unweigerlich auch diese Elemente des metaphysischen Überbaus betreffen. Es ist daher begreiflich, daß der um Eindeutigkeit bemühte Leibniz die Metaphysik von Evidenzannahmen unabhängig zu machen suchte.

5. Das Prinzip der Übereinstimmung von Idee und Ideat

Klare und deutliche Perzeptionen sind entweder, wie im Falle mathematischer Einsichten, auf ideale Sachverhalte bezogen [67], oder auf reale Dinge, wie die Objekte der Physik und der Metaphysik (da auch das Ich und Gott auf Grund der Cartesianischen Terminologie als reale Dinge zu bezeichnen sind). In allen diesen Fällen glaubte Descartes, gestützt auf das Prinzip der göttlichen Wahrhaftigkeit, sicher sein zu können, daß die klaren und deutlichen Ideen den Sachverhalten korrespondieren, mit ihnen „übereinstimmen". In diesem Sinne formuliert er den Grundsatz, „daß alles das wahr ist, was ich klar erkenne" (Med. V; AT VII, 65.6), d. h. „daß alles, was ich klar und deutlich als zur Sache gehörend erfasse, tatsächlich ihr zugehört" (65.17—19). Im „geometrischen" Anhang der II. Resp. figuriert dieser Grundsatz, der kurz „Prinzip der Korrespondenz von Idee und Ideat" genannt werden soll, unter den Definitionen, und zwar in folgender Formulierung:

> „Wenn wir sagen, etwas sei in der Natur oder dem Begriff einer Sache enthalten, so ist das dasselbe, wie wenn wir sagten, dies sei von der Sache wahr, oder, dies könne von ihr behauptet werden." (II. Resp.; AT VII, 162.8—10)

Hierbei ist zu beachten, daß dieses Prinzip nicht nur dazu dient, den klaren und deutlichen Ideen Wesenheiten der erkannten Dinge zuzuordnen, sondern umgekehrt auch dazu, diese Zuordnung auf klare und deutliche Ideen bzw. auf klare und deutliche Elemente von Ideen zu beschränken. Alles, was in den Ideen irgendwelcher Dinge dunkel und verworren bleibt, kann nicht als Wesensbestimmung der Dinge gelten. So müssen z. B. Qualitäten aus dem Begriff des physikalischen

[67] *Entretien avec Burman*; AT V, 160.16 sqq.: „... omnes demonstrationes mathematicorum versantur circa vera entia et objecta, et sic totum et universum Metheseos objectum, et quicquid illa in eo considerat, est verum et reale ens, et habet veram et realem naturam, non minus quam objectum ipsius Physices."

Körpers eliminiert werden, weil ihre Ideen nicht distinkte Begriffe sind. Dasselbe gilt erst recht von den sogenannten qualitates occultae.

Um Mißverständnisse zu vermeiden, sei hervorgehoben, daß die den klaren und deutlichen Ideen einer Sache entsprechenden Bestimmungen direkt nur von der Wesenheit dieser Sache ausgesagt werden können, von der aktual existierenden Sache selbst aber nur, wenn deren Existenz festgestellt worden ist. Das ist nach Descartes nur in einem einzigen Fall durch Analyse des Begriffs allein möglich: nämlich im Fall der Idee Gottes, zu deren Merkmalen auch die Existenz gehören soll.

Klare und deutliche Ideen von Wesenheiten realer Seiender gibt es nach Descartes

a. vom denkenden Subjekt (Med. VI; AT VII, 78.15—17), dessen Existenz durch den zur Formulierung des ersten Prinzips führenden Gedankengang als unbezweifelbar aufgewiesen wurde. Die Idee des Ichs gilt wie die Gottesidee für eingeboren (Med. III; AT VII, 51.13—14).

b. von Gott, dessen Idee im höchsten Grade klar und deutlich sein soll.

c. von der Ausdehnung bzw. der ausgedehnten Substanz, deren Wesensbeziehungen in der Geometrie erfaßt werden.

Das Korrespondenzprinzip in bezug auf ideale Sachverhalte hatte Descartes in erster Linie vor Augen, als er erklärte, jedem klaren und distinkten Begriff, insbesondere in der Mathematik, entspreche etwas Reales und Positives (Med. IV; AT VII, 62.15—16), bzw. alles, was wahr ist, sei auch *etwas* (Med. V; AT VII, 65.4—5).

Die von Descartes vorgenommene Beschränkung des Korrespondenzprinzips auf klare und deutliche Ideen ergibt sich nicht ohne weiteres aus dem Beweis, daß allen klaren und deutlichen Ideen ein Ideat entspricht; es müßte zusätzlich gezeigt werden, daß nur solchen Ideen ein Ideat entspricht. Descartes ist nicht nur diesen zusätzlichen Beweis schuldig geblieben, sondern es muß bezweifelt werden, daß sich seiner Ersten Philosophie überhaupt ein brauchbarer Beweis des Korrespondenzprinzips entnehmen läßt. Gäbe es einen solchen, würde er entweder im Zusammenhang mit den Gottesbeweisen oder im Zusammenhang mit der Aufstellung des ersten Prinzips geführt.

Den Cartesianischen Gottesbeweisen läßt sich der fragliche Beweis nicht entnehmen, da in ihnen das Korrespondenzprinzip bereits vorausgesetzt wird. Sollte Descartes von den Gottesbeweisen den Beweis dieses Prinzips erwartet haben, hätte er sich wirklich, wie ihm immer wieder vorgeworfen worden ist, eines Zirkelbeweises bedient.

Auch die Ansicht, das Korrespondenzprinzip werde zugleich mit der Aufstellung des ersten Prinzips begründet[68], kann nicht akzeptiert werden. Obwohl Descartes

[68] So L. J. Beck 1965, p. 143, der meinte, der hyperbolische Zweifel werde bereits durch den Aufweis der Unbezweifelbarkeit des Satzes „Ich denke, also bin ich" überwunden.

versicherte, die das eigene Ich repräsentierende Idee bereite unter dem Gesichtspunkt der Korrespondenz von Idee und Ideat keine Schwierigkeit (Med. III; AT VII, 42.30—43.1), ist nicht einzusehen, warum die Erkenntnis der denkenden Substanz [69] eine Ausnahmestellung erhalten soll, sobald nur angenommen wird, daß sie, wie jede Wesenserkenntnis, durch Ideen vermittelte Erkenntnis ist. Gerade das hat aber Descartes angenommen, und zwar spätestens seit den *Meditationen.* Daher kann auch im Falle der denkenden Substanz die Korrespondenz zwischen ihr und der sie repräsentierenden Idee nicht behauptet werden, wenn nicht feststeht, daß *alle* klaren und deutlichen Ideen dem Wesen der vorgestellten Sache korrespondieren. Tatsächlich hat der Philosoph selbst erklärt, „daß alles das, was wir klar und deutlich denken, in eben der Weise, wie wir es denken, wahr ist", erst in Med. IV bewiesen werde (Med., Syn.; AT VII, 13.9—13). Also trifft es nicht zu, daß das Korrespondenzprinzip gleichzeitig mit dem ersten Prinzip der Cartesianischen Philosophie bewiesen wird.

Es bleibt daher nur übrig, das Korrespondenzprinzip in der von Descartes vorausgesetzten Form als Behauptung zu betrachten, die in der Ersten Philosophie nicht bewiesen wird, und es als Ausdruck des übersteigerten Anspruchs zu deuten, den Descartes an die apriorische Erkenntnis stellte.

6. Die Begründung des kritischen Realismus

In Kap. XVIII wurde gezeigt, daß Descartes, ausgehend vom Begriff der objektiven Realität, zur Anerkennung einer denkunabhängigen Wirklichkeit gelangte und folglich annahm, daß Ideen stets das Merkmal der möglichen Existenz enthalten. Für jede besondere Idee muß aber der mit dem Wort „Idee", auf dessen Etymologie Descartes Rücksicht nimmt, verbundene Anspruch, etwas Reales zu repräsentieren, mit Hilfe von Methoden überprüft werden, die den speziellen Bedingungen des jeweiligen Erkenntnisbereichs angemessen sind. Diese Überprüfung kann sicher nicht mehr Aufgabe der Ersten Philosophie sein, obwohl das der Philosoph wenigstens im Hinblick auf bestimmte Ideen oder Klassen von Ideen geglaubt hat. Sie ist vielmehr Aufgabe der Einzelwissenschaften und muß mit deren Methoden durchgeführt werden.

Descartes hat sich mit einer derart eingeschränkten Zielsetzung nicht begnügt, sondern der Ersten Philosophie die Aufgabe zugewiesen, den spekulativen Nachweis zu erbringen, daß alle klaren und deutlichen Ideen ansichseienden Objekten korrespondieren. Klarheit und Deutlichkeit, die er als diese Bedingungen betrachtete, sind aber Kriterien, die sich nicht ohne Zuhilfenahme psychologischer Begriffe bestimmen lassen. Damit wird bei der Entscheidung darüber, ob Ideen klar und

[69] Hier ist selbstverständlich die Wesenserkenntnis, nicht die Existenzerfahrung in dem oben erläuterten Sinn gemeint.

deutlich sind, die Selbstbeobachtung ins Spiel gebracht [70], und dadurch das Wahrheitskriterium subjektiviert. Relativistische Konsequenzen für die Wahrheitslehre sind unvermeidlich [71], obwohl sich Descartes darüber nicht Rechenschaft abgelegt hat.

In der Ersten Philosophie, wie sie Descartes vorschwebte, kann mithin nicht der realistische Erkenntnisanspruch bestimmter Begriffe, Urteile, Theorien begründet werden; wohl aber muß als eines ihrer wichtigsten Resultate angesehen werden, daß die wissenschaftliche Erkenntnisarbeit als Bemühung charakterisiert wird, die Form der ansichseienden Wirklichkeit zu erfassen: Die Cartesianische Erste Philosophie ist nicht zuletzt der Versuch einer Begründung des kritischen Realismus. Damit ist der Wissenschaft ein Ziel gesetzt, das nur asymptotische Annäherung zuläßt; Kantianisch ausgedrückt: die Vorstellung der allseitigen Determination des Erkenntnisgegenstands, d. h. der Erkenntnis des Dings an sich, ist eine regulative Idee. Damit dieses die Entwicklung regulierende Ziel formuliert werden kann, muß die Wirklichkeit als solche, die Existenz des Dings an sich = X, anerkannt worden sein: Die Notwendigkeit dieser Anerkennung zu beweisen, ist eine wesentliche Aufgabe der Ersten Philosophie.

XX. Die ausgedehnte Substanz und die Existenz materieller Dinge

1. Resolution der Sinneswahrnehmung

In diesem abschließenden Kapitel, das sich im wesentlichen auf die Gedankengänge von Med. VI bezieht, soll gezeigt werden, daß der Cartesianische Beweis für die Existenz materieller Dinge trotz der syllogistischen Form der entscheidenden Argumente wesentlicher Bestandteil der Erfahrungsanalyse ist. Ausgangspunkt der Resolution ist die Tatsache, daß es Sinneswahrnehmung, näherhin Wahrnehmungsideen, gibt; die Methode der Resolution entspricht weitgehend der Methode der Erfahrungsresolution in Med. I; das Ziel des Gedankengangs ist die Aufstellung eines Grundsatzes, den man das erste Prinzip der Cartesianischen Naturphilosophie nennen könnte, da er die Existenz ausgedehnter Dinge behauptet. Ist

[70] Von der Tatsache, daß im Cartesianischen Begriff der Klarheit sogar eine mythische Komponente enthalten ist, wird hier abgesehen. Der Zusammenhang mit einer mystischen Lichtsymbolik ist besonders in Descartes' frühen Aufzeichnungen deutlich. Diese Lichtsymbolik ist aber noch in der Erkenntnistheorie der *Regulae* wirksam (cf. Reg. IV; AT X, 373.1—2); sie dürfte auch der Ansicht zugrunde liegen, daß „aus der großen Klarheit, die ... [dem] Verstand aufleuchtete" die Motivation des urteilenden Willens hervorgeht (Med. IV; AT VII, 59.1—3: „ex magna luce in intellectu magna consequuta est propensio in voluntate"). Cf. III. Resp.; AT VII, 192.17—28, wo „lux" auf „perspicuitas" zurückgeführt, also als Metapher aufgefaßt wird.

[71] Das zeigt bzgl. des im Grund subjektiven Kriteriums der Evidenz eindrucksvoll W. Stegmüller, *Metaphysik-Wissenschaft-Skepsis;* 2. Aufl., 1969.

deren Existenz nämlich bewiesen, dann steht fest, daß Wesensaussagen über Ausdehnungsverhältnisse, wie sie nach Descartes in der Geometrie abgeleitet werden, auf materielle Dinge angewendet werden können: Die Cartesianische Physik bzw. Naturphilosophie ist Descartes' ursprünglicher Idee nach angewandte Geometrie.

Um die Argumente, mit deren Hilfe Descartes die Existenz materieller Dinge zu beweisen suchte, angemessen wiedergeben zu können, müssen einige Erklärungen vorausgeschickt werden: Der Cartesianische Begriff „sensus" (dem das Verbum „sentire" entspricht), faßt mehrere Arten psychischer Phänomene zusammen, denen zwar gemein ist, daß sie die Union von Körper und Geist (Med. VI; AT VII, 81.13: „permixtio") voraussetzen, die sich aber gleichzeitig so sehr in wesentlichen Bestimmungen unterscheiden, daß ihre Zusammenfassung zu einer einzigen Klasse psychischer Phänomene nicht ohne Gewaltsamkeit möglich ist. Hier muß genauer, als es Descartes tat, unterschieden werden, zumal nicht alle der mit „sensus" bezeichneten Bewußtseinsinhalte im Beweis der Existenz materieller Dinge eine Rolle spielen.

„Sensus" bedeutet (1) die Ideen von farbigen, tönenden, harten ... Objekten, d. h. die optischen, akustischen, haptischen usw. Wahrnehmungen; (2) die Empfindungen im engeren Sinne, wie Lust- und Unlustempfindungen oder die Empfindung des Kitzels; (3) Trieberlebnisse (appetitus) wie Hunger und Durst; (4) Stimmungen (Med. VI; AT VII, 74.20—75.3; mit „Stimmungen" wird hier der Ausdruck „propensiones ad hilaritatem" wiedergegeben).

Aus Med. VI (cf. Princ. II, 1 sqq.) geht hervor, daß für den erstrebten Existenzbeweis nur die erste Bedeutung von „sensus" in Betracht kommt. „Sensus" in den übrigen Bedeutungen spielt nur in den teleologischen Argumenten von Med. VI eine Rolle, von denen bereits gesagt wurde, daß sie wegen ihres quasi-theologischen Charakters nicht zur Ersten Philosophie in dem hier vorausgesetzten Sinn gehören. So wie Descartes in Med. IV den auf der Irrtumsfähigkeit insistierenden Einwand gegen die göttliche Vollkommenheit und damit gegen einen der fundamentalen Begriffe der Cartesianischen Metaphysik zu entkräften suchte, so trachtete er in Med. VI das Bedenken zu überwinden, Gott als Schöpfer der menschlichen Natur habe nicht gemäß seiner absoluten Vollkommenheit gehandelt, als er den Menschen so schuf, daß er durch bestimmte Empfindungen zu einem praktisch unzweckmäßigen oder gar schädlichen Verhalten veranlaßt werden kann. Hier wie in Med. IV handelt es sich um Probleme der Theodizee, die im vorliegenden Zusammenhang nicht zu diskutieren sind.

Der Vorbereitung des Beweises der Existenz materieller Dinge dient die Destruktion der vorkritischen Einstellung gegenüber der wahrnehmbaren Wirklichkeit, die vor allem auf der Annahme einer qualitativen Ähnlichkeit von Wahrnehmungsideen und wahrgenommenen Dingen beruht (Med. VI; AT VII, 75.20—23). Ihr liegt außerdem die Annahme zugrunde, daß die Wahrnehmungsideen der Bildung aller anderen Ideen, insbesondere der Verstandesbegriffe, gemäß dem Grundsatz „Nihil est in intellectu, quod non prius fuerit in sensu" vorausgehen müssen.

Parallel zur Argumentation in Med. I destruierte Descartes die vorkritische Einstellung in Med. VI durch den Hinweis auf Wahrnehmungstäuschungen (76.21—28), durch das Argument der prinzipiellen Ununterscheidbarkeit von Traumvorstellungen und Wahrnehmungsideen sowie durch die „Hypothese" des Betrüger-Gottes (77.7—18). Da jedoch in Med. VI das Prinzip der göttlichen Wahrhaftigkeit bereits vorausgesetzt wird, liegt in den beiden zuletzt angeführten Argumenten eine bloße Reminiszenz an die Resolution der Erfahrung in Med. I vor.

Der Zweifel in Med. VI ist aber nicht nur durch das Prinzip der göttlichen Wahrhaftigkeit, sondern auch durch Beschränkung auf Wahrnehmungsideen eingeengt. Andererseits erfährt aber der Zweifel in der letzten Meditation insofern eine Erweiterung, als er nunmehr auch auf die innere Wahrnehmung gerichtet wird, die früher nicht berücksichtigt worden war. In diesen Zusammenhang gehört der Hinweis auf die Möglichkeit von Täuschungen bei der Lokalisation von Schmerzempfindungen (77.1—7).

Durch die Tatsache, daß Descartes in Med. VI das Prinzip der göttlichen Wahrhaftigkeit als gültig voraussetzt, sind ähnlich radikale Resultate des Zweifels wie in Med. I im vorliegenden Zusammenhang ausgeschlossen; sie sind auch für den Beweiszweck nicht erforderlich, da die Resolution der Sinneswahrnehmung nicht die Aufgabe hat, ein schlechthin erstes Prinzip der Erfahrung aufzustellen, sondern lediglich das erste Prinzip eines begrenzten Erfahrungsbereichs. Deshalb betonte Descartes,

> „daß man zwar nicht alles, was ich von den Sinnen zu haben meine, ohne weiteres gelten lassen, aber auch nicht alles in Zweifel ziehen darf." (77.29—78.1)

Dem gegenüber der radikalen methodischen Skepsis in Med. I eingeschränkten Zweifel entspricht eine im Vergleich mit dem ersten Prinzip beschränkte Aufgabenstellung: Hatte der methodische Zweifel am Anfang der *Meditationen* der Anerkennung des Satzes „Ich bin, ich existiere" gedient, so bereitet der Zweifel in Med. VI die Begründung des Satzes „Ausgedehnte Dinge existieren denkunabhängig" vor.

2. Das Subjekt der Wahrnehmung

Während für die vorkritische Einstellung die Tatsache, daß Wahrnehmungsideen nicht willkürlich erzeugt oder verändert werden können, als ausreichende Stütze der Annahme erachtet wird, daß materielle Dinge existieren, die durch jene Ideen repräsentiert werden, kann vom Standpunkt des kritischen Realismus aus diese Annahme so lange nicht als gesichert gelten, als sich nicht ausschließen läßt, daß die Wahrnehmungsideen von einer unbewußten Fähigkeit „in mir selbst" (77.26: „in meipso") erzeugt werden (77.23—27). Hierbei setzte Descartes offensichtlich, wenn auch nicht ausdrücklich, eine weitere Bedeutung von „Ich" als in Med. I—V voraus: „Ich" muß jetzt im Sinne des Kompositums von Körper und Geist verstanden werden, weil nur unter dieser Voraussetzung die Möglichkeit in Betracht gezogen werden kann, daß bestimmte Bewußtseinsinhalte durch unbewußte Fähigkeiten „in mir selbst" verursacht würden. Da unter Zugrundelegung der Cartesianischen Wahrheitslehre aus der Möglichkeit, einerseits einen distinkten Begriff des Geistes, der kein Attribut der materiellen Substanz, andererseits einen distinkten Begriff des Körpers bilden zu können, der kein Attribut der geistigen Substanz enthält, auf die Realdistinktion von Körper und Geist geschlossen werden kann (78.2—20), reserviert Descartes den Ausdruck „Ich" vorzugsweise für die geistige Substanz, deren Wesensattribut das Denken ist. Das heißt, daß es im Ich, als res cogitans verstanden, keine unbewußten Vorgänge geben kann.

Diese engere Bedeutung von „Ich" liegt vor, wenn Descartes Einbildungskraft (facultas imaginandi) und Empfindungsfähigkeit (facultas sentiendi) nicht als Fähigkeiten des Ichs gelten läßt (78.21—24); sie müssen aber als Fähigkeiten des Ichs im Sinne des Kompositums aus Körper und Geist angesehen werden, weil sie sowohl bestimmte neurophysiologische Prozesse, als auch Bewußtsein voraussetzen. Die Sinneswahrnehmung als bewußtes Phänomen muß zwar einerseits als Modifikation der geistigen Substanz begriffen werden (78.24—28); da jedoch unter den Voraussetzungen der Cartesianischen Metaphysik die Hypothese einer unbewußt-psychischen Verursachung von Vorstellungen ausgeschlossen ist, müssen andererseits außerpsychische Ursachen der Wahrnehmungsideen angenommen werden, wobei zunächst offen bleibt, ob diese Ursachen ausschließlich in neurophysiologischen Vorgängen oder außerdem auch in physikalischen Reizen außerhalb des Organismus bestehen.

Zum Wesen der Wahrnehmungsideen gehört es, bewußt perzipiert zu werden [72], d. h. sie sind ohne Erkenntnisfähigkeit, als rezeptives Vermögen verstanden, nicht möglich (79.7—9). Descartes betrachtete vom deskriptiv-psychologischen Standpunkt aus die Wahrnehmung also als passiven Vorgang in der Art, wie der scholastischen Erkenntnistheorie zufolge Vernunftideen vom intellectus possibilis rezipiert werden. Sofern die Wahrnehmungsideen aber unter dem Gesichtspunkt der Psychophysik betrachtet werden, erscheinen sie bedingt durch außerpsychische Ursachen; ihre Erklärung erfordert daher die Annahme einer aktiven „Fähigkeit", sei es im Organismus, sei es in den Dingen der Außenwelt, durch die diese Ideen hervorgerufen werden [73].

Wenn daher unter Zugrundelegung der Cartesianischen Wahrheitslehre gezeigt werden kann, daß die Annahme der endogenen Bedingtheit der Wahrnehmungsideen unhaltbar ist, dann ist erwiesen, daß sie als durch exogene Reize verursacht begriffen werden müssen. Unter Berufung auf das Prinzip der göttlichen Wahrhaftigkeit glaubte Descartes daher folgern zu können, daß es denkunabhängige Dinge als Ursachen der Wahrnehmungsideen gibt und daß diese Dinge materielle, räumlich ausgedehnte Substanzen sind, auf die die Sätze der Geometrie angewendet werden können.

[72] 78.25—27: „intellectionem enim nonnullam in suo formali conceptu includunt."
[73] 79.10—11: „activa ... facultas istas ideas producendi vel efficiendi."

3. Syllogistischer Beweis der Existenz materieller Dinge

Descartes hat den Beweis der Existenz materieller Dinge, der soeben mit Hilfe der Ergebnisse der Erfahrungsanalyse skizziert wurde, zusätzlich auch in syllogistischer Form geführt. Das ändert jedoch nichts daran, daß die Resolution der besonderen Art der Erfahrung, die „Wahrnehmung" heißt, das Primäre ist.

Die syllogistische Beweisführung erfolgt in mehreren Stufen, und zwar so:

A. Schluß auf das Vorhandensein denkunabhängiger Dinge als Ursachen der Wahrnehmungsideen:

Neben der passiven psychischen Fähigkeit, Wahrnehmungsideen zu perzipieren, muß eine aktive Fähigkeit angenommen werden, durch die sie erzeugt werden.

Diese aktive Fähigkeit kann, da wir uns ihrer nicht bewußt sind, nicht der denkenden Substanz zugeschrieben werden.

Also muß sie in irgendeiner von dieser verschiedenen Substanz sein (79.7—15).

Die Passivität der die Wahrnehmungsideen rezipierenden Substanz hat Descartes offenbar als selbstverständlich betrachtet und daher nicht zu beweisen unternommen. Diese Voraussetzung ist aber, zusammen mit der Annahme, daß alle Akte der denkenden Substanz bewußt sein müßten, für den angeführten Schluß wesentlich. Sie gehört zum undiskutierten Grundbestand der Cartesianischen Erkenntnistheorie.

Die syllogistische Form der Demonstration wird durch die Verwendung der Ausdrücke ‚atqui" [74] und „ergo" als überleitende Partikel in Untersatz und Konklusion deutlich.

B. Schluß auf die Materialität der Ursachen der Wahrnehmungsideen (79.15—80.4):

Mit Hilfe des Grundsatzes, daß die Ursache einer Idee mindestens ebensoviel Realität in formaler (oder eminenter) Weise enthalten müsse wie die Idee in objektiver Weise enthält, schloß Descartes, daß die Ursachen der Ideen materieller Dinge entweder reale materielle Dinge (corpus, sive natura corporea) oder immaterielle Dinge sein müßten, die die in den Ideen materieller Dinge gedachte Realität in eminenter Weise enthalten. Das letztere träfe vor allem für den Fall zu, daß Gott die unmittelbare Ursache der Wahrnehmungsideen wäre. Diese Annahme, die bekanntlich von den Vertretern des okkasionalistischen Cartesianismus in die Erkenntnistheorie eingeführt wurde, ist nach Descartes zurückzuweisen, da sie mit dem Prinzip der göttlichen Wahrhaftigkeit unvereinbar ist. Würden nämlich die

[74] So ist natürlich anstelle von „atque" (AT VII, 79.11 und Alquié II, 227) zu lesen.

Wahrnehmungsideen durch Gott (oder ein anderes immaterielles Wesen) verursacht, so gäbe es keine Möglichkeit, diese Tatsache festzustellen [75]: Die Wahrnehmungsideen würden nach wie vor auf materielle Ursachen bezogen. Mithin ist das Urteil, daß die Wahrnehmungsideen durch materielle Dinge hervorgerufen werden, in dem Sinne unkorrigierbar, daß es nicht mit Hilfe eines auf klarere Einsichten gestützten Urteils oder einer beliebigen anderen natürlichen Fähigkeit berichtigt werden könnte, wenn es falsch wäre; d. h. es gehört zur Klasse jener Urteile, auf die das Prinzip der göttlichen Wahrhaftigkeit anzuwenden ist (cf. II. Resp.; AT VII, 143.26—144.3).

Außerdem besteht eine starke, instinktbedingte Neigung zugunsten der Annahme, daß den Wahrnehmungsideen räumlich ausgedehnte Dinge als Ursachen entsprechen (Med. VI; AT VII, 79.28—80.2). Da auch im Hinblick auf das, was „die Natur", d. h. die das menschliche Verhalten bedingende Triebstruktur, „lehrt", nach Descartes das Prinzip der göttlichen Wahrhaftigkeit, wenn auch mit gewissen Einschränkungen, in Anspruch genommen werden kann, läßt sich ausgehend vom instinktiven natürlichen Realismus ein „Beweis" für die Existenz der materiellen Außenwelt führen.

Also existieren materielle Dinge, die die Wahrnehmungsideen verursachen.

C. *Schluß auf die wesentlichen Eigenschaften materieller Dinge* (80.4—26)

Die Wahrnehmungsideen enthalten zum Teil klare und distinkte, zum Teil dunkle und verworrene Merkmale. Da auf Grund des Cartesianischen Wahrheitskriteriums behauptet werden kann, daß allen klaren und deutlichen Vorstellungsinhalten Eigenschaften der Dinge selbst entsprechen — vorausgesetzt, daß deren Existenz, wie als Ergebnis von (A) und (B) der Fall, feststeht —, können alle jene Merkmale der Vorstellungen materieller Dinge, die klar und deutlich sind, von den Dingen selbst ausgesagt werden. Klar und distinkt sind aber nach Descartes vor allem jene Ideen, die den Gegenstand der Mathematik bilden [76]. Daher geht es hier in erster Linie um den Beweis, daß Sätze der Mathematik von den Außenweltsdingen ausgesagt werden können.

Im Einzelfall kann zwar diese Zuordnung auf Schwierigkeiten stoßen, so wenn z. B. die Größe eines Himmelskörpers festgestellt werden soll; da aber das Prinzip der göttlichen Wahrhaftigkeit das Vorhandensein unkorrigierbarer Irrtümer ausschließt [77], ist es sinnvoll, sich um die Überwindung dieser Schwierigkeiten zu be-

[75] 79.27—28: „Cum enim [Deus] nullam plane facultatem mihi dederit ad hoc agnoscendum ..."

[76] 80.9—10. Descartes spricht von der pura Mathesis bzw. — in der französischen Übersetzung — von „géométrie spéculative" (AT IX A, 63).

[77] 80.16—18: „ ... fieri non possit ut ulla falsitas in meis opinionibus reperiatur, nisi aliqua etiam sit in me facultas a Deo tributa ad illam emendandam." Cf. AT IX A, 64: „ ... quelque faculté capable de la corriger."

mühen, da eine metaphysisch begründete Aussicht auf gesicherte Erkenntnis der realen Zusammenhänge besteht.

Die Prinzipien der Korrespondenz von Idee und Ideat bzw. der göttlichen Wahrhaftigkeit scheinen zwar die Anwendung empirischer Methoden überflüssig zu machen; tatsächlich aber hielt Descartes, wie in Teil I gezeigt, Beobachtungen und Experimente in den Realwissenschaften für unentbehrlich. Ihre Funktion besteht seiner Ansicht nach darin, die Daten bereitstellen zu helfen, durch deren Analyse klare und deutliche Begriffe der zu erforschenden Phänomene gebildet werden können. Wenn z. B. die Größe der Sonne zu bestimmen ist (80.12), so wird von ihrer wahrgenommenen Größe auszugehen und mittels bestimmter Verfahren die Distanz der Sonne vom Beobachter zu ermitteln sein, worauf es möglich sein wird, die wirkliche Größe der Sonne zu erschließen. Das geschieht mit Hilfe einer Idee, die im Gegensatz zur Wahrnehmungsidee nur klare und deutliche Merkmale enthält. Der von Descartes des öfteren zur Illustration des Unterschiedes von Ideen der Wahrnehmung bzw. der Imagination und wissenschaftlichen Begriffen herangezogene Fall des Unterschieds zwischen der anschaulichen Vorstellung der Sonne und ihrem astronomischen Begriff läßt vermuten, daß er unter dem Eindruck der Fortschritte der Astronomie deren Resultate für besonders geeignet hielt, um das Verhältnis von Wahrnehmung und rationalem Erkennen zu veranschaulichen. Durch die Resolution der Beobachtungsdaten und durch Rekomposition ihrer Elemente zu einem exakten Begriff im Rahmen einer Theorie ist es möglich, die klaren und deutlichen von den dunklen und verworrenen Elementen der Wahrnehmungsideen (80.6—9) zu trennen und begründete Aussagen über den Erkenntnisgegenstand zu machen.

Nach Descartes kann man sich experimenteller Methoden aber nur dann sinnvoll bedienen, wenn durch die Wahrheitstheorie die Korrespondenzthese, vor allem im Hinblick auf mathematische Sätze, bewiesen und durch Analyse der Erfahrung, insbesondere der Wahrnehmung, der Nachweis erbracht wurde, daß materielle Dinge denkunabhängig existieren und prinzipiell erkennbar sind. Damit sind die Voraussetzungen für den Aufbau einer Naturphilosophie, die dem Cartesianischen Wissenschaftsideal entspricht, geschaffen; das Ziel, das Descartes der Ersten Philosophie gesteckt hatte, ist erreicht.

NACHWORT

Die Annahme, daß die methodologische Betrachtungsweise die für die Interpretation und Revision der Cartesianischen Ersten Philosophie angemessenste sei, konnte nur in Form der Durchführung der Analyse unter der Leitung methodologischer Gesichtspunkte gerechtfertigt werden. Deshalb wird das Urteil über Gelingen oder Mißlingen des in der vorliegenden Arbeit angestellten Deutungsversuchs zugleich ein Urteil über den gewählten Ausgangspunkt, d. h. über seine Angemessenheit und Fruchtbarkeit, sein. Im günstigen Fall würde sich die Beurteilung wohl in erster Linie darauf stützen, daß sich Descartes' Erste Philosophie vom gewählten Gesichtspunkt aus als Versuch erkennen läßt, die Lehre von den fundamentalen Erkenntnisprinzipien als Erfahrungsanalyse, d. h. als resolutive Isolation von Bedingungen der Möglichkeit von Erfahrung, aufzubauen, wobei die notwendige Verknüpfung der in der Idee der Erfahrung enthaltenen und durch Resolution isolierten „einfachen Naturen" in Form von Grundsätzen ausgedrückt wird, aus denen die principia secundo prima der spezielleren Teile des philosophischen Systems, nämlich der Naturphilosophie bzw. der Physik, einschließlich der Physiologie und der Psychophysik, ableitbar sein sollen.

Die in der Erfahrungsanalyse angewandte Methode hat ihr unmittelbares Vorbild in der Methode der Naturphilosophie, die ihrerseits durch Verallgemeinerung der methodologischen Prinzipien der Physik und letztlich der Mathematik entstanden zu denken ist. Sowohl in den auf Erkenntnis der materiellen Wirklichkeit gerichteten Disziplinen wie in der Ersten Philosophie ist das Ziel der Resolution die Aufdeckung von universellen Sachverhaltsstrukturen, nämlich hier der Strukturen der Erfahrung überhaupt, dort der Strukturen der räumlich ausgedehnten Wirklichkeit. In beiden Fällen findet nach Descartes eine Art Wesensschau statt. Daß in der Cartesianischen Ersten Philosophie Prinzipien jeder wissenschaftlichen Erkenntnis dadurch aufgestellt werden, daß durch Resolution die intuitive Erfassung der Struktur der Erfahrung überhaupt möglich gemacht wird, darf als wichtigstes Resultat der vorliegenden Arbeit betrachtet werden.

Innerhalb der Erfahrungsanalyse können im wesentlichen zwei Phasen unterschieden werden: In der ersten gelangt man zur Isolation der „notwendigen Verknüpfung" von erfahrenem Inhalt (unter Absehung von der jeweiligen Seinsweise dieses Inhalts) und erfahrendem Subjekt, wobei die Existenz des letzteren als notwendiges Moment der Erfahrung ergriffen wird. Die zweite Phase führt zur Auffindung der „notwendigen Verknüpfung" des beliebige Inhalte erfahrenden Subjekts und der Wirklichkeit überhaupt als des Horizonts erfahrbarer Inhalte im allgemeinen. In der Erfahrung des Seins als notwendigen Moments der Erfahrung fand Descartes die wesentliche Bedingung einer Rechtfertigung des realistischen Erkenntnisanspruchs mit den Mitteln der Erfahrungsanalyse.

Der scheinbare Subjektivismus bzw. sogar Solipsismus der ersten Phase ist lediglich provisorisch, seine Verselbständigung mithin unstatthaft. Nur wenn das Verfahren der Erfahrungsanalyse vorzeitig abgebrochen wird, kann der Eindruck einer subjektivistischen Position, die Descartes wenigstens zeitweise als definitives Resultat betrachtet hätte, entstehen. Die zum Abschluß gebrachte Erfahrungsanalyse führt zur Aufhebung des „subjektivistischen" Zwischenresultats. Auch diese Einsicht, die eine leider gelegentlich auftretende Mißdeutung von Ziel und Charakter der Cartesianischen Philosophie ohne weiteres auszuschließen vermag, ergibt sich in der vorliegenden Arbeit als Frucht einer Betrachtung, die methodologischen Gesichtspunkten unterstellt ist.

Die erörterten Zusammenhänge stellen nur einen Teil der theoretischen Philosophie Descartes' dar. Es ist leicht, sie in den umfassenden Kontext des Cartesianischen Systems einzubeziehen. Von den Prinzipien der Ersten Philosophie hängen die Grundsätze der Naturphilosophie, der Physik mit ihren Teildisziplinen sowie schließlich die Mechanik als angewandte Physik, die Medizin als angewandte Physiologie und die Moral als angewandte Psychophysik ab. Die für die Grundsätze der Ersten Philosophie in Anspruch genommene absolute Gewißheit geht nach Descartes auf die Grund- und Folgesätze der von ihr abhängigen Wissenschaften einschließlich der angewandten Disziplinen über. Deren Gewißheit soll aber die Möglichkeit eines an wissenschaftlichen Ergebnissen orientierten und infolgedessen rational so weit als möglich gesicherten Handelns eröffnen. So wie nach Descartes' berühmtem Bild die Früchte nicht von Wurzel und Stamm des Baums der Wissenschaften, d. h. nicht von Metaphysik und Physik bzw. Naturphilosophie, sondern nur von dessen Ästen, nämlich den angewandten Diszplinen, geerntet werden können, so findet die in der Ersten Philosophie einsetzende gedankliche Bewegung ihre Erfüllung erst in der Begründung einer rationalen Praxis.

Die zuletzt angedeuteten Zusammenhänge wurden vom Verfasser bereits vor mehreren Jahren in seinem Buch „Descartes. Die innere Genesis des Cartesianischen Systems" (München, Reinhardt, 1964) entwickelt. Das Ziel der Untersuchung war damals die Verdeutlichung der praktischen Impulse, die Descartes' philosophische Bemühungen von ihren Anfängen bis zu ihren reifen Resultaten leiteten. Insbesondere wurde der Nachdruck auf das Bedürfnis nach größtmöglicher Sicherung, d. h. Risiko-Reduzierung, im praktischen Bereich gelegt. Das Sicherheitsbedürfnis schlägt sich, wie in jener Arbeit gezeigt wurde, im theoretischen Bereich in Gestalt der Forderung nieder, nur solche Sätze als wissenschaftliche Sätze anzuerkennen, die entweder selbst-evident oder aus evidenten Grundsätzen korrekt abgeleitet sind. Vom Gewißheitspostulat wurde ferner gezeigt, daß es die Schritte des methodischen Zweifels leitet und die Reduktion des Bereichs begründeter Erkenntnis auf jenen Punkt erzwingt, den im Cartesianischen System das Erste Prinzip einnimmt. Das Gewißheitspostulat veranlaßt aber auch zur Überschreitung dieses äußersten Punktes und führt im weiteren Verlauf zur Restitution wesentlicher Teile des zunächst eingeklammerten Wirklichkeitswissens, sofern es nämlich kritisch gesichert werden kann. Descartes nahm an, daß das Handeln dadurch einen vorher unerreichbaren Sicherheitsgrad erlangt, daß es als zweckrationales Handeln unter Ausnutzung wissenschaftlicher Erkenntnisse weitgehend frei wird vom unkalkulierbaren Risiko solcher Aktionen, die entweder ohne Kenntnis kausaler Gesetzmäßigkeiten oder lediglich auf Grund vorwissenschaftlicher Kausalitätserkenntnis vorgenommen werden. Zielen aber philosophische Bemühungen letzten Endes auf die Sicherung des praktischen Verhaltens, dann schließt sich der Kreis: Als eines der wesentlichen Ziele des Cartesianischen Denkens erweist sich die möglichst weitgehende Befriedigung jenes Sicherheitsbedürfnisses, das die philosophischen Bemühungen als einer ihrer entscheidenden Impulse in Gang gebracht hat.

In der vorliegenden Untersuchung wurde gemäß ihrem speziellen Thema von Fragen der Praxis abgesehen. Der Zusammenhang zwischen den hier erörterten Problemen und den umfassenden Fragen, die im älteren Buch behandelt wurden, ist aber nicht aufgehoben; die vorliegende Arbeit will im Gegenteil als Versuch der Vertiefung gewisser jener früheren Betrachtungen verstanden sein.

Nichtsdestoweniger sind zwei Thesen der älteren durch die jüngere Untersuchung überholt: Erstens wird das Verhältnis von „Ordnung der Sachen" und „Ordnung der Gründe" nicht mehr als Gegensatz von ontologischer und subjektiv erzeugter Ordnung bestimmt, und zweitens wird die früher entwickelte psychologisierende Deutung des „Cogito ergo sum" [1] nicht mehr uneingeschränkt aufrecht erhalten. Sie wurde zwar einem Aspekt des Ersten Prinzips gerecht, aber neben diesem gibt es andere, für die Cartesianische Erste Philosophie wesentlichere Aspekte, die in der gegenwärtigen Untersuchung in den Vordergrund zu rücken waren. Generell kann gesagt werden, daß in der vorliegenden Arbeit stärker als früher auf die erkenntnismetaphysischen Voraussetzungen geachtet wurde, die als stillschweigende Prämissen in die meisten von Descartes' Argumenten eingehen.

Die Berücksichtigung dieser Voraussetzungen ist dazu angetan, die Abhängigkeit der Cartesianischen Philosophie von traditionellen Vorstellungen deutlich zu machen. Wird aber nur diese inhaltliche Abhängigkeit von der Tradition beachtet, so ergibt sich die bekannte Mißdeutung von Descartes' Metaphysik als eines überwiegend von scholastischen Auffassungen getragenen Gedankengebäudes. Die methodologische Betrachtungsweise bietet sich als wirksamstes Korrektiv einer solchen Deutung an, indem sie den entscheidenden Einfluß erkennen läßt, den die Methode der modernen Naturwissenschaft auf Descartes' Philosophie im allgemeinen und insbesondere auf seine Erste Philosophie ausgeübt hat. Die Analyse der Cartesianischen Ersten Philosophie vom Gesichtspunkt der Methode aus muß daher als notwendige Ergänzung der materialen problemgeschichtlichen Betrachtungsweise angesehen werden. Sie und nur sie ist geeignet, den modernen und originellen Charakter von Descartes' Erster Philosophie in den Blick zu bringen.

[1] Diese ist ausführlich entwickelt im Aufsatz des Verfassers: *Zum Problem des Premier Principe in Descartes' Metaphysik;* in: Kant-Studien, 51 (1959/60), pp. 176—195.

ABKÜRZUNGEN UND ZITIERWEISE

AT = Oeuvres de Descartes, ed. Ch. Adam et P. Tannery, 12 Bde., Paris 1897—1910.
In den Zitaten wird angegeben: Titel des angeführten Werks (meist abgekürzt), Teil (Kapitel, o. ä.) des Werks, Bandzahl in AT, Seite und Zeile(n).
Wo kein Mißverständnis zu befürchten ist, werden nur Seite und Zeile(n) angegeben.

Alquié = Descartes, Oeuvres philosophiques, ed. F. Alquié, 2 Bde. (Bd. 3 noch nicht erschienen), Paris 1963 und 1967.

Folgende leicht deutbare Sigel werden zur Abkürzung der Titel von Descartes' Hauptwerken verwendet:

Reg. = *Regulae ad Directionem Ingenii*

Disc. = *Discours de la Méthode*

Med. = *Meditationes de Prima Philosophia*

Obj. = Objectiones in Meditationes

Resp. = Responsiones autoris

Princ. = *Principia Philosophiae* bzw. *Les Principes de la Philosophie*

Recherche = *La Recherche de la Vérité par la Lumière Naturelle*

Die auf die Sigel folgende römische Ziffer bezeichnet das Buch (den Teil usw.) des zitierten Werkes.
Zitate aus den *Regulae ad directionem ingenii* wurden mit der Edition von G. Crapulli, den Haag 1966 (International Archives of the History of Ideas), verglichen. Den deutschen Zitaten liegen im wesentlichen die Übersetzungen von A. Buchenau in der Philosophischen Bibliothek zugrunde, doch mußten gelegentlich Korrekturen vorgenommen werden, die nicht als solche gekennzeichnet wurden, da letzten Endes stets der Text des Originals entscheidend ist.
Werke, die im Literaturverzeichnis angeführt sind, werden abkürzend durch Angabe des Namens des Verfassers und des Erscheinungsjahres zitiert.

LITERATURVERZEICHNIS

Im folgenden werden erstens jene Arbeiten zur Cartesianischen Philosophie angeführt, die für die Entstehung der vorliegenden Untersuchung von besonderer Bedeutung waren, und insbesondere jene, die in den Anmerkungen abkürzend durch Angabe des Namens des Autors und des Erscheinungsjahres zitiert sind.

Zweitens folgt eine Liste von Arbeiten, die in G. Sebbas *Bibliographia Cartesiana*, den Haag 1964 (International Archives of the History of Ideas, 5), wegen der dieser Bibliographie gezogenen zeitlichen Grenze (1960/61) nicht mehr enthalten sind. Diese Liste wird ohne den Anspruch der Vollständigkeit zur ersten Orientierung des Lesers über Richtungen der gegenwärtigen Descartes-Forschung angefügt.

I.

ALQUIÉ, F., *Descartes.* Übers. von Chr. Schwarz, Stuttgart-Bad Cannstatt 1962 (urspr. Paris 1956)

—, *La découverte métaphysique de l'homme chez Descartes,* Paris 1950

BECK, L. J., *The Method of Descartes,* Oxford 1952 (2. A. 1967)

BELAVAL, Y., *Leibniz critique de Descartes,* Paris 1960

BERTHET, J., *La méthode de Descartes avant le Discours;* in: Revue de Métaphysique et de Morale, 4 (1896), pp. 399—415

BOAS, G., *The rôle of Protophilosophies in Intellectual History*; in: The Journal of Philosophy, 45 (1948), pp. 673—684

BOUTROUX, P., *Das Wissenschaftsideal der Mathematiker,* Leipzig und Berlin 1927 (Wissenschaft und Hypothese, 28)

—, *L'imagination et les mathématiques selon Descartes,* Paris 1900 (Bibliothèque de la Faculté des Lettres de Paris)

—, *Sur la signification de la Géométrie de Descartes*; in: Revue de Métaphysique et de Morale, 22 (1914), pp. 814—827

BRUNSCHVICG, L., *Écrits philosophiques,* I, Paris 1951

—, *Les étapes de la philosophie mathématique,* 3. A. Paris 1947

CANTOR, M., *Vorlesungen über Geschichte der Mathematik,* I—II, 3. A. Leipzig 1907

CASSIRER, E., *Das Erkenntnisproblem in der Philosophie und Wissenschaft der neueren Zeit,* I, Berlin 1906

—, *Descartes' Kritik der mathematischen und naturwissenschaftlichen Erkenntnis,* Marburg 1899 (Diss.); auch in: ders., *Leibniz' System in seinen wissenschaftlichen Grundlagen,* Marburg 1902 (Neudruck Darmstadt 1962)

FETSCHER, I., *Das französische Descartesbild der Gegenwart;* in: F. Alquié 1962, pp. 127—158 (urspr. in: Philosophische Rundschau, 3 (1955), pp. 166—198)

FLECKENSTEIN, J. O., *Cartesianische Erkenntnistheorie und mathematische Physik des 17. Jhs.*; in: Gesnerus 7 (1950), pp. 120—139
—, *Descartes und die exakten Wissenschaften des Barock;* in: Forschungen und Fortschritte, 30 (1956), pp. 116—121

GASSEND, P., *Disquisitio metaphysica,* Paris 1962 (Bibliothèque des textes philosophiques)
—, *Dissertation en forme de paradoxes contre les Aristotéliciens,* Paris 1959

GELICH, E., *Eine Studie über die Entdeckung der analytischen Geometrie mit Berücksichtigung des Werkes des Marino Ghetaldi;* in: Abh. z. Geschichte der Mathematik, 4 (1882), pp. 191—231

GEWIRTZ (Gewirth), A., *Clearness and Distinctness in Descartes;* in: Philosophy, 18 (1943), pp. 17—36
—, *Experience and the Non-mathematical in the Cartesian Method;* in: Journal of the History of Ideas, 2 (1941), pp. 183—210
—, *The Cartesian Circle*; in: The Philosophical Review, 50 (1941), pp. 368—395.

GIBSON, B., *La ‚Géométrie' de Descartes*; in: Revue de Métaphysique et de Morale, 4 (1896), pp. 386—398

GILBERT, N. W., *Renaissance Concepts of Method,* New York-London 1960

GILSON, É., *Études sur le rôle de la pensée médiévale dans la formation du système Cartésien,* Paris 1930 (Études de la philosophie médiévale, 13) (Neuausg. 1951)
—, *Index scolastico-cartésien,* Paris 1913

GUEROULT, M., *Descartes selon l'ordre des raisons,* Paris 1953

HAMELIN, O., *Le système de Descartes,* Paris 1921

HANKEL, H., *Zur Geschichte der Mathematik im Altertum und Mittelalter,* Leipzig 1874

HEIMSOETH, H., *Die Methode der Erkenntnis bei Descartes und Leibniz,* Gießen 1912 (Teil I) u. 1914 (Teil II) (Philos. Arbeiten, VI.1—2)

HOFMANN, J., *Descartes und die Mathematik;* in: Scholz et al. 1951

HUSSERL, E., *Cartesianische Meditationen und Pariser Vorträge;* Husserliana, I, den Haag 1960
—, *Erste Philosophie*; Husserliana, VII, den Haag 1956

JOACHIM, H. H., *Descartes' ‚Rules for the Direction of the Mind',* London 1957 (posthum hrsg. von E. E. Harris)

KEELING, S. V., *Descartes*; in: Proceedings of the British Academy of Science, 34 (1948), pp. 57—81
—, *Le réalisme de Descartes*; in: Revue de Métaphysique et de Morale, 44 (1937), pp. 63—99

KLEIN, J., *Die griechische Logik und die Entstehung der Algebra;* in: Quellen und Studien zur Geschichte der Mathematik, Abt. B, 1934—1936

KOYRÉ, A., *Études galiléennes,* Paris 1939 (2. A. 1966)
—, *Essai sur l'idée de Dieu et les preuves de son existence chez Descartes,* Paris 1922 (Bibliothèque des Hautes Études, Sciences religieuses, V. 33) (deutsch: *Descartes und die Scholastik,* Bonn 1923)

KRAMER, P., *Descartes und das Brechungsgesetz des Lichts;* in: Zeitschr. f. Mathem. u. Physik, 27 (1882), Suppl., pp. 233—278

LENOBLE, R., *Mersenne ou la naissance du mécanisme,* Paris 1943

LIARD, L., *La méthode et la mathématique universelle de Descartes;* in: Revue philos. de la France et de l'Étranger, 10 (1880), pp. 569—600

MILHAUD, G., *Descartes savant*, Paris 1921

MILLER, L. G., *Descartes: Mathematics, and God;* in: The Philosophical Review, 66 (1957), pp. 451—565

POPKIN, R. H., *Charron et Descartes: The Fruits of Systematic doubt*; in: Journal of Philosophy, 51 (1954), pp. 831—837
—, *The History of Scepticism from Erasmus to Descartes,* Assen 1960

NATORP, P., *Descartes' Erkenntnistheorie*, Marburg 1882
—, *Die Entwicklung Descartes' von den ‚Regeln' bis zu den ‚Meditationen';* in: Archiv f. Gesch. d. Philosophie, 10 (1897), pp. 10—28

RANDALL, jr., J. H., *The School of Padua and the Emergence of Modern Science,* Padova 1961

RÖD, W., *Zum Problem des Premier Principe in Descartes' Metaphysik;* in: Kant-Studien, 51 (1959—60), pp. 176—195
—, *Zur Problematik der Gotteserkenntnis bei Descartes*; in: Archiv f. Gesch. d. Philosophie, 43 (1961), pp. 128—152

SCHOLZ, H., *Die Philosophie im Zeitalter der Mathesis Universalis. Descartes, Pascal, Leibniz* (Vorlesung 1933—34). Hrsg. von der mathematischen Fachschaft der Universität Münster.

SCHOLZ et alii (d. i. A. Kratzer und J. Hofmann), *Descartes. Drei Vorträge,* Münster 1951

SERRUS, Ch., *La méthode de Descartes et son application à la métaphysique,* Paris 1933

VUILLEMIN, J., *Mathématique et métaphysique chez Descartes,* Paris 1960

II.

ALLAIRE, E. B., *The Circle of Ideas and the Circularity of the Meditations;* in: Dialogue, 5 (1966), pp. 131—153

BECK, L. J., *The Metaphysics of Descartes,* Oxford 1965 (Cf. die Rezension: Röd 1969)

BUCHDAHL, G., *Descartes' Anticipation of a Logic of Scientific Discovery*; in: Scientific Change, hrsg. von A. C. Crombie, London 1963
—, *Metaphysics and the Philosophy of Science,* Oxford 1969, (insb. Kap. III)
—, *The Relevance of Descartes' Philosophy for Modern Philosophy of Science;* in: British Journal for the History of Science, 1 (1963), pp. 227—249

CYSARZ, H., *Descartes und Bergson. Französischer Rationalismus und Irrationalismus in Deutschland;* in: Schopenhauer-Jahrbuch 1969, pp. 38—55

DE ANGELIS, E., *La critica del finalismo nella cultura cartesiana,* Firenze 1967
—, *L'idea di buon senso. Osservazioni su alcuni scritti comparsi tra il 1584 ed il 1690,* o. O., o. J.

DENISOFF, D., *Descartes, premier théoricien de la physique mathématique,* Louvain 1970

FLEISCHER, M., *Die Krise der Metaphysik bei Descartes;* in: Zeitschr. für philos. Forschung, 16 (1962), pp. 68—83

FRANKFURT, H. G., *Descartes' Discussion of His Existence in the Second Meditation;* in: The Philos. Review, 75 (1966), pp. 329—356

GEWIRTH, A., *The Cartesian Circle Reconsidered;* in The Journal of Philosophy, 67 (1970), pp. 668—685

GOKIELI, L. P., *Logičeskaja priroda dekartovskogo argumenta*; in: Voprosy filosofii, 21/3 (1967), pp. 112—116

GOUHIER, H., *La pensée métaphysique de Descartes,* Paris 1962

GRIMALDI, N., *Le fini et l'infini chez Descartes;* in: Revue de Métaphysique et de Morale, 74 (1969), pp. 21—54

GRIMM, R., *Cogito ergo sum*; in: Theoria, 31 (1965), pp. 159—173

HALBFASS, W., *Descartes' Frage nach der Existenz der Welt,* Meisenheim/Glan 1968 (Monographien z. philos. Forschung, 51)
(Cf. die Rezension von Röd, in: Philos. Literatur-Anzeiger 22 (1969), pp. 273—277)

HALLER, R., *Das Cartesische Dilemma*; in: Zeitschr. f. philos. Forschung, 18 (1964), pp. 369—385

HART, A., *Descartes' "Notions";* in: Philosophy and Phenomenological Research, 31 (1970), pp. 114—122

KENNY A., *Descartes. A Study of His Philosophy,* New York 1968 (Studies in Philosophy, 15)

—, *The Cartesian Circle and the Eternal Truths;* in: The Journal of Philosophy, 67 (1970), 685—700

KOYRÉ, A., *Études d'histoire de la pensée philosophique,* Paris 1961 (Cahiers des Annales, 19)

LEYDEN, W. v., Cogito, ergo sum; in: Proc. of the Aristotelian Society, 63 (1962—63), pp. 67—82

LÖWITH, K., *Das Verhältnis von Gott, Mensch und Welt in der Metaphysik von Descartes und Kant;* Sitzungsberichte der Heidelberger Akad. d. Wiss., Phil.-hist. Klasse, 3. Abh. 1964

MAGNUS, B., und J. B. WILBUR (Hrsg.), *Cartesian Essays: A Collection of Critical Studies,* den Haag 1969

MAHNKE, D., *Der Aufbau des philosophischen Wissens nach Descartes,* München und Salzburg 1967 (Epimeleia. Beiträge zur Philosophie, 8)

MARSHALL, jr., D. J., *Physik und Metaphysik bei Descartes,* München 1962 (Diss.)

PEUKERT, K. W., *Der Wille und die Selbstbewegung des Geistes in Descartes' Meditationen*; in: Zeitschr. f. philos. Forschung, 19 (1965), pp. 87—109 und 224—247

RISSE, W., *Zur Vorgeschichte der Cartesischen Methodenlehre*; in: Archiv f. Gesch. d. Philosophie, 45 (1966), pp. 269—291

RÖD, W., *Descartes,* München u. Basel 1964
—, *Gewißheit und Wahrheit bei Descartes*; in: Zeitschr. für philos. Forschung, 15 (1962), pp. 342—362
—, *Objektivismus und Subjektivismus als Pole der Descartes-Interpretation*; in: Philos. Rundschau, 16 (1969), pp. 28—40

SALMON, E. G., *Mathematical Roots of Cartesian Metaphysics;* in: The New Scholasticism, 39 (1965), pp. 158—169

Schmidt, G., *Aufklärung und Metaphysik. Die Neubegründung des Wissens bei Descartes,* Tübingen 1965
(Cf. die Rezension von Röd, in: Philos. Literatur-Anzeiger, 20 (1967), pp. 202—207)

Serres, M., *Un modèle mathématique du Cogito*; in: Revue philosophique de la France et de l'Étranger, 1965, pp. 197—205

Siegler, F. A., *Descartes' doubts*; in: Mind, 72 (1963), pp. 245—253

Wagner, H., Realitas objectiva. Descartes — Kant; in: Zeitschr. f. philos. Forschung, 21 (1967), pp. 325—340

Weber, J.-P., *Sur la composition de la Regula IV de Descartes*; in: Revue de la France et de l'Étranger, 89 (1964), pp. 1—20

Die Descartes-Literatur des englischen Sprachraums nach 1960 ist erfaßt im bibliographischen Anhang von Doney, W. (Hrsg.), *Descartes. A Collection of Critical Essays.* London-Melbourne 1968 (Papermac 3026).

Heft 81 GOTTFRIED MARTIN
Gesammelte Abhandlungen I
1961, 232 S., kart. DM 30.—

Heft 82 HEINZ HEIMSOETH
Studien zur Philosophiegeschichte
1961, 310 S., kart. DM 40.—

Heft 83 GÜNTER BUHL
Ableitbarkeit und Abfolge in der Wissenschaftstheorie Bolzanos
1961, 95 S., kart. DM 11.25

Heft 84 ERNST KONRAD SPECHT
Die sprachphilosophischen und ontologischen Grundlagen im Spätwerk Ludwig Wittgensteins
1963, 176 S., kart. DM 22.—

Heft 85 KLAUS WEYAND
Kants Geschichtsphilosophie — Ihre Entwicklung und ihr Verhältnis zur Aufklärung
1964, 213 S., kart. DM 27.—

Heft 86 GÜNTER RALFS
Lebensformen des Geistes
1964, 344 S., kart. DM 45.—

Heft 87 GERD WOLANDT
Gegenständlichkeit und Gliederung — Untersuchungen zur Prinzipientheorie Richard Hönigswalds mit besonderer Rücksicht auf das Problem der Monadologie
1964, 198 S., kart. DM 24.—

Heft 88 HANS DIETRICH IRMSCHER
Immanuel Kant — Aus den Vorlesungen der Jahre 1762 bis 1764. Auf Grund der Niederschrift Johann Gottfried Herders
1964, 184 S., kart. DM 28.—

Heft 89 JOHANNES ERICH HEYDE
Die Objektivität des Allgemeinen — Ein Beitrag zur Lösung der Universalien-Frage
1965, 60 S., kart. DM 9.80

Heft 90 HARIOLF OBERER
Vom Problem des objektiven Geistes — Ein Beitrag zur Theorie der konkreten Subjektivität im Ausgang von Nicolai Hartmann
1965, 192 S., kart. DM 33.—

Heft 91 GÜNTER RALFS
Stufen des Bewußtseins — Vorlesungen zur Erkenntnistheorie
1965, 284 S., kart. DM 44.—

BOUVIER VERLAG HERBERT GRUNDMANN · BONN

Heft 92 URS RICHLI
Transzendentale Reflexion und sittliche Entscheidung — Zum Problem der Selbsterkenntnis der Metaphysik bei Kant und Jaspers
1967, 215 S., kart. DM 24.—

Heft 93 ANDREAS HEINRICH TREBELS
Einbildungskraft und Spiel — Untersuchungen zur Kantischen Ästhetik
1967, 231 S., (Neuaufl. in Vorber.)

Heft 94 JULIUS EBBINGHAUS
Die Strafen für Tötung eines Menschen nach Prinzipien einer Rechtsphilosophie der Freiheit
1968, 104 S., kart. DM 14.50

Heft 95 JÜRGEN HEINRICHS
Das Problem der Zeit in der praktischen Philosophie Kants
1968; VI, 123 S., kart. DM 16.—

Heft 96 KLAUS DÜSING
Die Teleologie in Kants Weltbegriff
1968, 243 S., kart. DM 29.50

Heft 97 GISELA SHAW
Das Problem des Dinges an sich in der englischen Kant-Interpretation
1969, 177 S., kart. DM 24.50

Heft 98 ALBERT HEINEKAMP
Das Problem des Guten bei Leibniz
1969; VIII, 232 S., kart. DM 33.—

Heft 99 PETER HEINTEL
Die Bedeutung der Kritik der ästhetischen Urteilskraft für die transzendentale Systematik
1970, XVIII, 246 S., kart. DM 38.—

Heft 100 HEINZ HEIMSOETH
Studien zur Philosophie Immanuel Kants II
1970; IX, 280 S., kart. DM 48.—

Heft 101 VLADIMIR SATURA
Kants Erkenntnispsychologie in den Nachschriften seiner Vorlesungen über empirische Psychologie
1971; VI, 176 S., kart. DM 26.—

Heft 102 HEINZ-JÜRGEN HESS
Die Obersten Grundsätze Kantischer Ethik und ihre Konkretisierbarkeit
1971; X, 173 S., kart. DM 24.80

BOUVIER VERLAG HERBERT GRUNDMANN · BONN